Annual
of the Institute
of Thanatology,
Toyo Eiwa University

死生学年報

2013

●生と死とその後

東洋英和女学院大学
死生学研究所編

LITHON

目 次

目　　次

〈論文〉
ニクラウス・マヌエルの現実と死後を見つめる眼

鈴 木 桂 子

はじめに

ニクラウス・マヌエルは中世から近世への移行期にスイスのベルンで活躍した画家、詩人、政治家である。[1] ベルンは1848年よりスイス連邦の首都であるが、マヌエルの時代には都市国家としてその勢力を拡張しつつあった。当時スイスには、誓約によって結ばれた都市国家や地方から成る同盟 *Eidgenossenschaft* というものが存在していた。このスイス同盟は対外的にも強力に機能し、幾つかの戦争勝利を経て、1499年には事実上、神聖ローマ帝国からの独立を果たした。戦争による成功は、しかしながら必ずしも良い結果だけをもたらしたわけではない。スイス兵の優れた士気と戦術が他国から高く評価され、彼らとの間に傭兵契約が公的にも私的にも成立していったからである。それはやがてベルンをはじめ、スイス同盟内に、政治的無責任さによる人道的道徳的社会的危機を生み出していった。本稿では、このような危機の時代に生き、人の世の現実に厳しい眼を向けたニクラウス・マヌエルの活動と彼の作品『死の舞踏』を取り上げる。従来の伝統的な「死の舞踏」表現とは異なる彼独自の作品から「この世の二面性」を読み取り、「人は死後、後世に何を残すのか」ということについて考えてみたい。

1　ニクラウス・マヌエルの生涯

彼は恐らく1484年にベルンで生まれ、1530年4月にベルンで46歳の短い生涯を閉じた。彼の生涯前半については、1509年の結婚まで詳しいことは伝えられていない。1510年、26歳で彼はベルン議会の議員となった。彼が画家として何らかの報酬を得たという最初の記録は1513年で、それまで彼が誰のもとでどのような修業を積んだのかはまったく不明である。彼は幾つかの祭壇画、板絵、多くの素描を残しているが、彼の芸術的活動の中で最もモニュメンタルな絵画作品は、ベルン、ドミニコ会修道院教会墓地の壁画『死の舞踏』である。これは1516年（遅くとも1517年）から1520年の間に制作された。1520年代初頭に彼は画家から転向する決心をし、素描を除き、絵画制作よりも詩作や政治に活動の重点を移していった。すでに壁画『死の舞踏』に彼は自ら詩をつけており、これが最初のまとまった文芸作品だが、その後1523年には初めて反教会的な二つの謝肉祭劇『教皇とその司祭』『教皇とキリストの対峙』をベルンで上演した。この年に彼はまた、ベルンが管轄していたエルラッハ地方（ビール湖近辺）の代官という要職も得た。1523年以降、彼はベルンにおける宗教改革派の中心的指導者として活躍し、1528年初頭には宗教改革導入を成功させた。この年4月、彼はベルン参事会に選出され、さらに10月からは政府の中枢部において活動し、死去するまでの一年半の間、特に宗教改革の問題をめぐりスイス同盟内の調整役を務めた。[2)]

彼の生涯で特異なのは、フランス側の傭兵として数度、ミラノ戦争の戦場に赴いていったことである。『死の舞踏』の開始は、1516年に北イタリアの戦場から帰国した後である。この作品を理解するには当時の傭兵制度とその問題点を知っておく必要があるので、次に簡潔に纏めておく。

2　スイスの傭兵制度とその問題点

山岳地帯が多く農耕地が少ないスイスにとっては、穀物を他国から輸入すること、またその資金確保、さらには人口増加にともなう過剰な労働人口への対処が必要だった。これらの解決策として15世紀後半に成立したのが傭兵制度で、これはスイス同盟と外国政府間の傭兵徴募に関する協定である。これにより、領土内での傭兵徴募を許可したスイス同盟には外国からの多額の年金収入がもたらされたばかりか、外国からの穀物輸入も保障された。ところがこのような公的制度以外に私的な傭兵契約というものがあり、都市国家の有力者は私的な年金を外国政府から受けるかわりに、傭兵提供に便宜をはかっていた。[3)] これが通常化していくのは1494年に始まったフランスのイタリア戦争からである。

傭兵制度の問題点として、以下の三点をあげることができる。まず第一に人道的問題である。スイス同盟が対外的な姿勢を明確にせず、各都市国家や地方の意思にまかせていたため、スイス同盟内でも傭兵契約相手がフランスやミラノ公爵、ローマ教皇、神聖ローマ帝国皇帝と様々で、一つの戦場でスイス人同士が敵見方で戦う場面がでてきてしまった。第二は私的な傭兵契約を結んだ政治的経済的上層部らの道徳的問題で、彼らは私利私欲のために諸外国から（ベルンの場合は特にフランスからだが）巨額の賄賂をもらい、自らも傭兵隊長として戦地に赴き、報酬や年金に加えて勝利の際の戦利品や贈呈品によって莫大な富を築いていった。第三は社会的問題である。一般的傭兵の給料は平均的職人月給の倍であり、高額報酬がもたらした庶民の生活の変化はますます金銭欲を高める結果となった。一方で社会復帰できない戦争負傷者の数の増大は社会風紀の悪化に繋がっていった。さらにかつては人口増加に悩んでいた農村地域は、傭兵の増加で極端な労働人口減少という事態に直面し、そして私的な傭兵契約制度の恩恵にあずからなかった人々の不満は、民衆蜂起という形で爆発しかねない状況にあった。[4)]

3　マヌエルの『死の舞踏』

まず一般的な「死の舞踏」という表現ジャンルであるが、これは主に教会墓地の囲壁という公衆との結びつきが可能となる場所に展開され、絵と言葉の両手段によって、死がすべての人間に平等に、時として突然に訪れることを人々に理解させようとしたものである。表現されるものは生きている人間と死の組み合わせであるが、主役は死であり、死は半骸骨化した死者の姿で、生者よりも生き生きとしながら生者を死の踊りに誘う。死者は死の擬人化であって、対峙する生者の死後の姿を示しているわけではない。一方、生者は聖俗社会のあらゆる階層の代表者として登場する。中世末期にあらわれ、「メメント・モリ」（死を想え）という托鉢修道会の思想のもとに広まった「死の舞踏」の直接的成立要因は、未だに不明である。[5)]

マヌエルの『死の舞踏』は、ベルンのドミニコ会修道院墓地の南側（道路側）を閉じる壁に、しかも恐らくこの壁の内側、つまり北側に描かれたが、その成立から140年後の1660年頃、道路拡張工事による壁の破壊とともに消滅した。[6)] しかしすでに1649年に画家アルブレヒト・カウヴが24枚の水彩画のコピーを完成させており、これが唯一マヌエルの『死の舞踏』を今日に伝えている。[7] 道路側に面した壁の長さは100メートル以上で、死の舞踏は横列24の区画で、東から西へ約80メートルにわたって描かれていたと思われる。P. ツィンスリの再現によれば、それは地上から1.4メートルの高さで、それぞれの区画の大きさは縦2.3メートル、横3.1メートルである。[8] 最初の区画には楽園追放と証しの石板を受けるモーセが、次の区画にはキリスト磔刑と納骨堂で楽器を演奏する死が、そして一番最後の区画には説教者が表現された。これら3区画は壁に直に描かれたのではなく、板絵として壁に取り付けられたと推測される。なお説教者についてはマヌエルへの帰属が疑問視される為、本稿では言及対象から除外する。[9] これらに挟まれた21区画に、等身大の死と生者が対になった41場面（一つの例外を除き、二つのアーチから成る1区画にそれぞれ2場面）、つまり本来の「死の舞踏」が、山々などの自然風景を背景にして、納骨堂の方へ、左へ向かって進むように描かれた。マヌエル創作の四行詩は板に書かれ、それらは各区画の下に取り付けられていたとみてよい。[10]

図1　ニクラウス・マヌエルの『死の舞踏』（A. カウヴによる模写）から教皇と枢機卿

図2　ニクラウス・マヌエルの『死の舞踏』（A. カウヴによる模写）から修道院長と聖堂参事会員

登場する生者の身分は41である。まず聖職者階層の13の代表者たち、すなわち教皇（図1左）、枢機卿（図1右）、総大司教、司教、修道院長（図2左）、聖堂参事会員（図2右）（四行詩では「司祭」になっており、宗教改革後の書き換えともとれる）、教会法学者（図3左）、マギスター（天文学者）（図3右）、ドイツ騎士団団員

図３　ニクラウス・マヌエルの『死の舞踏』（A. カウヴによる模写）から教会法学者と天文学者

図４　ニクラウス・マヌエルの『死の舞踏』（A. カウヴによる模写）からドイツ騎士団団員

図５　ニクラウス・マヌエルの『死の舞踏』（A. カウヴによる模写）から公爵と伯爵

(図４)、僧侶、尼僧院長、隠修士、ベギン会女子会員。これに続いて世俗の貴族階層から七代表、皇帝、国王、皇帝妃、国王妃、公爵（図５左)、伯爵（図５右)、騎士。次に学者としての法律家（図６右)、弁護士、医者。そして市の代表者たち、すなわち市の長、金持ちの若衆（ユンカー)、市参事会員（図７左)、代官（ユンカー)（図７右)、議員、商人（ユンカー)。最後の階層として寡婦、乙女、職人（図８左)、貧者（図８右)、兵士、娼婦、料理人、農民、道化師、母親と幼児、異教徒とユダヤ人。行列の最後には画家マヌエル(図９）が加わる。[11]

マヌエルの『死の舞踏』は伝統的なそれと次の点で大きく異なっている。まず第一に生者の身分配列に作品が制作された当時の社会的階層の現実が投影されていることである。ユンカーとよばれる有力者、商業取引によって力をつけてきた言わば金銭での貴族が、市の六代表の中に三身分登場する。[12] 第二にニクラウス・マヌエルという画家と韻文の作者が判明していること。しかも彼は死の行列の最後に自画像を描いている。第三に、この作品を委託したのは壁画が描かれたドミニコ会修道院ではなく、ベルンの有力者たちだということである。しかも寄進者たちの名前までもが、二つの例外[13]を除いて、壁画に描かれた紋章によってわかる。こうして、死と対峙する生者は、聖俗の各階層を単に象徴的に集合的にあらわす人間としてそこにいるのではなく、寄進者とかかわりを持つ存在となる。しかも寄進者によっては、後述するように、自分と同様の社

図6　ニクラウス・マヌエルの『死の舞踏』（A. カウヴによる模写）から騎士と法律家

図7　ニクラウス・マヌエルの『死の舞踏』（A. カウヴによる模写）から市参事会員と代官

図8　ニクラウス・マヌエルの『死の舞踏』（A. カウヴによる模写）から職人と貧者

図9　ニクラウス・マヌエルの『死の舞踏』（A. カウヴによる模写）から画家マヌエル

会的階層の場面に寄進している（「マギスター」「ドイツ騎士団騎士」「騎士」「市参事会員」「議員」「寡婦」「職人」「兵士」など）。また寄進者と寄進された階層の間には多くの場合、何らかの接点が存在する。例えば「教皇」の寄進者が教皇側の傭兵隊長という具合に。さらに驚くべきことに、寄進者の幾人かは自分の肖像画として、あるいは顔の特徴がわかるほどに生者を描かせている（図２右、図３右、図４、図５左右、図６左、図７左、図８左）。すなわち「死の舞踏」で死に誘われる生者は壁画が制作された当時の現実世界と繋がりを持っており、幾つかの表現では特定の個人がモデルになっているのである。

4　『死の舞踏』から浮かび上がってくる実在の人物たち

寄進者たちの顔ぶれは当時のベルン社会の反映である。寄進者を社会的階層別にみると、もっとも多いのが貴族の家系で、全部で45ある絵のうち18を、次にユンカーたちが14の絵を寄進している。壁画が描かれたドミニコ会修道院やベルン大聖堂首席司祭からの寄進はなく、彼らの役割の弱さが窺える。また当然のことであるが、経済的弱者、職人層の下の層に属す人々の寄進はなく、唯一の例外は道化師である。同一人物が二つ以上の絵に寄進することはなく、このことからも、実在の人物が「死の舞踏」の特定の生者とのみかかわりをもつことが理解されよう。また「死の舞踏」内の階層が下位に行くほど寄進者たちの社会的階層もさがる傾向にある。上位の三階層（教皇、枢機卿、大司教）は貴族の寄進者で独占され、ユンカーによる最初の寄進は「司教」、職人層からの最初の寄進は「議員」の場面である。

寄進者たちは彼らの政治的地位や社会的立場、肩書きや称号、経歴に関して、実に様々だが、注目したいのは寄進者の多くが傭兵経験者だということである。数人の貴族は有名な騎士であり傭兵隊長、すなわち私腹を肥やした者たちだった。ベルンは1500年から年金と傭兵禁止条例を発令してきたが、私的な傭兵契約は半ば黙認されていた。たとえ賄賂問題で処罰を受けたとしてもそれは罰金や議会からの一時的除名処分、あるいは市による所有地の買い上げなどで、傭兵隊長を務めたような貴族にとって、処罰が決定的な打撃となることはなかった。『死の舞踏』への寄進者たちに限らず、社会の上層部にいる人間は、傭兵に関する金銭上の問題を黙認する傾向にあり、またベルンにはそれを容認する土壌があったと思われる。一例をあげると、1466年から75年の間に最も収入のあった人物は、ベルンの年間支出に相当するほどの傭兵年金をフランスから受け取っていた。今なら賄賂だが、当時は不正な収入という悪評判はなく、ベルン大聖堂に安置された彼の墓碑には、「始めて傭兵年金を得た者」と記されており、それはあたかも彼の功績のような印象を与える。[14)]

では興味深い寄進者を何人かあげてみたい。[15)] 当時ベルンで多大な影響力をもっていた貴族の家系はディースバッハ家とエルラッハ家で、彼らが寄進者として最初に名をあげる。本来の「死の舞踏」行列が始まる前の４場面のうち３場面は彼らの寄進である。中でも「楽園追放」はディースバッハ家最重要人物によるもので、彼は騎士であり、壁画制作開始時の市の長だった。ところが制作開始後まもなく、1517年おわりに75歳で突然死去した。彼の弟は「十字架磔刑」を寄進。自伝も残した騎士で、皇帝マクシミリアン１世が彼を欲しがったほど優秀だったが、彼はフランス側の傭兵となった。市の長の息子たちは「皇帝妃」「国王妃」を寄進している。

「納骨堂（死のコンサート）」はエルラッハ家の寄進者で、彼は「死の舞踏」完成時の市の長であった。「教皇」（図１左）を寄進したのは彼の兄弟である。寄進者は長いこと傭兵隊長として教皇側について戦い、1512年には有名なユリウス軍旗をベルンにもたらした。「枢機卿」（図１右）はエルラッハ家の最重要人物、騎士で最も有名な傭兵リーダーの寄進である。彼はフランス国王と教皇の両方について戦い、巨額の富を築いた。

上述の二つの家系以外の貴族からの寄進を二三あげてみる。「公爵」（実際の肖像）（図５左）の寄進者は１６世紀初頭のベルンの重要な政治家で宗教改革反対派である。1506年にはイェルサレムへの巡礼を果たし、騎士の称号を得た。1519年の市の長選挙ではエルラッハ家に敗れている。「伯爵」（実際の肖像）（図５右）の寄進者も1515年にイェルサレムへ巡礼、騎士の称号を獲得。画中には「私は22歳だった」と書かれている。34年という短い生涯の最後の10年間を彼は戦場で過ごした。1528年、彼はフランスの傭兵として滞在していたナポリで恐らくペストで死去。ベルンで三番目に影響力があった家系の出身にもかかわらず、「死の舞踏」列内のかなり後方に登場する最後の貴族の寄進者は、悪名高い歴戦の勇士で、自分と同じ階層「兵士」に寄進している。彼は浪費家でもあり、免罪符を自分のために、また500人の戦の下僕を買ったという。彼と同じ家系でも軍隊や政治でのキャリアをつまずに聖職者の地位（聖歌隊指揮者）にあった者もいる。「聖堂参事会員」（実際の肖像）（図２右）の寄進者で、彼は1519年に、当時ベルンで流行していたペストで死去した。「ドイツ騎士団騎士」（実際の肖像）（図４）に寄進した人物は貴族の聖職者で、彼自身もドイツ騎士団騎士であった。

ユンカーの寄進者として始めて登場する人物は「司教」を寄進した。彼はベルン参事会に選出されたばかりでなく、傭兵隊長としても幾たびかの経験があった。彼はマヌエルのように宗教改革に好意的で古い教会の慣習や免罪符から距離を置いていた。「修道院長」（図２左）寄進者も同じくユンカーで政治的地位にあった。傭兵賛成派で、1515年には１５００人兵の隊長として北イタリアへ赴いた。「教会法学者」（図３左）を寄進した人物は1500年頃の最も重要なベルンの商人であり銀行家である。彼は神学上の問題に関心を持っていたため、「教会法学者」に寄進。すでに1518年、マルティン・ルターに関心を持っていた。政治的にも活躍し、スイス同盟議会でベルンの代表を務め、また優れた語学力で外交も手がけた人物である。傭兵賛成派であり、自らも幾つかの戦争で戦った。傭兵参加のユンカーには他に「金持ちの若衆」寄進者がいる。町じゅうにその名を知られた浪費癖の人物で、若くして西北イタリアで戦死した。彼の父親は「代官」（図７右）に寄進している。父親は資産家で、それゆえユンカーの肩書きが許された。「代官」画中の巻物の記述はそれを暗示するかのように富と館の無益を説いている。「富と広い屋敷は我々に何の役にたとうか、もし小さな大理石で覆われるので十分ならば。」「小さな大理石」とは墓を意味する。壁画の表現を見ると、死は巻物を右手で掲げ、左手で墓を指している。

ユンカーの寄進をもう少し見よう。「法律家」（図６右）を寄進したのは当時のベルン政府の中枢部で会計を取り締まっていた人物である。「市参事会員」（実際の肖像）（図７左）の寄進者は壁画が描かれる時点ですでに13年間、市の参事会員を務めていた。彼は社会派でもあり、経済的弱者保護施設を設立した。

「死の舞踏」で始めて登場する職人層からの寄進者は、自分と同じ階層「議員」へ寄進した。顔の特徴も似ていると思われる。彼は1515年には北イタリアへ傭兵として、「修道士」や「教会法学者」の寄進者たちと赴いている。1519年死去。「職人」（実際の肖像）（図8左）の寄進者は仕立て屋職人である。彼の妻は宗教改革者ツウィングリの親戚で、彼自身、宗教改革賛成者である。政治と社会福祉の二領域で活動した。彼は戦争年金と傭兵の反対者で、傭兵参加から遠のいており、この点で多くの寄進者たちと異なる。職人層からの寄進者には非常に独創的な人物もいる。「貧者」（図8右）の寄進者はフランスの幾つかの小説をドイツ語に翻訳、1521年にバーゼルで二冊出版した。彼は議員でもあり、ベルンの役職も得た。最初は反宗教改革の立場をとっていたが、後に信奉者となった。

マヌエルの親戚関係には「皇帝」と「国王」の寄進者たちがいる。特に後者はマヌエル夫人の兄で、ユンカーの傭兵リーダーである。ベルン参事会員でもあった。

当時のベルンでは珍しく大学教育を受けた寄進者もいる。「マギスター(天文学者)」（恐らく実際の肖像）（図3右）に寄進した人物はボローニャ大学でマギスターを修得、自分と同じ階層に寄進。当時はベルンの官房長官だった。

5　この世の二面性

「死の舞踏」という虚構の世界にもたらされた現実との繋がりは、当時のベルン社会を反映した生者の身分階層ばかりでなく、寄進者の存在によって、一層、強められた。彼らの紋章は、本来の「死の舞踏」に先立つ四場面では画面下左右に、行列では各区画の上部左右隅の壁がん風円形に描かれている。同一家系からの人物たちは、紋章のまわりのアルファベットによって区別される。こうして死の行列に誘われる生者は、寄進者の紋章によって、さらには肖像画風の表現によって、具体的な名前を伴ってあらわれてくる。しかも彼らは、「証しの石板を受けるモーセ」の女性寄進者と「乙女」の寄進者を除き、壁画が描かれ始めた時、生存していた人々である。マヌエルの『死の舞踏』では、すべての人間に平等に訪れる「死」というテーマよりも、今そこに生きている具体的な個人の死が予告されることになる。現に壁画で最初にその名をあらわす寄進者、当時の市の長は壁画制作開始後まもなく突然死去、また彼以外にも四人の寄進者たちは1520年の壁画の完成を待たずしてこの世を去った。そして忘れてならないのは、彼らが寄進者として、経

Le mort
Vous faictez lesbay se sembla
Cardinal: sus legierement:
Suiuons les autres tous ensēble:
Rien ny vault esbaissement.
Vous auez vescu haultement.
Et en honneur a grant deuis:
Prenez en gre lesbatement.
En grant honneur se pert laduis
Le cardinal
Jay bien cause de mesbair
Quant ie me voy de cy pres pris.
La mort mest venuee assallir:
Plus ne vestiray vert ne gris.
Chapeau rouge chappe de pris
Me fault laisser a grant destresse:
Je ne lauoye pas apris.
Toute ioye fine en tristesse.

Le mort
Venes noble roy couronne
Renomme de force et de proesse:
Jadis fustez enuironne
De grant pōpez: de grāt noblesse
Mais maintenāt toute haultesse
Laisseres: vous nestes pas seul.
Peu aures de vostre richesse.
Le plus riche na qun linceul.
Le roy
Je nay point apris a danser
A danse et note si sauuage
Las: on peut veoir et penser
Que vault orgueil force lignage.
Mort destruit tout: cest son vsage:
Aussi tost le grant que le maindre.
Qui moins se prise plus est sage.
En la fin fault deuenir cendre:

図 10　ギュイヨ・マルシャン刊、パリのサン・ジノサン壁画「死の舞踏」（1485 年）より枢機卿と国王

済的な苦境にあったドミニコ会修道院に代わって経済的実力を示したという事実である。もし、半世紀前に成立した大バーゼルの「死の舞踏」にベルンが対抗意識を燃やしていたなら、彼らはベルンを代表する人々でもあった。[16)]

一方、マヌエルの壁画に描かれる「死」の姿は骸骨そのものではなく、肉がまだ少々残り、頭髪が残っていたり、死後、肉体が徐々に朽ち果てていくその過程の姿で表わされている。ギュイヨ・マルシャン刊、パリのサン・ジノサン壁画「死の舞踏」(1485 年)(図 10)[17)] に現われる「死」よりも、マヌエルの死の描き方は生々しい。それはとりもなおさず、当時の人々の興味をそそり好奇心を満たす描き方でもあった。死後、人間の肉体がどのように腐敗していくのか、その不気味さを現世で目の当たりにすることに、人々は異常とも言える興奮と一種の喜びを見出したのかもしれない。生と死という人間存在の二面性において、死とは腐敗していく肉体であり、それはあくまでも現世からみた死の局面を意味している。[18)]

こうしてみてくると、マヌエルの『死の舞踏』は二層式のトランシと呼ばれる屍骸墓像を思い起こさせる。二層式墓は 14 世紀末から 16 世紀末の間、フランス、ドイツ、イギリスで豊かに展開した。ここに埋葬されている人々は高位聖職者や世俗の支配者、貴族である。この二層式墓の上部には故人の彫像が紋章を伴って正装の姿で横たわっており、下部には、肉体が腐敗していく死後の状態を表現するトランシと呼ばれる墓の彫刻が見られる。[19)] マヌエルの『死の舞踏』で死の行列に登場する生者は二層式墓上部の彫像に、擬人化された死はトランシの屍骸墓像に相応する。『死の舞踏』と二層式墓の共通点はまず第一に、生者、または正装姿の彫像が寄進者であり、紋章を描かせるほどの社会的階層に属していること。第二に紋章、さらに生者の肖像

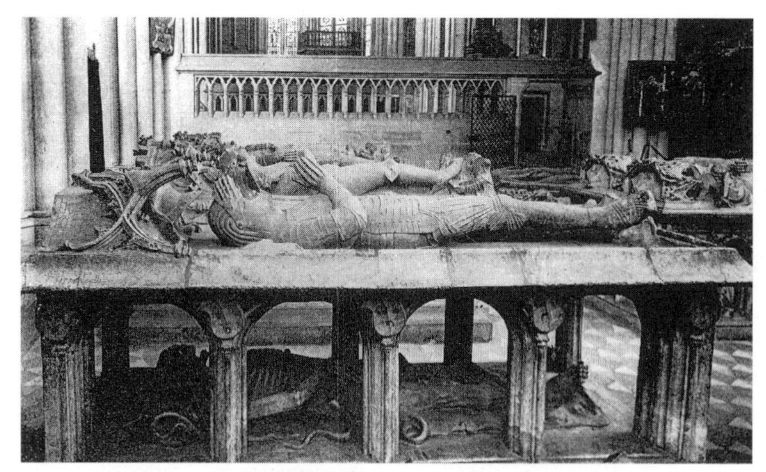

図11　ヘッセン地方伯ヴィルヘルム２世の二層式墓碑像、
マールブルク、聖エリザベート教会、1516年頃。

画風表現や墓の墓碑銘によって、特定の個人がかかわってくること。第三に死の行列の生者も墓の彫像もこの世における体面を意識して正装姿で表現されていること。第四に正装姿の者と死が対になって表現されること、第五に死が朽ち果てていく肉体として捉えられることである。

マヌエルの『死の舞踏』と同時期、1516年頃にはヘッセン地方伯ヴィルヘルム２世の二層式墓碑像（図11）が制作されている。[20] 二層式墓の上層には鎧兜に身を固めた地方伯が頭上に紋章を伴い、下層では腐敗した肉体が蛇や蛙とともに横たわっている。この世の人間存在の二面性を表わすのにもっとも納得がいく場所、墓において、肉体の見せかけの美しさと、解体し始める肉体の醜さが同時に示される。トランシは次の例（図12）のように写本にも描かれている。[21] 王妃の二層式墓を見ると、上部には両手を胸で合わせた王妃が正装した姿で、その下には蝕まれた肉体が表現されている。注目すべきはすべて異なる紋章で飾り立てられた王妃の棺である。紋章で飾り立てることがいかに重要であったか。紋章の多さは王妃の家系の広さ、豊かさを象徴し、家系と結びつく栄誉や功績をあらわす。この同一性が可能でなければ紋章を提示する意味はない。墓の下層に見られる腐敗した肉体が誰とも見分けがつかないことと比べると、非常に対照的である。

この写本画にみられる極端なコントラストはマヌエルの『死の舞踏』でも

言える。マヌエルの壁画の場合には腐敗した肉体は確かに一般的に擬人化された「死」で、今は故人となってしまった人を指すわけではないが、特定不可能という点では、誰とも見分けがつかないトランシの屍骸墓像と共通している。二層式墓碑像と同様、家系を誇示する立派な紋章は、醜いおぞましい肉体とは不釣合いである。二層式墓碑像にしろマヌエルの『死の舞踏』にしろ、このような大胆な比較が試みられる背後には、寄進者たちの次のような考えが存在している。すなわち、滅び行く物質としての肉体に対し、紋章に象徴される栄誉、名誉、功績、威厳はこの地上において滅びることがないという考えである。[22] 滅び行く現実と永遠不滅に死後、後世に残るもの。こうして寄進者たちの現実と死後がマヌエルの『死の舞踏』では前面に出てくるのである。

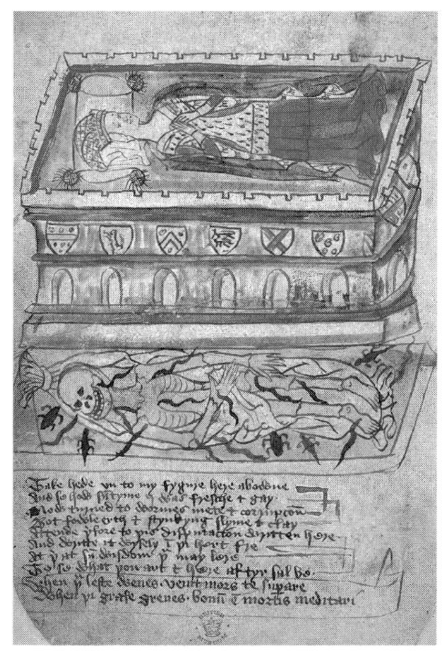

図 12　王妃の二層式墓、ロンドン、ブリティッシュ・ライブラリー所蔵写本（Ms. Add. 37049, fol.32v）、1450 年頃。

6　死の表現と詩にあらわれる寄進者の政治的社会的立場

二層式墓碑像と異なるのは、マヌエルの生者も死者も身ぶりを伴い、そして「語る」ことである。しかし死の表現や四行詩の調子には行列の 41 場面内で多少の相違がある。すなわち生者を冷笑的に愚弄し批判する要素が強いか弱いかである。それをマヌエルは意図して寄進者の政治的社会的立場と関係づけたように思われる。大別すると、一方には傭兵賛成派でしかも政治的社会的に影響力をもった貴族やユンカーのグループ、もう一方には傭兵に消極的だった人々のグループがある。前者は概ね死の行列内の高い身分階層へ寄進しており、「教皇」（図 1 左）「枢機卿」（図 1 右）「修道院長」（図 2 左）「教会法学者」（図３左）「公爵」（図５左）「伯爵」（図５右）「兵士」がその例である。後者が寄進した場面としては「法律家」（図６右）「市参事会員」（図７左）「職人」（図８左）「貧者」（図８右）があげられる。代表的なものを幾つか取り出してみよう。

「教皇」の場面（図１左）では死は厚かましく教皇の椅子に乗り上げ、教皇のシンボルであるティアラを左手で軽々ととる。韻文では次のやりとりが交わされる。「教皇よ、どうお気に入りですかね／あなたもこの輪で踊るんですよ／三重冠は私にあずけて／椅子はそのままにして」「地上では私の神聖さは大きく輝いた／私が天国の鍵をあけるように／愚かな世界が私のほうに傾き／こうして今は私自身が屍だ」[23]

「枢機卿」の場面（図１右）では、死は左手をのばして帽子の紐に手をかけ、右手に持った笛を吹きながら、顔をそむけて嫌がる枢機卿を無理やり力ずくで踊りに誘う。韻文は両者の態度を言葉にしている。「枢機卿よ、私について踊りなされ／お前は限りない力を持っていた／ここではそれほど役に立たないだろう／お前の命が終わりに近づく時には」「教皇を支えたにもかかわらず／死はそれを勘定に入れようとしない／世界は私を尊重したが / 私が死から身を守ることはできない」[24]

「公爵」(図５左）に死は冷笑的に語りかける。「公爵、何と輝いてらっしゃることか / まったく陶器のようだ／今はすべてをおいていかねばならない／そして死と墓場へ行くのですよ」死は少々反り返り、右足を後ろにはねあげ、公爵の頭に両腕を伸ばして、彼の帽子をとろうとしている。公爵はやるせない諦めのポーズで次のように応答する。「おお神よ、こんなに突然別れねばならないのか／土地、人々、女、子供、お金、衣装から／金銀、鎖、飾り輪から／これは何とも恐ろしいことだ」[25]

「伯爵」（図５右）の場面では、死は膝をまげ、かぶった帽子をとって彼に挨拶しようとしている。「伯爵よ、私を見なされ／軍隊をそのままにして／お前の土地は後継者に委ねて／というのもお前はただちに死ななければならないのだから」死の挑発的なポーズに対し、伯爵は一歩身を引いて応える。「私は高貴な出身だ／死は今私に悪い知らせを言う／私の支配をもっと満喫したかった／死よ、私の生涯の幕を閉じたいのか」[26]

「法律家」（図６右）に死は硬貨を見せ、彼を釣ろうとしている。硬貨は寄進者が内閣の会計取り締まり役であることと関係しているのだろう。硬貨の誘いにのらない堂々とした法律家の態度を死も認めているかのように韻文は書かれている。「正義を法律家は求める／法はこういう誘いと交わるものだ／正しい道をいくものは／死の苦境も乗り越えるだろう」「すべての法は神から流れ出／私の書物に書かれている／人はこれらの法を曲げるべきではない／平和のときであろうと戦争のときであろうと」[27)]

「市参事会員」（図７左）の韻文も好意的である。「参事会員よ、よく助言しなさい[28)]／そして学びなさい、人はどう死ぬべきか／貧者にも金持ちにも助言しなさい／そうすれば神はお前から離れないだろう。」「神を私は信頼しています／神も参事会員に次のように語っています／どのような公正さを果たすか／神の前では失敗しないであろうと」[29)]

「職人」（図８左）の足元には様々は道具が散らばり、死と彼は顔を見合わせて踊る。「職人よ、お前の順番だ／お前の妻と子供を養った／すべての道具をそこにおいて／お前が稼いだものは風邪のようにすぐに消え去る」「本当のところ／私は夜も昼も働いた／それでも我が子を養うことができなかった／でも死からは身を守りたい」[30)]

全場面の中でマヌエルが特別な配慮をはらったのが「ドイツ騎士団騎士」（図４）である。一つの区画に単独で表現され、この例外的扱いから、この身分と寄進者への尊敬が推察される。それは死の台詞にもあらわれる。鉢形の帽子を被った死は背後から騎士に近づき、彼の槍を摑んでいるが、両者の間に強制と拒絶から生じる緊張感はない。韻文もそれを反映している。「騎士よ、神の力から／お前は信仰に多くの良きことをもたらした／そしてまたキリスト教をまもり／死を勇気をもって試みる」「トルコ人、異教徒と私はたたかい／信仰なきものたちに苦しんだ／しかしもっと強いものと闘ったことはなかった／私を死に連れて行くものよりも」[31)]

上述のわずかな例でも明らかなように、死の表現や韻文の内容に見られる差異は寄進者に対する批判的、あるいは好意的なマヌエルの態度による。マヌエルの判断基準になっているのは正義という徳であり、批判は特に金銭の魅力に負けて私的な傭兵契約を結んだ貴族やユンカーの傭兵隊長たちへ向けられている。高位聖職者、特に「教皇」（図１左）「枢機卿」（図１右）の場面で観察される死の極端な態度は、宗教改革を念頭においた聖職者批判と解釈されがちだが、『死の舞踏』制作時期のベルンでは、宗教改革への高まりはまだ本格化していなかった。[32)] とすれば、寄進者エルラッハ家批判のほのめかしと捉えられる。彼らはそれにどれほど気づいていたのだろうか。

7　マヌエルの眼

「死の舞踏」の行列の最後にマヌエルは自画像（図9）を描いている。彼自身、死の運命から逃れられないことは、長い絵筆のストックに右手をかけた死の姿で理解される。その背中には過ぎ行く時を象徴する砂時計がのっている。[33] しかしマヌエルは最後の登場人物を丁度描き終えたところで、この画家としての行為によって、死の行列に登場した生者、寄進者とは別次元に位置づけられる。壁画の鑑賞者に横顔を向けた彼は、このポーズによって自分が行列の登場人物たちを、つまり彼らの現実と死後を見つめていることを強調している。

滅び行く現実であるがゆえに栄誉の地上的永続性を死後のために望んだ彼らであったが、幾人かの寄進者たちにとって、実際彼らが後世に残してしまったものは彼らの望みとはかけ離れていた。壁画開始から完成までの四年間に起こった次の出来事がそれを証明している。まず「楽園追放」寄進者(ディースバッハ家）の突然の死去後、彼が相当額の負債をかかえていたという事実が判明した。彼は表向きは栄誉で飾られた優れた政治家、しかもフランスから最多の傭兵年金を受け取り、かつては最高の資産家であった。次に1518年にベルン政府が行った傭兵違反者の一斉調査では、「教皇」(図1左)「枢機卿」(図1右)「教会法学者」(図3左)「国王」「公爵」(図5左)「金持ちの若衆」「兵士」に寄進していた人物たちが検挙処罰された。

以上のような不名誉な出来事にもかかわらず、マヌエルは制作変更することもなく壁画を描ききった。しかも上述したように死の表現と韻文の内容に彼なりの批判的意図をこめて。「楽園追放」寄進者はなるほど本来の死の行列には登場しない。しかし死の原因を説く場面に彼は寄進したのである。「罪の支払う報酬は死である」ことを実例で示したことになる。後世に汚点を残すことになってしまった彼ら、市民から嘲笑されるかもしれない彼らがそれでも壁画制作続行に異議を申し立てなかったことは驚きに値する。思慮の浅薄さか、或いは紋章の重要性ゆえか。当時の上層階級は、傭兵制度によって不安定になった社会状況の中で生き残るために、「貴族」を特徴づける形式を求め、何よりも栄誉と称号を重要視した。それらは旅行報告や自伝的書、また記録書によっても同時代の人々や後世に伝えられた。『死の舞踏』への寄進も本来ならば、同時代の人々や後世に栄誉と称号を残すための手段であった。

8　理想と現実、そして『死の舞踏』以後

『死の舞踏』完成で示されたマヌエルの批判的態度はまだ消極的なものだった。これは彼自身が理想と現実との間で揺れ動いていたことを意味している。現実のマヌエルは壁画の作者であることの栄誉をみずからの紋章によって表わし、後世に伝えようとした。韻文でもマヌエルが作者であることが、死の台詞「マヌエル、お前は世界のすべての人物を / この壁に描いた」で証明される。また次の事実もマヌエルの現実的側面を物語っている。すなわち壁画制作を始める1516年の2月から5月まで、彼はフランス側に雇われた兵士として、『死の舞踏』寄進者たちの幾人かとともに北イタリアに滞在した。当時スイス同盟はフランスと敵対するドイツ皇帝援助に兵を出したため、スイス同盟議会はフランスの傭兵応募とイタリアへの出発を許可したベルンを非難した。ベルン政府はベルン戦隊に戻るよう命令、しかし戦隊はそれに従わずミラノへ進軍。結局、傭兵参加者たちには帰国後、罰則が課せられた。マヌエルも例外ではなく、1516年の復活祭から一年間、彼は議会から除名されていた。彼が傭兵として戦争へ参加したのは経済的理由ばかりでなく、彼の戦好きの性格にもよる。しかし勿論、多くの戦死者や負傷者を目の当たりにし、他の犠牲のもとに己の欲を満たそうとする利己主義も意識していた。それゆえ傭兵制度がもたらす悲劇を訴えることは彼の理想としての使命であった。

やはり内面の衝動に勝てず、理想とは裏腹にマヌエルは1522年、再びフランス側の傭兵としてイタリアに赴いた。そしてビコッカでドイツ皇帝－教皇軍、ならびに彼らについたスイス人兵と戦い、決定的な敗戦を味わったのである。同胞の多数の死とスイス軍の略奪行為、そこで体験したことの凄まじさから、マヌエルは戦争と傭兵制度に対してまったく新しい立場をとるようになり、宗教改革推進の道を本格的に歩み始めた。[34)]

人生の転機でマヌエルがとった姿勢は、自己の衝動を克服し、無私無欲に奉仕の精神をもって共同体に仕えることだった。1528年初頭に宗教改革が

ベルンに導入された後も、彼はスイス同盟内の宗教的対立を調整するために奔走した。中道を行くマヌエルは、カトリックかプロテスタントかの決断をスイス同盟内のそれぞれの地域に任せるべきだという考え方で、この点で彼はチューリッヒの重要な宗教改革者ツウィングリと対立した。しかし彼は独走するチューリッヒを説得し続けた。スイス同盟内の衝突が回避されたのは彼の功績である。[35] 1530年4月にマヌエルが死去した後、もはや牽制役を失ったスイス同盟は1531年、ついに宗教戦争に突入。ツウィングリが死去したのはこの宗教戦争、「カッペルの戦い」だった。

おわりに

マヌエルの『死の舞踏』はこの世の二面性を様々な局面で示す。生と死、滅び行く肉体と紋章の永続性、寄進者の現実と死後、栄誉を後世に残したいという望みと、その望みとは関係なく後世に残してしまうもの。そしてマヌエル自身の理想と現実。批判的に寄進者たちを見つめる自画像の理想、栄誉とは自分で残そうとして残せるものではないと諭す眼、他方で壁画の作者としての証しと栄誉を紋章に託す現実。自分が死後、後世に残すものを考慮するもう一人の自分。

『死の舞踏』制作後、ビコッカにおける戦闘の壮絶な体験を機に、「後世に何を残すか」という問いはマヌエル自身の生き方の問題に投影されてくる。この戦闘がマヌエルの人生にとって決定的なものになったのは、壊滅的敗戦という栄誉とはまったく正反対の屈辱を体験したからだけではなく、強奪略奪という行為に見られた人間存在の一局面を目の当たりにしたからである。自分勝手な独断、専横、傲慢。帰国後、彼が試みたのは無私無欲で自分の国に奉仕することだった。それを人は栄誉や名誉のためにするのではなく、それが自己に正直で忠実な生き方である故するのだということを、晩年のマヌエルの行動は示している。人は後世に何かを残そうとして「生きる」のではなく、「いかに生きたか」がおのずと後世に伝えられるのだということを、マヌエルの生涯は語る。それは「威厳の不滅」という呪縛から解き放たれた「個」の自由を意味しているのだろう。

※本論は死生学研究所2011年度第12回連続講座（2012年2月18日）での同題の発表に基づいている。

注

1) マヌエルの生涯と活動、作品を包括的に纏めたものとして以下の展覧会カタログがある。*Niklaus Manuel Deutsch. Maler Dichter Staatsmann,* Kunstmuseum Bern, 1979.
2) ベルン参事会は内閣と比較できる行政機関である。中枢部は２７人いる参事会員のうち、７名から構成されていた。マヌエルの生涯と作品については次の論文を参照。Hugo Wagner, *Niklaus Manuel – Leben und Künstlerisches Werk, in: Niklaus Manuel Deutsch, op. cit.,* S.17-41. 政治家としてのマヌエルは Jean-Paul Tardent, *Niklaus Manuel als Staatsmann,* Bern 1967 に詳述されている。
3) 森田安一『物語スイスの歴史』中公新書、2000 年、88-89 頁参照。
4) Bruno Koch, *Reislauf und Pensionen, in: Berns Grosse Zeit. Das 15. Jahrhundert neu entdeckt,* hrsg. von Ellen J. Beer, u.a., Bern 1999, S.277ff.
5) これまで言われてきたようなペスト流行との直接的関係は証明できない。確かなのは、墓場で飲食し踊る異教の古くからの慣習をキリスト教聖職者が忌み嫌っていたことで、彼らはこれを逆手にとって死に躍らせた。Uli Wunderlich, *Mors certa, Hora incerta – vom Totentanz auf dem Friedhof, in: Kunst + Architektur in der Schweiz,* 2010, Nr.3, S.46-55.「死の舞踏」一般に関する研究については、『死者たちの回廊』福武書店、1990 年を始めとする小池寿子氏の一連の著作、および「死の舞踏の成立と伝播」『東洋英和女学院大学死生学研究所年報』2009、97-127 頁を参照。
6) マヌエルの『死の舞踏』の詳細な研究は以下を参照。Luc Mojon, *Der einstige Totentanz, in: Die Kunstdenkmäler des Kantons Bern,* Bd.V, Basel 1969, S.70-83; Paul Zinsli, *Der Berner Totentanz des Niklaus Manuels (etwa 1484-1530) in den Nachbildungen von Albrecht Kauw (1649),* 2. Aufl., Bern 1979; Wilfried Kettler, *Der Berner Totentanz des Niklaus Manuel,* Bern 2009.
7) 水彩画の紙の大きさは平均して 36.5×49.2cm、現在ベルン歴史博物館に保管されている。カウヴの生涯と作品についてはGeorg Herzog, *Albrecht Kauw (1616-1681),* Schriften der Burgerbibliothek Bern, 1999 を参照。原作と模写の問題については拙稿「直接話法としての身ぶり―ニクラウス・マヌエルの『死の舞踏』表現について」『中央大学人文研紀要』第 53 号、2005 年、289 頁以下参照。
8) Paul Zinsli, *op. cit.,* Bl.II, Fig.1.
9) Niklaus Manuel Deutsch, *op. cit.,* S.253f.
10) カウヴは水彩画とは別個に四行詩を書き写したため、壁画と詩の位置関係は推測する以外ない。カウヴの四行詩は現在三枚分しか発見されていないが、1576 年にハンス・キーナーが書写したものが現存しており、これがマヌエルの四行詩（全92連）を伝えるもっとも信頼できる資料である。

11）ベルンと同様スイスのドイツ文化圏に属すバーゼルには、ベルンよりも早く15世紀半ばにいわゆる大バーゼルの「死の舞踏」が成立した。ここでは39の身分が認められるが、その配列の最初はベルンの壁画と異なり、聖俗の長が、教皇、皇帝、皇帝妃、国王、総大司教、大司教、枢機卿と、それぞれの位に従って交互に置かれた。宗教改革後、16世紀の大胆な修復の際、当時の社会情勢を反映して生者の身分配列には変更が加えられた。それにより国王の次に位置していた総大司教と大司教は消され、国王の後には王妃が新しく描かれた。拙稿「死の舞踏と宗教改革」『中央大学人文研紀要』第59号、2007年、113頁以下参照。

12）当時のベルン社会については以下を参照。Franz Bächtiger, *Bern zur Zeit von Niklaus Manuel,* in: *Niklaus Manuel Deutsch, op. cit.,* S.1-15; Urs Martin Zahnd, "*…aller Wällt Figur…*". *Die bernische Gesellschaft des ausgehenden Mittelalters im Spiegel von Niklaus Manuels Totentanz,* in: *Berns Grosse Zeit, op. cit.,* S.121-139. 短縮された同論文は *Niklaus Manuels Totentanz als Spiegel der Berner Gesellschaft um 1500*, in: *L'ART MACABRE*, 2003, 4, S.265-279.

13）「医者」と「市の長」の寄進者。カウヴの水彩画のコピーでは紋章が欠けている。カウヴが意図して描かなかったのではなく、壁画の紋章部分が剥げ落ちていたと思われる。前者の寄進者はドイツ出身のベルンの医師、後者については、ベルン近隣フリブールの市の長と推測される。

14）Bruno Koch, *op. cit.,* S.281f.

15）寄進者の経歴については *Niklaus Manuel Deutsch, op. cit.,* S.263-285; Urs Martin Zahnd, *op. cit.,* S.121ff.; Wilfried Kettler, *op. cit.,* S.24ff. を参考にした。

16）大バーゼルの「死の舞踏」の所有者はドミニコ会修道院だが、直接的制作理由と寄進者は不明。画家の可能性としてコンラッド・ヴィッツ周辺があげられる。注11参照。

17）パリのフランシスコ会修道院サン・ジノサン墓地の納骨堂回廊に1424年に描かれた「死の舞踏」は、ヨーロッパにおけるこの表現ジャンルの重要な出発点である。回廊は17世紀に取り壊されたが、1485年にギュイヨ・マルシャンによって出版された木版本によって壁画をしることができる。

18）ホイジンガは、中世末期の、死の地上的局面にこだわった俗世蔑視と肉体腐敗の戦慄に唯物主義的精神が潜むことを指摘している。J・ホイジンガ著（堀越幸一訳）『中世の秋』（『世界の名著』55）中央公論社、1967年、272-274頁。

19）トランシに関してはエルウィン・パノフスキイー著（若桑みどり、森田義之、森雅彦訳）『墓の彫刻』哲学書房、1996年、58頁以下参照。

20）ドイツのマールブルク、聖エリザベート教会に安置されている。墓碑像の作者はルードヴィヒ・ユパン・フォン・マールブルク（1460頃-1538年）。Friedrich Gorissen, *Ludwig Jupan von Marburg. Das gesamte Werk des Meisters*, Düsseldorf 1969, S.143ff., Kat.-Nr.316-319.

21）London, British Library, Ms.Add.37049, fol.32v. イギリスで1450年頃成立。パノフスキイー、前掲書、図266。

22）カントロヴィッツが指摘するように、こういった考えはそもそも次のような13世紀の解釈に始まる。すなわち、教皇の位階であろうと世俗の王朝であろうと、法律上制度上の跡継ぎがなされる時、個人の死後も、位階や王朝に付帯する威厳 *dignitas* は滅びない。Ernst Kantorowicz, *Zu den Rechtsgrundlagen der Kaisersage,* in: *Deutsche Archiv für Erforschung des Mittelalters,* XIII, 1957, S.141f. パノフスキイー、前掲書、59頁参照。

23）拙訳にはツィンスリの著作に収録されているテクストを用いた。Paul Zinsli, *op. cit.,* Tafel III 8, 9.

24）Ibid., Tafel III 10, 11.

25）Ibid., Tafel XII 42, 43.

26）Ibid., Tafel XII 44, 45.

27）Ibid., Tafel XIII 48, 49.

28）「市参事会員」に相応するドイツ語 Ratsherr の Rat には助言という意味がある。

29）Ibid., Tafel XVI 58, 59.

30）Ibid., Tafel XIX 70, 71.

31）Ibid., Tafel VII 24, 25.

32）前掲拙稿「直接話法としての身ぶり—ニクラウス・マヌエルの『死の舞踏』表現について」312頁以下参照。

33）マヌエルは、死と自分自身との対話に次のような四行詩をつけた。「マヌエル、お前は世界のすべての人物を／この壁に描いた／今やお前は死ななければならない／どんな考えも助けにはならない／いつその時が来るかわからない」「唯一の救い主よ、助けたまえ、私はお願いする／ここには私が留まるところがない／死が私に勘定書きを出す時には／私の職人たちよ、ご機嫌よう」Paul Zinsli, *op. cit.*, Tafel XXIII 88, 89.

34）画家から転向したばかりでなく、彼は聖像破壊論者でもあった。Bernd Moeller, *Niklaus Manuel Deutsch – ein Maler als Bilderstürmer,* in: *Zwingliana*, Bd.XXIII, 1996, S.83-104.

35）Ulrich Im Hof, *Niklaus Manuel als Politiker und Förderer der Reformation,* in: *Niklaus Manuel Deutsch, op. cit.,* S.96.

The Way Niklaus Manuel Used his "Danse Macabre" to Show his Thoughts about Contemporary Society and his Conception of Posthumous Fame

by Keiko SUZUKI

Niklaus Manuel (1484-1530) was a Swiss artist, poet, and statesman. He lived at a time when the Swiss Confederation was growing in military strength, but also changed to a more mercenary way of thinking. Manuel observed and portrayed the times and contemporary thinking when he painted his "Danse Macabre" on the outer wall of the Cemetery of the Dominican Church in Bern. He completed the painting between 1516 and 1520 and composed the rhymes that accompanied the pictures. The purpose of this paper is to consider what is left to posterity after one's death, and his answer to this question is shown in his paintings.

Manuel's "Danse Macabre" differs from traditional works insofar as his painting was not commissioned by the church, but by the burghers of Bern. From their coats of arms above their painted portraits we can know their names. Thus, there was a direct relation between the living persons and the figures in his "Danse Macabre". Most of these people had grown rich through their abuse of the modern mercenary soldier system, and as such they were powerful and influential leaders in the Bern of their time. They wanted Manuel to immortalize them in his painting, but instead he showed the vanity of their striving for fame and honour in the face of Death. In his later years Manuel served the Swiss Federation without seeking fame or honour for himself and endeavored to mediate between the different factions that divided the people after the Reformation.

〈論文〉

児童文学における死後生のファンタジー
――アンデルセンとその後継者の作品を中心に――

大澤千恵子

1 アンデルセン童話における死と再生のファンタジー

児童文学（Children's Literature）は、19世紀に誕生し、西欧を中心に発展してきた比較的新しい文学領域であるが、作者の豊かな想像力によって現実とは異なる別世界が描き出されることが特徴でもあり、また大きな魅力ともなっている。当時の西欧では、社会問題として乳幼児死亡率の高さに注目が集まっていたことから、「子どもの死」が多くの児童文学の主要なテーマとして取り扱われた。その際、リアリスティックな物語として死をもって生命が終わるのではなく、ファンタスティックな[1)]作風によって、この世の生とつながりを持った死後の世界が描かれた。つまり、児童文学の場合には、むしろ死が起点となって新たな空想的世界が繰り広げられる「ファンタジー」[2)]の分野が大きく発展したのであるが、それは、古くからの文化の中で語り継がれてきた「他界」のイメージと深い関わりを持っている。

すなわち、主人公である子どもが現実の世界では死んだように思われるけれども、実はそうではなくて、超自然的な存在が登場するような空想上の世界では生きているという二重構造によって語られるのである。このことは、新たな家族観、子ども観が形成された近代西欧で、依然として高いままであった乳幼児の死亡率とも関係している。当時の子どもたちにとって死は身近なものであった。夭折する子どもたちを憂慮した良心的な大人たちによって、近代以降強調された地獄の恐怖、あるいは選ばれし者だけが行くことができる天国観が宗教教育上の重要な役割を果たしていたが、児童文学はそうしたキリスト教的死生観言説にアンチテーゼを唱える形で登場したのである。[3)]

その先駆者は、北欧の小国デンマークに現れた。H. C. アンデルセン（Hans Christian Andersen, 1835–1875）である。アンデルセンは、『子どものための童話集』(*Eventyr fortalte for Børn*, 1835) を出版し、以降童話作家として活躍したが、多くの物語の中でキリスト教的な救済とともに、独自の死生観による死の瞬間、あるいは死後の世界がファンタスティックに描かれている。それらは当時支配的であったキリスト教が提供した原罪観に基づいて、回心しないままに夭折した子どもたちが落ちるとされていた地獄の世界とは全く異なる美しい世界であった。

例えば、童話『天使』(*Engelen*, 1843) は、子どもの死後譚として次のような天使の語りから始まる。

このような美しい死後譚は、死が身近なものであった子ども自身にとっても、また、我が子をなくして悲しみにくれる親にとっても大いに慰めとなったとされる。川端有子は、19 世紀のロンドンの貧しい子どもたちの労働と死とについて言及する中で、「子どもにとって死は身近なものだった。美しく幸せな死後の世界の描写は、死を迎える子どもにとっても、わが子を亡くした親にとっても一種の救いであり、癒しであった」[4] と述べている。

このようなアンデルセン童話の死生観は、キリスト教的神観念に基づくものであると解されるのが一般的である。例えば、児童文学の比較研究を行った原昌は、アンデルセン童話とその影響を受けた浜田広介の童話とを比較し、後者が「東洋的な運命観」[5] に支配されているのに対して、「アンデルセンの思想が神に裏打ちされているからこそ、彼が死を描いたとしても明るいし、愛を描いたとしても愛の崇高さを感じさせる」[6] と述べている。

しかし、原がいうように、アンデルセン童話が「死を描いても明るい」のは、「神に裏打ちされている」から、あるいはキリスト教信仰に基づいているからとの即断はできない。確かにアンデルセンはキリスト教の深い信仰をもっていたし、キリスト教の神による救済をしばしば描いてもいる。しかし、童話の中で死後の世界を表象する際、アンデルセンによって描かれる神は、他界を在所としている慈愛に満ちた神であり、原罪観や予定説とは結びつかず、むしろ当時の正統とされたキリスト教の教義からは離れたものである。こうしたアンデルセンの神観念は、彼が幼少期を過ごしたオーデンセの貧しい人々の土着的な死生観に基づいている。多神教的な世界観をもっている北欧の土着的な宗教は、キリスト教への改宗により完全に一神教的な世界観に転換したというよりも、むしろその多元的な世界観の一つとして飲み込んだというほうがより的確であるとされる。[7] 土着的な宗教とキリスト教との混淆は、アンデルセンが生きた19世紀になってもなお庶民の間にはまだまだ根強く残っていた。[8] 要するに、先に他界のイメージがあり、そこにキリスト教的な神を矛盾なく重ね合わせたということになる。したがって、注目すべきはキリスト教や神そのものではなく、むしろ他界を創造するという創作行為そのものなのである。

ヨーロッパではこのような土着的な死生観は、近代以前の妖精信仰[9] と関係が深い。妖精は、善悪の両面を持つ両義的な存在で、その在所はこの世の傍らに存在するパラレルな他界である。つまり、この世とは異なる常世、楽園としてイメージされたのであり、そこへ行くことはこの世を離れることとなって死が暗示された。妖精が両義性を持つのと同様に死も恐怖だけでなく愉悦を伴うものでもあったのである。

そうした他界のイメージは、代表作の一つ『マッチ売りの少女』（*Den lille pige med svovlstikkerne*, 1845）でも美しく描き出されている。

> マッチはとても明るく輝いて、あたりはま昼よりも、もっと明るくなりました。そして、この時ほど、おばあさんが美しく、大きく見えたことはありませんでした。おばあさんは小さい少女を腕にだきあげました。こうして、二人は光とよろこびとにつつまれて、高く高くのぼってゆきました。そこにはもう、寒いことも、おなかのすくことも、こわいこともありません。—二人は神様のみもとに、召されたのです。けれども、家のわきのすみっこには、寒い朝、小さい少女が赤いほおをして、口もとには、ほほえみさえ浮かべて—死んでうずくまっていました。ふるい年の最後の晩にこごえ死んだのです。あたらしい年の朝が、小さいなきがらの上にのぼってきました。そのなきがらはマッチを持ったまま、うずくまっていました。そのうちのひとたばは、ほとんど燃えつくしていました。この子はあたたまろうとしたんだね、と、人々は言いました。だれも、この少女が、どのような美しいものを見たか、また、どのように光につつまれて、おばあさんといっしょに、新しい年のよろこびをお祝いしにいったか、それを知っている人はいませんでした。[10]

このようにかわいそうな身の上の子どもに対してアンデルセンは現実の救いではなく、空想世界、さらには死後生において救済をもたらした。単なる悲劇にとどまらない物語の余韻となって読後の清涼感が感じられるのはそのためであろう。アンデルセンには、この世とパラレルに存在する他界、すなわち死後の生への確固たる信念があったといえる。こうした思想は一見すると自殺を助長しかねない危うさを孕んでいるかのようにも思われよう。しかし、逆説的ではあるが、死後生を信じることは、絶望的に思われた現実の壁を超えることであり、ある種の楽観へとつながる。それだけではない。物語の結末で、アンデルセンは現実とは異なるもうひとつの世界の存在を示唆しているが、マッチをすることで垣間見えた幻想の世界はその影のようなもので、少女が生きているうちに見えていたものである。[11] 要するに、他界はつねに傍らに有り、必ずしも死をもってでなくても、きっかけさえあれば、そこに入ることができ、またそこを在所とするものたちとの交歓が可能なのであり、そうした入れ子式の多重構造には、生だけにも、また死だけにも固着しないファンタジーの真髄があるといえる。有限である人生の儚さは確信された永遠の世界とつながることで超越され、現世での希望へと転じていく。だからこそ「アンデルセンが死を描いても明るい」のである。今・ここの現実世界とともに、永遠や無限というイメージとつながる他界が創造され、両者の行き来が可能な多重構造を持つファンタジー児童文学の物語様式が生み出されたのである。

アンデルセンによって誕生したこの様式を発展・興隆させたのは、基層的な文化の中に妖精信仰が根付いていたイギリスの児童文学作家たちであった。アンデルセン童話が出版された 1846 年は、「イギリス児童文学の歴史を考えるとき、画期的な意味をもつ『魔法の年』」[12] で、それまでイギリスの子どもたちにとって支配的であった「キリスト教の周到な宗教教育とブルジョア的社会倫理に縛られた世界に、涼風を吹き込む」[13] ものであったとされる。アンデルセン童話を翻訳受容した 19 世紀後半のイギリスの児童文学草創期の代表的な作品は、想像力により死後の生をファンタスティックに描き出し、古典的な名作として現在も多くの作品が読み継がれている。

2　イギリス児童文学におけるアンデルセン童話の受容

もともと、イギリスにはこうしたファンタスティックな物語を受け入れる土壌があり、古くは、ジョン・バニヤン（John Bunyan, 1628–1688）

の『天路歴程』（*The Pilgrim's Progress,* 1678-1684）にまで遡ることができる。1823年に『グリム童話集』（*Kinder und Hausmärchen,* 1812-1875）が、『ドイツ民話集』（*German Popular Stories*）として受容されたものの、その伝統に新しい息吹を与えるまでには至らなかった。日本ではアンデルセン童話とグリム童話は同列に並べられることが多いが、グリム童話は「生」の世界に重きを置いており、アンデルセンのように死後の生をファンタスティックに語られなかったことがその大きな要因であろう。それから20余年後の1846年、『子どものための不思議な物語集』（*Wonderful Stories for Children*）と訳されたアンデルセン童話集の登場によって、イギリスの児童文学は一気に芽吹き、瞬く間に大輪の花を咲かせたのである。アンデルセン童話の死後の世界を描き出すファンタジーこそが、イギリスの児童文学作家たちや読者の琴線に触れる要素を持っていたということであろう。

こうしたイギリスの児童文学作家や作品について宗教的な観点から言及しているのはH. カーペンターの『秘密の花園』（*Secret Gardens* ― *A Study of the Golden Age of Children's Literature*, 1985）である。カーペンターは、イギリスの児童文学黄金時代といわれる19世紀後半の児童文学の興隆期に多くの作家たちが共通点をもつファンタジー作品を描いたことに着目している。この時期に現れた著名なイギリスの児童文学作家たちは「ほとんど例外なしに、昔から主張されてきた宗教的な教えを拒否したか、あるいはそれに疑念を抱いた」こと、「彼らが『アルカディア』とか、『良き場所』とか『秘密の花園』などを探し求めたのは、まずはおよそ伝統的なキリスト教信仰に取って代わるものを発見しようという試みであった」[14] ことを指摘する。そして、作者にとって各々の別世界の創造は、アルカディア的世界の構築の願望からなるもので、「自分にとって本当に重要なものの中から生まれてくる、もう一つの宗教を打ちたてようと」[15] したものであるという。さらに描き出された別世界は、神秘性や荘厳さをといったある種の宗教的な雰囲気を醸し出しており、その点において伝統的なキリスト教に対するアンチテーゼであると捉えている。カーペンターは、児童文学作家たちの創作行為は、「神秘的で密やかな『良き場所』を探求すること」[16] であったと結論付ける。[17]
カーペンターのいう神秘性や荘厳さ、密やかさは、イギリス児童文学がアンデルセンから継承したファンタスティックな別世界の創造[18] に起因するものであるが、既に述べたように、それは現実の世界では死んだけれども、本当は死んでおらず、別のもう一つの世界で生きているという死生観にほかならない。

カーペンターが取り上げたイギリス児童文学黄金時代の作家・作品の中で、子どもの死が中心的な主題となって描かれているのは、その草創期に活躍したチャールズ・キングズリ（Charles Kingsley, 1819–1875）の『水の子』（*The Water-Babies,* 1863）、ジョージ・マクドナルド（George MacDonald, 1824–1905）の『北風のうしろの国』（*At the back of the North Wind,* 1871）である。

3　水中の旅として描き出される死後の世界
――C. キングズリ『水の子』――

まず、チャールズ・キングズリの『水の子』について述べよう。『水の子』は、イギリスファンタジー児童文学の草分けである。物語は現実がリアリスティックに描写される前半と、一転して超自然的な存在が登場するような水中の冒険の旅がファンタスティックに語られる後半とで構成される。いうまでもなくそのような物語の様式は、アンデルセンから受け継いだものであるが、最も重要な継承点は、ファンタスティックな世界が死後の生として描き出されることである。彼の父親は牧師で、「生計を立てるためだけに英国国教会に身を奉じることになった」[19]、「宗教を精神性の問題というよりも実務的な問題として扱っていたようにみえる人」[20]であったという。感受性が人一倍豊かであったキングズリは、父親のそのような信仰姿勢に対する反抗心もあり、一旦は信仰を捨てた時期もあった[21]というが、やがて自身も英国国教会の教区牧師となった。そして、産業革命後の社会の混乱期にあって、フレデリック・D. モーリス（Frederick Denison Maurice, 1805–1872）の影響を受け、貧民層の権利や社会福祉などに深い関心を抱くキリスト教社会主義に接近していった[22]が、そうした関心は彼が『水の子』によって描き出そうとしたことと共通している。その冒頭では、主人公の少年が生きる困難な現実世界がリアリスティックな作風で語られる。

むかし、トムという煙突そうじの少年がいた。短くて、よくある名だから、わけもなく覚えることができるだろう。――イングランド北部の、

> 煙突の多い大都会に住んでいたから、それをそうじしてずいぶん金をかせいだ。だが、その金はみんなトムの親方が使ってしまうのだった。またトムは読むことも書くこともできなかった[23)]。……トムは泣いたり、笑ったりして日を送った。暗い煙突の穴の中で、ひざやひじをすりむきながら登ってゆかなくてはならないとき、――いつものことだったが、すすが目に飛びこんだとき、――またこれもいつものことだったが、親方にぶたれるとき、――それから、これもいつものことだったが、食物もじゅうぶんもらえなかったとき、――こんなときにトムは泣いた。

煙突掃除の少年トムの日々の暮らしは、学校に通うこともできずにその労働力を搾取されている。これは、当時の社会問題でもあった過酷な児童労働の実態を浮き彫りにするものである。だが、社会改善のために、労働者階級の貧困や児童労働の窮状を訴えるだけならこのままリアリスティックな作風を貫いてもよかったはずである。文筆家として、あるいは宗教者として、不遇な子どもたちを救済する現実的な手立てがなかったわけではないであろう。キングズリはキリスト教社会主義の立場で社会改良に関心が高かったわけであるから、ディケンズ（Charles John Huffam Dickens, 1812–1870）の『オリバー・ツイスト』（*Oliver Twist,* 1838）がそうであったように、貧困層の窮状を訴えることで、そのような立場にあった子どもたちの救済につながることを意図してもいたであろう。しかし、物語においては、現実の改善が図られ、トムが救われるわけではない。つまり、キングズリは、キリスト教社会主義者として現実の生における救済を重視していたが、それだけでは満たされないものがあったと考えられる。事実、キングズリは、社会改善における現実の壁にぶつかってもいたようである。モーリスの弟子で友人のトマス・ヒューズ宛書簡では、世界はキリスト教社会主義が考えているほど理想的な方向には進まないという事実に気づいた[24)]と述べている事からもそれがわかる。この困難な現実の突破口となったのが、ファンタジーにおける別世界の創造であった。

『水の子』では、トムが川に落ちたところから物語はファンタジーに転じる。ある日、広大な屋敷に煙突掃除に行ったトムはちょっとした手違いからその家の令嬢エリーの部屋に迷い込んでしまい、泥棒と勘違いされて屋敷中の人から追いかけられる。荒野を抜け、崖を下り、谷底の村まで逃げるが、熱にうかされ、空腹と渇きで疲れ果てたトムは、水の妖精の女王に導かれるように川に入る。これまで煙突掃除という過酷な労働を強いられている貧しい下層社会の子どもの姿を追ってきたリアリスティックな現実描写は、一転してファンタスティックな物語となる。

トムはただ熱くなってのどがかわくばかりで、その上、早く体をきれいにしたいと思うほかは、なんの考えもなかったので、できるだけ早く、冷たくすきとおった水の中へころげこんだのだ。水に落ちこんで二分もたたないうちに、トムは、いままでに知らないような静かな、快い、おちついた眠りにとけこんでいった。その朝通った緑の牧場や、高いニレの木や、眠っている牛などの夢を見たが、まもなく、その夢も見なくなってしまった。トムがこんなに気もちのいい眠りにおちたということは別にふしぎではない。だれもまだそのわけは知ってはいないけれども、水の妖精たちがトムを寝かしたのだ。[25)]

トムがみた夢とも現ともつかないようなこの場面は、『マッチ売りの少女』がマッチをすって死の直前にみた幻想と共通するが、さらに、現実には死んだと思われるところも重なり合っているといえる。追いかけてきた人々は柳の根元にトムの服があるのをみて、川に転落して溺死したと判断するのである。しかし、キングズリは、次のように続ける。

さて、トムはほんとにどうなったか？
これからが、このふしぎな物語の中でも、一ばんおもしろいところになるのだ。トムが目をさましてみると――子どもはちょうどいいかげん眠ると、いつでもぱっちりと目をあくものだが――水の中をおよいでいるではないか！　体の長さは四インチ……これは、水の妖精たちがトムを「水の子」（ウォータ・ベイビ）にしてしまったのだ。[26)]

現実には、水死したかに見えるトムであったが、実は水の子として転生しており、そこから水中冒険の旅が始まるのである。水の子となったトムは、おせっかいな海老のおばさんや罠にかかった見栄っ張りの魚、海の生き物の創造者ケアリーおばさん、恐ろしい報いのおばさん、心優しい親切おばさんなど、[27] つぎつぎと様々な水の世界の住人と出会い、風刺とユーモアに満ちたエピソードの中で旅を続ける。トムは彼らとの出会いを通して、多くのことを学び、やがて女神の愛情ある導きによって魂の救いを得るのである。

物語の最後に至って、トムは立派な賢い大人になったとされているが、クリスチャンとして宗教の道へ踏み込んだという感じは受けないとカーペンターはいう。しかし、そのかわりにそうした宗教への目覚めに等しい信条をもつにいたったようには思われるというのである。[28]

確かにキングズリは、自身が牧師であったにも関わらず、トムに対してキリスト教的な宗教教育による救済とも異なるものを求めたといえる。むろん、キリスト教的な表象が見られないわけではない。トムは、不遇な状況下にあっただけでなくキリスト教について教わることも、教会に行ったこともなかった。

> トムの住んでいるところは裏通りの建物のてっぺんだったから、水がなかった。それで体を洗うこともしなかった。お祈りを教えてくれる人もなかったし、神さまの話やキリストの話を教えてくれる人もいなかった。[29]

「体を洗うこともしなかった」という表記には、清潔さの欠如だけでなく洗礼をうけていないことも暗示されているであろう。トムが水に入る前には、体をきれいにしたいとの思いが強かったのであり、それはキリスト教的な信仰に対する渇望のようにも思われる。だが、キングズリは、トムの野蛮さとキリスト教信仰がないこととを同一視しているわけではないし、教会とは無縁であっても、「——ただあるふしぎなことばで、それを聞いたかもしれなかった」[30] と、教会とは違う形で、祈り、あるいは神やキリストの話と同等の何らか神秘的なるものに触れている可能性も示唆しているのである。そうした神秘的な言葉の出処は、「本来キリスト教とはなじまない」[31] 妖精の在所としての水中世界から続く「世界の果てのそのかなた」(the Other-end-of-Nowhere) である。「世界の果て」でさえもなかなか実体験として訪れることが難しいところではあるが、さらに「そのかなた」であるから、その場所を思い描こうとするとき、想像力は伸びやかに羽ばたいていく。

そのことは、彼の信仰に対する煩悶とも関係している。神の神秘性が永遠とか無限にあるとすれば、信仰において想像力の飛翔は欠くことができないものである。『水の子』が書かれる少し前の1850年代には、彼は宗教的な信念が抜け出していくような非常に落ち込んだ状態で、[32]「ぼくは今、暗い名状しがたい不満と不安の中に生きています。……ぼくには、すべてのことが行なうに値しないように思えるのです」[33]とモーリスに告白したりもしている。『水の子』は、キングズリの宗教的信心が崩れ去ろうとしていた時期に書かれた作品であるとされるが、キリスト教社会主義の現世主義に行き詰った彼が、もう一度神とつながるためには想像力の飛翔が必要だったということであろう。さらにそれは、幼少期から植えつけられた天国や煉獄の概念への反発でもあったと推察される。

彼が、水に溺れたけれども、結局本当は死んでいない子どもを描いたのは、幼い妹の死を通した死への不安感[34]や少年時代の友人の水難事故死などが背景にあったとされるが、最も直接的な影響を与えたのは、弟の死であるといえる。弟ハーバートは、銀のスプーンを盗んで逃走し捕らえられたが、その際野外で一夜過ごしたことが原因で死亡したとされている。しかしながら、実は入江に飛び込んでの入水自殺が仄めかされてもいるのである。この出来事は、トムが泥棒と間違えられて逃げ出し、川に入るエピソードに符合する。キングズリは弟妹や友人の死に対するキリスト教的な教義的な解釈を根源的なところで拒否していたといっても良い。そのことがキリスト教社会主義の現世主義に傾倒していった要因の一つであったとも推察されるが、「幼い子どもの死」という問題は、幼い弟妹の死と同様に、現実時空ではどうしてもすべてを救済しきれないものである。信心の喪失をこの作品によって取り戻そうとした[35]ものであるとすれば、限界のある現実を超えたところの、永遠や無限も可能となる他界での救済がそこにはあったといえる。少なくともキングズリにとっては、人間は死んだあとどうなるのか、すなわち、「私たちはどこから来てどこへ行くのか」という生命の謎に対する答えを当時正統とされたキリスト教の教義や現世主義からだけでは導き出すことができなかったのである。

キングズリは、アンデルセンがそうしたのと同様に現実において亡くなった子どもの救済の手段としてもう一つの世界を描いた。アンデルセンがファンタジー童話の中で表象したような死後の生における救済には現実のような限界がない。アンデルセンと同様にキングズリも児童労働という過酷な現実世界を描くにあたり、同じ手法で主人公に救済をもたらしたが、現実には悲惨な死があったとしても死後の生の中に真の救済があること、少なくともそう信じることの重要性を確信していたようにも思われる。

物語の中では自身が語り手として登場し、妖精が目に見えなくとも不在の証明にはならないこと、本当に大切な真実は目に見えないことを繰り返し語っている。つまり、『水の子』では、トムが現実の身体的な死を迎えたからといってすべてが終結したわけではないことが、もう一つの別世界を描き出すことで語られているのであり、そのことは幼い弟妹の死を受容するためにキングズリがとった一つの方策でもあるのである。カーペンターは、「彼が成しとげたことは、ジョン・ロックの時代以来、自分のことをイギリス児童文学の守護者であり検閲者であるとみなした人びとが軽んじていた「本当でない」物語はまこと真実であり、それゆえに計り知れぬ価値があることを示したことであった」[36] としている。

キングズリは、『水の子』において、「水に溺れたけれども結局はほんとうに死んでいない子ども」[37] を描くことで生命の謎に対する自分なりの答えを導き出そうとしたのである。そして、現実には救済できなくとも、もう一つの世界で真の救済があることを信じたのである。キングズリは、アンデルセン童話の死後生への語りを継承し、後に続くイギリス児童文学の長い伝統の草分けとなったのであるが、そこにみられたような入れ子式の多重構造にまでは至らなかった。

4　風によって運ばれる死後の世界
――G. マクドナルド『北風のうしろの国』――

ファンタジーの真髄である多重構造を発展的に成功させたのは、ジョージ・マクドナルドである。代表作の一つである『北風のうしろの国』は、死をもって永遠に幸福な北風のうしろの国へと旅立っていくという独自の死生観を描き出し、現代ファンタジーの源泉の一つとなったといわれる。[38]

御者の息子ダイアモンドは、北風が吹き込む馬小屋の二階の干し草置き場で寝起きするような貧しい生活を送っていたが、あるとき髪の長い美しい女性の姿をした北風の精が彼のもとを訪れ、寝床から連れ出そうとする。「北風のうしろの国」とはあの世、すなわち死後の世界のアレゴリーである。川端有子は、作品が書かれた当時、19世紀のロンドンにおける労働者階級の子どもの死亡率が高かったことから、「子どもにとって死は身近なものだった。美しく幸せな死後の世界の描写は、死を迎える子どもにとっても、わが子を亡くした親にとっても一種の救いであり、癒しであった」と述べる。確かに死後の生を描くファンタジーにはそうした特性があり、前述のアンデルセン童話『天使』も子どもを失った母親たちを大いに慰めたとされる。しかしながら、アンデルセンから続くファンタジー児童文学という枠組みから捉えるならば、現実の死に対する慰み以上のものがそこには見出されるようにも思われる。

スコットランド北部に生まれ6人兄弟の二男であったマクドナルドは、父方の祖母の影響でカルヴァン主義が宗教的経験の基盤となったといわれ、一生プロテスタントに留まった。[39] だが、5歳のときに幼い弟、8歳のときに母親、翌年に仲のよかったすぐ下の弟を亡くすという喪失体験を持っている。特に前日に他愛もない兄弟げんかをしたまま永遠の別れとなってしまった弟は、当時優勢であったキリスト教的死生観言説にあっては救済されないことになるため、彼の信仰観に影を落とした。マクドナルドも、キングズリ同様、選ばれし者だけが救済され、あとの人間は断罪されるとするカルヴァン主義の教義を受け入れることができなかったのである。[40] 上京したマクドナルドは、組合教会の牧師になろうと決心するが、そのとき父に宛てた手紙には、「信仰を生みだしてくれる福音の心理を考えるかわりに、今はずっと信仰を探しもとめているありさまです」と、複雑な心境が語られていた。牧師に任命されてからも「異教徒も救済されるとか、あげくのはては動物たちも天国へ行くなどと吐いて、すぐに会衆とぶつかってしまった」[41] という。マクドナルドの宗教的信条が予定説と相入れなかったのは、幼少期に失った多くの親しい人々を無条件に受け入れてくれるような楽土としての天国への止むにやまれぬ欲求があったからであろう。現世的救済に重きを置くカルヴァン主義的死生観がそうしたように、死を残酷なもの、あるいは悪とみなしてしまえば、彼の親しい人たちは救われない。

北風の両義性は、そうした死に対する両義性とも通ずるものがある。北風は変幻自在で、少女や年頃の娘であったり、お婆さんであったりするだけでなく、ときにはトラやヘビ、流れ星にまで変わることもあるというが、姿かたちだけではなく性質も変わる。ダイアモンドを連れて世界を飛び、貧しく飢えた哀れな人たちの姿を見せる北風は、そよ風のような優しさと嵐のような荒々しさという両義性を持つ。すなわち、一方の手で少年を優しく抱く親切さともう一方の手で船を沈める残酷さを持ってもいるのである。『児童文学論』を書いたL. H. スミスによれば、北風は、「いずれ死すべきものと、不死のものについての子どもの疑問を人格化した」[42] ものとしているが、その両義性に鑑みれば、むしろ運命の女神としての基本観念に発するものであるといえる。[43] 北風はいう。

「そうよ。しようと思っても、わたしには残酷なことなんか、できないわ。いいえ、残酷だなんてとんでもない。私が何をしているかわからない人には、残酷に見えるかもしれないけれど。私が溺れさせたといわれる人にしてもね、わたし、本当はその人たちを—北風の—うしろの国に運んでいくだけなの……」[44]

その人たちが安らかでいられる居場所を求めたことが、目に見えないもの、耳に聞こえない言葉の存在への信心となり、現実とは異なる別世界を創り出す想像力となったのである。

マクドナルドは「子どもが発見したいと願っている世界を理解することができた。そして、想像力のつくりだす、こうした世界を、事実と常套儀礼にみちている私たちの日常の世界よりも、もっと真実味のこもった、もっと力づよいものにする術を身につけていた」とスミスはいう。「物語は答えることのできない答えを、読者に聞かせ、神秘な、説明できない世界のすがたを見せてくれる」[45] としているが、それはまぎれもなくマクドナルド自身の探求でもあったであろう。

北風のうしろの国から現実に戻ったダイアモンドは、体の具合が悪くなるものの、優しさが増しただけでなく即興詩の才能も得る。そして周りの人からは頭のおかしな子と思われるほど、いつも笑みを浮かべているような純真な少年となっていく。最終的に近所の人々の役に立ち、貧しい浮浪者同前の少女の生活を救うことになるが、自らは重い病気に罹って死んでいくのである。物語の後半からは、語り手である作者が登場しているが最後に次のように語る。

……ダイアモンドの愛らしい姿がベッドに横たわっていた。わたしはすぐに悟った。みんなはかれが死んだと思っている。しかし、そうではない。かれは北風のうしろの国へいったのだ。[46]

このように、作者だけが知っている、神秘的な世界、すなわち現実を超えた真実の世界の表象も、アンデルセンが確立したところのものである。その意味においても『北風のうしろの国』は、『マッチ売りの少女』との共通点が多く、[47] ファンタジー児童文学の多重構造を持つものであるといえる。アンデルセンに影響を強く受けた[48] マクドナルドは、「私たちはどこからきて、どこへいくのか」という問いの答え、すなわち生と死に対する答えを見出したといえよう。夭折した兄弟たちが地獄に落ちたとは受け入れられなかったマクドナルドは、マッチ売りの少女がおばあさんとのぼっていったようなもう一つの世界にいると信じたのである。

カーペンターは、マクドナルドが、「自分が生きた時代の宗教的信条のかなたに横たわっている縁を眺めわたし、その暗黒部分を窺っていた」のであり、児童文学の創作を通して、そうした「キリスト教にとって代わりうる絶対的な宗教上の経験というものを探し求めるものであった」[49] とする。マクドナルドが「死」という難しいテーマに真っ向から取り組んだのは、宗教的関心からだとすれば、桂宥子がマクドナルドの『北風のうしろの国』を例に挙げて指摘する、「日々成長する子どもがこの世界の心理や永続的な真実を知りたいという欲求に答えるもの」であるとするファンタジー児童文学の効用は、児童文学が内包する一つの宗教性であるということができる。

マクドナルドは、ファンタジーという手法をつかって、「死」について、また死後の世界について、美しくも感動的に子どもたちに語りかけているのである。大人の言葉とはまったく違う、子どもたちにも理解できる。「新しい言葉」を創造する道、それこそがファンタジーなのである。生と死、善意、友情、正義などの人生の真実、あるいは時間、空間、言語、論理などの哲学的概念を「大人の言葉」を用いて子どもに直接語りかけることは無意味である。しかし、ファンタジーの世界では、大人の言葉を用いずに、人生の真実や真理が鮮明に描かれうるのである。[50]

それは、キングズリが、「水の子」になる以前の、学校教育ともキリスト教とも無縁であったトムが「――ただあるふしぎなことばで、それを聞いたかもしれなかった」と仄めかした言葉と同質のものである。キングズリやマクドナルドは、「心霊の世界の神秘が最大の関心事」であり、「想像力ゆたかな、美しい別世界を創造したが、その世界にはいれば、子どもは、自分もその一部である大きな生命というものについて、自分の思う存分、思いめぐらせることができる」[51] と考えていたのである。

さらに、ダイアモンドがそれまで行ったのは、本当の「北風のうしろの国」ではなかったことが明かされるとき、現実の中にも死をもってしか行くことのできない永遠の世界との接点があることがわかる。少女がマッチをすって見た幻想がそうであったように、ダイアモンドが本当に行くことになったとき、怖がらないようにと「北風」が絵のようなもので体験させてくれていたのであり、本当はもっとずっとよい国があるというのであるというのである。このような入れ子式の語りは、目の前の現実だけが全てであるとするような狭苦しい時空を打ち破るとともに、ファンタジー児童文学そのものが自らのありようについて語っているともいえるであろう。このコンセプトは、20 世紀児童文学の最高峰といわれる C. S. ルイスの『ナルニア国年代記』(*The Chronicles of Narnia,* 1950–1956) にも引き継がれている。

結　語

アンデルセンに始まり、イギリス児童文学へと継承されていった死後生の物語は、どれも当時の正統なキリスト教の教義からはみ出してしまうものであったが、彼らにとって、生と死に関する自らの宗教的感性を満たすような語りは、「子ども」と「ファンタジー」という形を通してしかできなかったのである。しかしながら、そこにはなんらか宗教的であると読者が感じざるを得ないような不思議な魅力があることも確かであり、20 世紀末以降大人も含めた多くの人々の心を捉えるものとなっている。ファンタジー児童文学は、子どもとファンタジーという形をもって表象することで死後生をも描き出すことが可能な物語であり、そこには限り有る命を持つ人間の根源的な欲求・願望としての永遠なるものへの憧憬をみることができる。すべての生命がやがて迎える死という現実を背負って生きねばならない人間は、その根源的なところに永遠への渇望があるといえる。
『ホビットの冒険』（*The Hobbit*, 1937）『指輪物語』（*The Lord of the Rings*, 1954–1955）など優れたファンタジー文学の作者である J. R. R. トールキン（John Ronald Reuel Tolkien, 1892–1973）は、別世界を創造する文学的想像力によって生み出される最終的な効果は「準創造」である[52)]とした。こうした考え方自体はキリスト教的なものだが、妖精などの登場人物からもわかるように、描き出される雰囲気は、むしろキリスト教以前の古い宗教的世界観における他界の概念に近い。M. エリアーデは、「多かれ少なかれ複雑な形をかりて楽園神話は世界のほとんど至るところに見出される」[53)]というが、他界・異郷（あるいは楽園）の概念は、人間にとって原初的なものである。ここにあげた児童文学の作者たちは、ファンタジーにおけるもう一つの世界を想像することで、作者が自らの心の中にある、伝統的なキリスト教観だけでは補えない部分を埋めようとした。彼らがどうしても受け入れられなかったものは、キリスト教の中で近代以降強調された地獄の恐怖、あるいは選ばれし者だけが行くことができる天国観であった。そのため、自らの想像力によってしか行くことのできない密やかな場所を創造する必要があったのである。
ファンタジー児童文学においては、現実の救いではなく死後生での救済がもたらされることがあるが、そのため単なる悲劇にとどまらない物語の余韻となって読後の清涼感が感じられる場合がある。なぜなら、この世とパラレルに存在する他界への確固たる信念に基づいて語られる死後の世界は現実時空を超えるある種の楽観を生むものであるが、生きている間にも行き来することが可能な世界でもあるからである。物語の中でそのことが入れ子式の多重構造で語られるとき、生だけにも、また死だけにも固着しないファンタジーとなり、先ほどの楽観は現世における希望へと転じていく。だからこそ「死を描いても明るい」と感じられるような読後の爽やかさがもたらされるのである。ファンタジー児童文学で死後生において救済が描かれるとき、逆説的であるがそこには現実の世界への希望もまた生み出されるのである。児童文学において向日性が重視されるのはそうしたファンタジーの特性とも無関係ではないであろう。
さらに、入れ子式の多重構造は、目の前の現実だけが全てであるとするような狭苦しい時空を打ち破るとともに、近代西欧に誕生したファンタジー児童文学が何ものであるのかを自ら物語ってくれてもいる。そこにファンタジー児童文学の真髄があり、また宗教性があるといえる。そのことは、近代西欧のキリスト教文化圏に限ったことではなく、時代や地域を超えて、宮沢賢治の童話にも継承されているし、さらに文学という枠組みをも超えて、宮崎駿のアニメーションにもみることができるのである。

注

1) 児童文学はリアリズムを基調とした作品と空想性が豊かな作品とに二分されるが、前者の写実性を「リアリスティック」と言い表すのに対して、後者の空想性は「ファンタスティック」の用語が用いられる。
2) 空想的な児童文学のジャンルを指す用語として20世紀のイギリスで「ファンタジー」が用いられるようになった。
3) 児童文学史研究の第一人者であるタウンゼンドによれば、「17世紀末までに特に子どものために出版された本の大半は、教科書か、お行儀の本か、あるいは道徳の本であった。お行儀の本は、はじめ礼儀正しい作法に重きを置いていたが、ピューリタンの影響が増大するにつれて、宗教と道徳に重点がおかれるようになった」という。J. R. タウンゼンド、高杉一郎訳『子どもの本の歴史　英語圏の児童文学　上』岩波書店、1982年、8頁。「「子ども」という存在が強く意識されたのは、「ピューリタン的罪深い子ども（sinful child）の観念が浸透した17世紀後半であ」り、宗教的教訓物語が数世紀にわたって子どもたちに与えられていたことはよく知られている。谷本誠剛『児童文学入門』研究社、1995年、11頁。
4) 川端有子「北風のうしろの国」の章。定松正編著『世界少年少女文学ファンタジー編』自由国民社、2010年、30頁。
5) 広介自身の言葉の引用。原昌『比較児童文学論』大日本図書、1991年、34頁。
6) 同前、35–8頁。
7) 中里巧は、「北欧人にとっては、或る特定の場所や空間や場所そのものが、すでにそれだけで聖性を体現していた。したがって、北欧の神々が連なってきた場所にキリスト教の神が新たに連なるということは、むしろキリスト教の聖性が北欧神話の世界の聖性に逆に被われて吸収されてしまうことになったであろう」と述べている。中里巧『キルケゴールとその思想的風土』創文社、1994年、60頁。
8) 最も虚偽が少ないといわれる『アンデルセン自伝』の中では、アンデルセンは、「私の幼いころのオーデンセには、それから後には時の推移と共に消えてなくなっていった、古い風習や郷土の祭りが、まだまだ多く残っていた」と述懐している。(H. C. アンデルセン、鈴木徹郎訳『アンデルセン自伝』潮文庫1972年、12頁)
9) 妖精信仰のピークは16世紀末から17世紀初頭であったが、この時期は、異端の増加とともに悪魔や魔女に対する脅威が増大しており、プロテスタント圏においても悪魔祓いや魔女狩りの大規模な活動に対する取り組みが頂点に達していた。キース・トマス、荒木正純訳『宗教と魔術の衰退（下）』法政大学出版局、1993年、894–895頁。
10) アンデルセン、大畑訳、1984年、305頁。

11) 死の瞬間は、三つ目の幻想のあと流れ星が見えて「誰かが死ぬんだわ！」と彼女が感じたときに訪れたと推察される。
12) 中野節子・水井雅子・吉井紀子『ファンタジーの生まれるまで：作品を読んで考えるイギリス児童文学講座』JULA 出版局、2009 年、21 頁。
13) 同前、21 頁。
14) ハンフリー・カーペンター、定松正訳『秘密の花園：英米児童文学の黄金時代』こびあん書房、1988 年、33 頁。
15) 同前、86 頁。
16) 同前、32 頁。
17) 児童文学ということを意図していなかったジョン・バニヤンからファンタジーではなく非常に厳格な宗教教育物語を描いたシャーウッド（Mary Martha Sherwood, 1775-1851）にいたるまで宗教的な児童文学作家の目標地点でもあったという。（同前、3 頁。）
18) カーペンターはアンデルセンのイギリス児童文学への影響を直接的には認めていないが、ジャクリーン・バナジーは、明らかな影響関係を指摘している。（ジャクリーン・バナジー、山崎麻由美訳「ハンス・クリスチャン・アンデルセンとヴィクトリア時代の人々」松村昌家教授古希記念論文集『ヴィクトリア朝――文学・文化・歴史――』英宝社、1999 年、68、85 頁）
19) カーペンター、1988 年、51 頁。
20) 同前、52 頁。
21) ケンブリッジ大学に入ったキングズリは遊興三昧の放蕩な学生生活を送り、一旦信仰を捨てるが、精神的な落ち込みも激しくその罪悪感から再び信仰を取り戻し、英国国教会に忠誠を誓った。（同前、57 頁）
22) 同前、64 頁。
23) チャールズ・キングズレイ、阿部知二訳『水の子』岩波書店、1952 年、8 頁。
24) Susan Chittey, *The Beast and the Monk: a life of Charles Kingsley,* Hodder and Stoughton, London, 1974, p.155.
25) キングズレイ、阿部、1984 年、62 頁。
26) 同前、71 頁。
27)「報いのおばさん」や「親切おばさん」という寓話的な登場人物は、バニヤンの『天路歴程』を彷彿とさせる。
28) キングズレイ、阿部、1984 年、86 頁。
29) 同前、8 頁。
30) 同前、8 頁。
31) 西村醇子「水の子どもたち」定松正編『世界少年少女文学ファンタジー編』自由国民社、2010 年、23 頁。

32) カーペンター、1988 年、74 頁。
33) Susan, 1974, pp. 185-186.
34) 定松正編『イギリス・アメリカ児童文学ガイド』荒地出版社、2003 年、20 頁。
35) カーペンター、1988 年、86 頁。
36) 同前、85 頁。
37) 同前、86 頁。
38) 水間千恵「性と死」日本イギリス児童文学会編『英語圏諸国の児童文学 I －物語ジャンルと歴史』ミネルヴァ書房、2011 年、50 頁。
39) 同前、144 頁。
40) 同前、155 頁。
41) 同前、156 頁。
42) リリアン・H. スミス、石井桃子、瀬田貞二、渡辺茂男訳『児童文学論』岩波書店、1964 年、290 頁。
43) 古代エジプトや古代ギリシャの運命の女神は出生の日にあらかじめ定められた死亡時刻を告げるものである。ロルフ・W. ブレードニヒ、竹原威滋訳『運命の女神 その説話と民間信仰』白水社、2005 年、23 頁。
44) ジョージ・マクドナルド、中村妙子訳『北風のうしろの国』早川書房、2005 年、76 頁。
45) スミス、石井ほか訳、1964 年、290–293 頁。
46) マクドナルド、中村、2005 年、475 頁。
47) アンデルセンと宮沢賢治の童話の共通性を論じている栗原敦は、アンデルセンの『マッチ売りの少女』のラストシーンを取り上げ、語り手だけが真実を知っており物語ることができることを指摘しているが、その際、読者に未知の世界を知っている媒介者としての「風」というファクターに注目している。(栗原敦『宮沢賢治 透明な軌道の上から』新宿書房、1992 年、181–182 頁) また、長田弘は「風は物語る」として、「風は子どもにとっての一篇の物語なのであり、子どもはその物語の主人公なのである」という。そして「アンデルセンの物語はつねに暗く悲しいが、物語のたたえる暗さよりも悲しみよりも、わたしはアンデルセンの物語のなかを吹きぬけていく風に惹かれた。アンデルセンの物語は、風が語る路上の伝説なのだ」(長田弘『詩人であること』岩波書店、1983 年、3–4 頁) と述べているが、マクドナルドも「海辺を行ったり来たりしながら「海と風に向かって話しかけていた」という逸話を持っている。(カーペンター、1988 年、150 頁)
48) バナジー、山崎訳、1999 年、84–85 頁。
49) カーペンター、1988 年、172 頁。
50) 桂宥子「児童文学の黄金時代――その特色と意義」桂宥子、高田賢一、成瀬俊一編『英米児童文学の黄金時代――子どもの本の万華鏡――』ミネルヴァ書房、2005 年、14、15 頁。

51) スミス、1965 年、290 頁。
52) J. R. R. トールキン、猪熊葉子訳『ファンタジーの世界――妖精物語について――』福音館書店、1973 年、93 頁。
53) M. エリアーデ、岡三郎訳『神話と夢想と秘儀』国文社、1972 年、87 頁。

Life after Death in the Children's Fantasy Literature of Andersen and his Followers

by Chieko OSAWA

Many authors of fantasy literature for children describe another world after death. That world exists in parallel with the real world as we know it, and has been created through the imagination of several renowned authors. One of them was H. C. Andersen in Denmark, who was a pioneer and produced one of the first prototypes of a fantasy story for children. Andersen created a fantasy world for children who had died in his stories. This kind of imagination reflected his religious sensibilities as well. Some authors from the United Kingdom followed his lead and developed such a fantasy world further, each according to their imagination.

In this paper, the author focuses on Charles Kingsley and George MacDonald. They appeared in the first stage of what is called the Golden Age of Children's Literature in the United Kingdom. Kingsley's *The Water Babies* (1863) and McDonald's *At the Back of the North Wind* (1871) were written from these authors' vivid imaginations. Although both were pastors, they did not accept the traditional Christian view of and discourse on life and death. They both had lost relatives in their childhood and thus created worlds where they, themselves would like to live. They felt as if they were reborn and received salvation in this other world rather than in the real world. The authors believed that children live in another world from adults. However, this concept was also corroborated by their religious faith at the same time. The other world which they created reflected these authors' religious thinking and exploration of ideas. The other world which they imagined was not found in traditional Christianity but instead was a mysterious and fascinating place which remains an eternal mystery of human life.

〈論文〉

江戸の怪談にみる死生観

佐藤弘夫

はじめに

日本の思想や文化を考えるとき、日本人はもとより外国人にとっても興味深いテーマの一つに、幽霊があるのではないだろうか。幽霊は落語・歌舞伎・浮世絵の題材として恰好のものだった。江戸時代には「東海道四谷怪談」のお岩や「皿屋敷」のお菊［図版１］は、だれもがその名前を知る怪談界のスーパースターだった。幽霊をめぐるたくさんの怪談が日々高座にかけられ、生々しい復讐のシーンを描いた浮世絵が大量に世間に流布した。その系譜は現代の「学校の怪談」や日本発のホラー映画にまで継承されているのである。

図版１

幽霊の問題を考えるときに、そのポピュラリティに加えてもう一つ重要と思われる視点は、それをテーマとした、国境を越えた比較文化論的研究の可能性である。人は死を運命づけられた存在である。そのため、死といかに向き合うかという問題は、人類にとって共通の課題となった。死後の世界がまちがいなく実在すると多くの人が信じる時代になると、人々はこの世での幸福の延長として、死後の世界での安らかな生活を願った。それは他方で、死後も苦しみにあえぐ死者のイメージを増幅させていくことになった。死が普遍的な現象であるがゆえに、不幸な死者——幽霊の問題もまた時空を超えて世界中でみられるテーマとなったのである。

このように、学問的にも重要な対象と考えられる幽霊であるが、本論ではそれについて一つの視点から考察を加えてみたい。それは、なぜ江戸時代に幽霊にまつわる文化が大流行をみせたのかという問題である。

いうまでもなく、死者にまつわる恐怖の物語は、古今東西を問わず語られてきたものである。ところが、日本列島ではその大量発生は近世以降の現象だった。宗教が圧倒的な位置を占めていた古代・中世ではなく、社会の世俗化が進む近世・近代において、なぜ幽霊譚・怪談が隆盛を迎えるのであろうか。

墓と葬送儀礼の変遷を視野に入れて、中世と比較しながらこの問題を考えることによって、近世に発生する大量の幽霊の原因を探ると同時に、中世—近世の移行期に日本列島で起こった死生観のダイナミックな変貌ぶりを明らかにしてみたい。

1　日本人は骨を大切にするか

現在の日本では、だれかが亡くなると親族によってお葬式が営まれる。葬式に前後して遺体は火葬され、式の終了後、先祖の骨が納められている家の墓地に納骨される。

死者と親族との関係は、納骨が終わっても途切れることはない。「彼岸」といわれる春分と秋分の日、また「お盆」といわれる夏の一日、遺族は墓に詣でて先祖にあいさつし、その安らかな眠りを祈る。今日の日本では、この「墓参り」という儀式が、季節の変わり目を告げる重要な行事になっている。墓地には死者の名を刻んだ石塔が立ち、墓参の者がまちがいなく故人と対面できるための目印の役割を果たしているのである。

墓を媒介とする先祖との濃密な交流は、しばしば日本古来の伝統と考えられがちである。またそうした風習の背景にある骨を大切にするという観念も、日本独自のものであると説かれる。しかし、それは決してこの列島上で普遍的に育まれてきた習俗ではなかった[1)]。

たとえば11世紀ぐらいまでの古代とよばれる時代では、天皇家や貴族・高僧などごく限られた一部の人々を除いて、墓が営まれることはなかった。

庶民層の死体は特定の葬地に運ばれると、簡単な葬送儀礼を行った後、そのまま放置されて犬やカラスの餌となった。裕福な人々の間では土を掘って埋葬し、土饅頭型の墳墓を造ることも行われたが、被葬者の名を石に刻むという習慣はなかったし、現代のように定期的に墓参が行われることもなかった。時が流れれば、墳墓もだれのものかわからなくなってしまうというのが、当時の実情だった。平安時代には数代前の天皇の陵墓でさえ、その所在地が不明となる場合があった（『中右記』嘉祥2年3月12日条）[2]。葬儀が終了すると、故人の骨や遺体に関する関心がほとんど失われてしまったのである。

これに対し、12世紀以降の中世といわれる時代に入ると、新しい葬送儀礼が始まる。聖地＝霊場に対する納骨の信仰である。だれかが亡くなった時、身内のものが火葬骨を袋に入れて首にかけ、特定の霊場に収めるという風習が確立するのである。霊場に対する納骨は最初に高野山や比叡山で始まり、やがて全国各地に広がっていく。いまは当時の様子を偲ぶべくもないが、奈良の元興寺極楽坊もかつては納骨の寺だった。中世には納骨の容器が堂内をすき間なく埋め尽くし、内壁には歯骨を納めた膨大な数の木製五輪塔が釘で打ち付けられていたのである。

中世の納骨信仰には、遺骨に対する死後も継続する縁者の関心を見てとることができる。それ以前の人々が死体や遺骨に見向きもしなかったのに対し、骨を携えて霊場に運ぶという行為には、残された骨になんらかの宗教的な意義を見出していた様子をうかがうことができる。しかし、納骨信仰の場合でもひとたび骨が霊場に収められてしまえば、それ以降骨の行方に関心が払われることはなかった。

日本において遺体・遺骨に対する態度がもう一度大きく転換するのは、16世紀から17世紀にかけてのことだった。この時期を始点とする近世は、親から子へと永続的に受け継がれていくイエ（家）の制度と観念が確立するときであり、それを背景として家の墓地が広く一般化していく時代だった。今日にまで続く「家の墓」の出発点である。死者は所定の家の墓地に埋葬され、子孫による定期的な墓参と供養の習慣が確立する。骨を収める墓には先祖が眠り、そこを訪れればいつでも故人に会うことができるという現代人に通ずる感覚が、しだいに社会に定着していくのである。それは逆の言い方をすれば、自分もまた、死後は墓の中から懐かしい人々の生活ぶりを見続けることができるという意識の目覚めにほかならなかった。

遺骨に対してまったく関心を払うことがなく、遺骸を放置して省みなかった古代の人々。火葬骨を大切に霊場まで運んだ中世の人々。家の墓を作って骨を収め、定期的に墓参を繰り返した近世以降の人々——日本列島に住んできた人々の死者に対する態度は、いくたびも変化している。この三者に、死者や霊魂についての共通する観念を見出すことはきわめて困難であることが予想される。それは、「日本人の死生観」という形で総括されてきたこれまでの通説が、根本的に見直される必要性があることを示すものにほかならない。

日本人は骨を大切にする民族であるという俗説は、遺体を放置することが当たり前だった古代には通用しない。私たちは時代を貫通する民族固有の死生観の存在を前提とすることなく、もう一度史料に即して、この列島で展開してきた死者に対する意識と観念の変化の実態を丹念に発掘していくことが求められているのである。

2　変転する霊魂観

それでは、いま見てきたような骨や死体に対する態度の変化の背後に、私たちはいったいどのような死生観の変容を読み取ることができるのであろうか。

墓地を営まない古代人の場合から考えてみよう。当時の史料には、人間について霊魂と肉体という二つの構成要素から成り立っているという認識が広く散見される。人間を霊と肉とによって構成される存在とみる思想は、古今東西を問わず広く見られるものだったが、日本の古代においても、魂は肉体に内在しており、それが離脱して帰ることが不可能になった状態がその人物の死を意味するものと考えられていた。

ひとたび死が確認されたとき、次に直面する最重要の課題は霊魂の安息をいかに実現するかという問題だった。残された肉体や骨は魂の抜け殻であり、もはやただのモノにすぎなかった。古代において、葬地に運ばれた遺体が放置されたままふたたび顧みられることがなかった背景には、遺体をモノと見るこうした観念があったと推測される。また古代仏教が遺体の処理にまったく関与することなく、もっぱら霊魂の成仏を任務としていたのも、遺骸を軽視するこの時代の社会通念に規定されてのことだった。

魂が離脱した遺骸をモノとして取り扱っていた従来の葬法に対し、12世紀になると霊場が成立し、そこへの納骨信仰が開始される。古代的な社会構造から中世的なそれへの転換が進行する12世紀は、思想や世界観の面でも大きな変動期にあたっていた。仏教の本格的受容と浄土信仰の浸透に伴って、10世紀後半から此土と隔絶した遠い彼岸世界の観念が膨張し、12世紀に至ってこの世と断絶した死後に往生すべき他界浄土の観念として定着をみるに至る。古代的な一元的世界観に対する、他界—此土の二重構造をもつ中世的世界観の形成である。多くの人々は死後、極楽に代表される理想の浄土に再生することを、人生の究極の目標と考えるようになるのである。

こうした世界観の転換に伴い、寺院の奥の院に祀られた聖徳太子・弘法大師などの聖人は、彼岸の仏の垂迹として人を浄土へと導く存在であると規定された。彼らのいる空間（霊場）はこの世の浄土であるとともに遥かなる彼岸の浄土への入口であり、そこへ足を運び祈りをささげることによって、他界浄土への往生が可能になると説かれた。霊場に骨を納めることによって死者の救済が約束されるという観念も、こういった見方の延長線上に成立するものにほかならない。弘法大師が生きたまま瞑想していると信じられた高野山の奥の院に納骨が行われた理由も、ここにあった。

骨を後生大事に携えて霊場まで運ぶという行動の背景には、少なくとも霊場に到達するまでは骨に霊魂が留まっている、という観念が共有されている必要がある。ここから私たちは、死後も一定の期間霊魂はそのまま骨に留まり続けるという、新たな観念の成立を読み取ることができる。生前の健康なときであっても、魂が容易に骨肉から離れた古代とは異なり、中世では骨と魂との結びつきはより永続的で強固なものになっている。ただし、ひとたび霊魂が遠い世界への往生を遂げた暁には、骨は霊魂の依り代ではなく、ただの残骸に過ぎなかった。霊場に収められた遺骨が継続的な供養の対象とならなかった背景には、こうした認識があったと推定される。

古代では、遺骸を離れた死者の霊魂はいつまでもこの世に留まっていると信じられていた。そのため、その霊魂をいかにして無害なものにまで浄化していく（成仏）かが、古代仏教の重要な課題だった。それに対し遠い彼岸のイメージが膨張する中世は、死者がこの世を離れて、遠い浄土に旅立つことが理想と考えられた時代だった。この世に留まる死者、墓に住み着く死者は救済の実現しない不幸な存在と考えられていた。すべての死者を確実に彼岸世界に送り出すことが、中世仏教の究極の目標だったのである。

3　死者と契約する生者

死者がいるべきではないと考えられた中世の墓地から、死者がいつもいて縁者の訪れを待つ近世墓地への転換は、どのようなプロセスを経て実現したのであろうか。

この世を遠い浄土に到達するまでの仮の宿りとみる中世前期の世界観は、14世紀からしだいに変容をみせる。彼岸世界と根源的な救済者のリアリティが中世後期に入ると急速に失われ、人々の主要な関心があの世からこの世のことに移行していく。

これは彼岸世界が衰退・縮小し、現世の重みがそれに比例して拡大していく現象として捉えることができる。近世を経て近代まで継続する社会の世俗化が始まるのである。人々は来世での救済よりも、この世での幸福の実感と生活の充実を重んじる道を選択するようになった。

このような世界観の変容は、当然のことながら当時の人々の死や救済の観念にも決定的な影響を及ぼした。他界の観念が薄らいだいま、死者の行くべき地はもはやこの世と隔絶した遠い浄土ではなかった。人は死して後もなお、現世に留まり続けるのである。成仏は遠い他界への旅立ちと自身が内在する聖性の覚醒ではなく、あたかも心地よい日だまりでうたた寝するような、この世の片隅での安らかな休息にほかならなかった。

この世にいる霊魂の依り代となったのが、遺骨と墓標だった。あらゆる死者の霊魂は遺骨の眠る墓を離れることなく、いつまでもそこに棲み続けるのである。墓地に安らぐ死者が、とりもなおさず「ホトケ」だった。「草葉の陰で眠る」という近現代人が共有する感覚は、こうした転換を経て江戸時代（17世紀）以降に形成されたものだった。

先にも述べたように、17世紀は世代を超えて継続する「家」（イエ）の観念が庶民層にまで広がっていく時代だった。自分たちがいまいるのは先祖のおかげであり、代々のご先祖をきちんと供養しなければならないという認識が人々の間で共有されるようになった。家ごとの墓地が定着し始めるのもこのころだった。こうして江戸時代の初めから、墓地に住んで子孫の訪れを待っていると考えられた死者の数は急速に増加していくのである。

身近な故人はその生前の姿が偲ばれる懐かしい存在だが、いくら親しい人物でも、やはり死者は不気味な存在であることはまちがいない。まして他人となれば、その気味の悪さはひとしおである。そうした死者に、ふらふらと無秩序にさまよい歩かれたのではたまらない。死者が基本的にこの世にいないと考えられた中世では、こうした不安はそれほど深刻ではなかった。ところが江戸時代になって、死者がいつまでもこの世に滞留すると観念され、しかもその数が年々爆発的に増加するようになると、その不安をどう解消するかが大きな課題となった。

そこで近世の人々は死者とある契約を取り交わすことにした。一つは死者が心静かにくつろぐことができるように、墓地を常にありがたい読経の声が聞こえるようなお寺の境内に作ることである。

この約束を果たすために、17 世紀の日本では都市の内部に新たに大量の寺院が建立された。当時は大名の城下町が各地に建設される時期だったが、そこでは都市プランのなかに必ず寺町が組み込まれた。また、寺請制度の定着にともない、列島の津々浦々にまで仏教が浸透していった。寺の境内に一般人の墓地をもたなかった中世以前の寺院に対して、近世寺院は本堂と墓地がワンセットで造られているところにその特色があった。墓標の林立する寺が、日常の光景となった。日本でのお寺と墓との深い結びつきは、このときからはじまるのである。

生者が死者と交わしたもう一つの契約は、近親者が定期的に墓地を訪れ、死者が寂しい思いをしないで済むように心掛けることである。また一年に一度、お盆といわれる時期には死者を自宅によんで、手厚くもてなすことである。お盆には先祖の霊を迎えるためのたき火が焚かれ、霊が滞在するための盆棚が設けられた。死者と生者との折々の交流が、国民的な儀礼として列島に定着していくのである。

こうした条件の代償として、死者は自分の墓地におとなしく留まることを約束させられた。生者の領域と死者の領域が厳密に区別され、普段は相互に相手の領域を侵犯しないことが定められた。死者がこの世に留まるという観念は、中世を飛び越えて古代の精神世界に逆戻りしたようにみえるが、生者の世界と死者の世界が明確に分節化されたところに、両者が混在していた古代とは異なる、近世社会の特色を見出すことができるのである。

この世界の根源に、地域や民族を超えて人々を救済する絶対的存在が実在するという観念を共有していた中世人は、死者の救済の役割を安心してそれらの超越神に委ねることができた。死者は絶対的存在の導きによって、この世から彼岸へ向けての飛翔が瞬時に実現すると信じられていた。しかし、近世人はもはやそうした根源的な救済者のイメージをリアルに思い描くことができなかった。

近世社会では、死者の救済に関していえば神仏は脇役にすぎなかった。死者は神仏によって救われるのではない。縁者によって繰り返される長期の供養によって、この世で抱えていた生々しい憎悪や怨念を脱色し、無害で穏やかな「先祖」に変身していくことこそが死者の救いだった。こうした死生観を土台として、数十年もの長い時間をかけて死者を「先祖」にまで祀り上げるシステムと儀礼が構築されていった。

祀ってくれる者を失って「無縁仏」となる恐怖の肥大化と社会への浸透は、こうした近世的な供養システムの整備・普及と表裏の現象だった。そのため近世社会においては、そのシステムから漏れた死者を救い取るための無縁仏供養がきわめて切実な課題となった。中世以前にも「無縁」の霊の供養は行われたが、それはもっぱらプロの僧侶や行者の役割だった。それに対し近世社会では庶民の年中行事のレベルにおいて、先祖供養と並行して、お盆の「無縁棚」などのようにさまざまなバリエーションをもって実施されることになったのである。

柳田國男が論じ、多くの研究者が祖述してきた山に宿る祖霊のイメージは、けっして古代以来の日本の伝統的な観念ではない[3)]。人々が絶対者による救済を確信できなくなった近世以降に、徐々に形成された思想だったのである。

4　復讐する死者

しかし、そうした契約にもかかわらず、近世では冷酷な殺人と死体遺棄、供養の放棄など、生者側の一方的な契約不履行は跡を絶たなかった。そのため、恨みを含んで無秩序に現世に越境する死者も膨大な数に上った。これが江戸時代の幽霊の実態だったのである。

冒頭で言及した有名な「東海四谷怪談」のお岩や「皿屋敷」のお菊は、いずれも生者の残虐な仕打ちによって死を迎えた女性たちだった。彼女らはなんの落ち度もないにもかかわらず命を奪われ、その死体は墓に埋葬されることのないまま放置された。供養が行われることもなかった。やがて幽霊と化した彼女たちによる激しい復讐が開始され、迫害に加担した人物がみな死に絶えるまでそれは止むことがなかった。めずらしく男性の幽霊である「こはだ小平次」も、妻とその愛人によって殺害された人物だった。

ここで一つ、江戸時代の幽霊の話を少し詳しく紹介したい。17世紀に出版された『諸国百物語』に収録された、安部宗兵衛という人物の妻の話である[4]［図版２］。

宗兵衛はその妻を虐待し、ろくに食物を与えることがなかった。妻が病気になっても薬を飲ませなかったため、彼女は19歳の若さで死亡した。死の間際に妻は、この恨を「いつの世にかは、忘れ申さん。やがて思ひ知り給へ」といって亡くなったが、宗兵衛は死体を山に捨てて弔いをすることがなかった。すぐに妻のことを忘れて、愛人と一緒の生活を始めた。

妻が死んで７日目の夜中のことである。宗兵衛が愛人と寝ていると幽霊になった妻が恐ろしい形相で現れ、愛人をばらばらに引き裂いた。その上で、「また明晩参り、年月の恨み申さん」という言葉を残して姿を消した。

図版２

宗兵衛は恐怖にとらわれ、僧侶をよんで祈祷を行い、翌日の夜には弓や鉄砲までを用意した。しかし、幽霊にはなんの役にもたたなかった。現れた妻の幽霊は宗兵衛を二つに引き裂き、周りにいた下女を蹴り殺し、天井を破って空に上っていった……。

宗兵衛の妻が幽霊になった理由は、理不尽な死と供養の放棄だった。死者に対する義務を果たさない夫に復讐すべく、妻は死者の世界を抜け出して生者の日常空間に越境し、容赦ない復讐を果たすのである。仏教もその恨みをとめることはできなかった。結末は復讐の完結であり、幽霊が最後に宗教的レベルでの救済をえることはついになかったのである。

もう一つ紹介したい例は、元禄年間に板行された『善悪報ばなし』に収められたものである[5)]。瀬助という人物の美人妻に横恋慕した当地の代官が、ささいな罪をあげつらって瀬助を流罪に処し、その妻を我がものとするという事件があった。瀬助はその道中に死亡してしまった。これを喜んだ代官だったが、妻が代官の屋敷に入ってから、その周囲に瀬助の霊がまとわりつくようになった。山伏をよび、神明に祈祷しても、いっこうに改善される兆しはなかった。逆に瀬助の霊の跳梁ぶりはエスカレートし、ついに二人とも取り殺されてしまうのである。ここでも、幽霊はその復讐を完遂し、恨みを果たし終えるまで、出没をやめることはなかった。

これとは逆に、きちんとした供養を受けて死者が心を和らげ、墓に定着するケースもあった。同じ『諸国百物語』に収められた話である[6)]。京都府の亀山に大森彦五郎という侍がいた。その妻はたいそうな美人で、彦五郎は妻を愛していたが、お産のときに命を失ってしまった。その後独り身を通していた彦五郎は、周囲の強引な勧めで３年後に再婚した。この後妻はたいへん良くできた人で、亡くなった最初の妻を毎日懇ろに供養した。

最初の妻は双六遊びが好きで、なくなった当初、毎夜幽霊となって出てきては下女と双六遊びをしていた。だが、やがて周囲の心遣いに感じて現れることをやめた。後妻は双六の盤を作って、最初の妻の墓に供えた……。

この世に執着をもって出没していた幽霊も、関係者がきちんとケアすれば、墓に落ち着いてさまよい出ることがなくなるのである。

以上みてきたように、近世の幽霊の大半は、もとはごく普通の人々だった。生者が約束を守って供養を継続すれば、死者はおとなしく墓に留まるものと考えられていた。しかし、生者が契約を破棄して無残な仕打ちを加えたとき、死者はたちまち恐ろしい幽霊となって、生者の世界に越境してくるのである。それぞれの幽霊は明確な復讐の対象をもっていた。その復讐が遂げられないうちは、どのような対応をとっても幽霊は決して満足することがなかった。仏の力をもってしても、その怨念を防ぎ留めることはできなかったのである。

中世にも未練を残してこの世をさまよう死霊はいた。平安時代の上流貴族の源融は、みずからが精魂込めて作り上げた邸宅に執着して、死後もそこに住み続けたという（『今昔物語集』）[7]。

中世初期に編纂された『法華験記』と『今昔物語集』には、立山の山中で若い女性が霊となって出現し、修行者に救いを求める話が収められている。仏物を流用した罪で立山の小地獄に堕ちたこの女性は、行者に対し、みずからの滅罪のために法華経の書写を行ってくれるよう、近江の国に住む父母に伝言することを依頼した。行者の言葉にしたがって両親が書写供養を行ったところ、父と行者の夢に美しい衣服を着けた娘が出現し、合掌して「法華の力、観音の護助によりて、立山の地獄を出でて、忉利天宮に生れたり」と告げたという（『法華験記』による）[8]。

立山の女が願ったのは、だれかに対する復讐ではなく、仏の力による地獄からの脱出だった。そこを脱した女性は、もはや現世に留まることはなかった。彼女は最終的な浄土往生の前段階として、この世により近い天界に上るのである。

中世の死霊のほとんどは、生前に権力をもち栄華を極めるなどした特別な人物だった。そのエピソードの結末も個人的な復讐の完結ではなく、仏による救済であった。他方、近世の場合、ごく普通の庶民だれもが幽霊になる可能性をもっていた。また、その遺恨の解消に超越的な救済者を介在しない点において、救いから疎外されて苦しむ中世の死霊とは異質だった。

近世の幽霊はもはや宗教的な救済などは求めなかった。その目的はただ一つ、自分を無残に殺害して放置した相手に対する仮借ない復讐だった。この世で抱え込んだ負の感情の解消だった。かくして近世においては、世俗社会の人間関係をそのまま反映する怨念に満ちた大量の幽霊が誕生することになったのである。

5　心中の思想

近世社会の特質として、生前の人間関係の葛藤や怨念がそのまま死後の世界にもちこまれ、それが解消しないうちは死者の安らぎが実現しないと考えられていたことを指摘した。このように捉えたとき、たいへん興味深いもう一つの事例がある。世話浄瑠璃の心中物にみられる死後の世界の観念である。

江戸時代のもっとも著名な脚本家である近松門左衛門の代表作に、「曾根崎心中」がある。大坂蜆川新地天満屋の遊女お初と、恋人徳兵衛との心中を描いたこの作品は、お初の大坂三十三所観音霊場巡りから始まるが、その冒頭の記述は次のようなものだった。

> げにや安楽世界より、いまこの娑婆世界に示現して、我らがための観世音仰ぐも高し高き屋に、登りて民の賑はひを、契り置きてし難波津や[9]。

また、道行きの果ての心中の場面では、お初に「神や仏にかけおきし現世の願を今ここで、未来へ回向しのちの世もなほしも一つ蓮ぞや」[10] といわせている。

こうした言葉をみると、この作品の基調には中世以来の浄土信仰があり、徳兵衛とお初が心中を遂げるのも、観音菩薩の導きによって死後二人そろって極楽浄土に往生し、一つの蓮華座を分けあうことを最終的な目標にしている、と読みたくなるところである。しかし、同様の概念をちりばめながらも、「曾根崎心中」の世界観は、中世の浄土信仰のそれとはまったく異質である。

なによりも「曾根崎心中」は、浄土往生による宗教的な救済に究極の価値を置いていない。もし二人が真に浄土を願うのであれば、そのためのしかるべき手続きが求められる。中世であれば、臨終の舞台には名の知れた霊場がもっとも望ましかった。自宅であっても臨終間際のすべての営みは、往生という究極の目的実現に振り向けられる必要があった。周囲は可能な限り清められ、香が焚かれ念仏の声が響くなかで、心静かに安らかな臨終を迎えることが理想とされたのである。

それと対比したとき、徳兵衛とお初のケースはまったく対照的である。二人が心中の場に選んだ曽根崎の森は、浄土信仰とはまったくなんのゆかりもない所だった。刃物によってのどを切り裂き、血まみれのまま最後を迎えるという結末も、信仰の世界からはもっとも遠い行為だった。二人が心から望んだことは、来世での救いではない。二人が結ばれるというこの世で叶わぬ願いの実現を、死という人間にとってもっとも重大な節目をともにすることによって実感し、引き続いての死後の世界においてそれを継続していくことだったのである。

二人は心中の直前に人魂を目撃し、「二つ連れ飛ぶ人魂をよその上と思ふかや。まさしう御身と我が魂よ」(お初)[11]、「今は最期を急ぐ身の魂のありかを一つに住まん」(徳兵衛)[12] と語り合う。彼らが願う来世での合体は遠い彼岸での出来事ではなく、目の前を漂う人魂が寄り添うように、顕界と冥界の隔たりはあってもこの世の内で実現すべきものだったのである。

以上から、中世の浄土信仰と「曾根崎心中」、両者の死生観の相違は明白であろう。「曾根崎心中」は浄土を志向しているようにみえながらも、作品中の彼岸表象はきわめて希薄である。この作品の最期は、「誰が告ぐるとは曽根崎の森の下風音に聞こえ、取り伝へ貴賎群集の回向の種、未来成仏疑ひなきの恋の手本となりにけり」[13] という言葉で結ばれているが、ここでいう二人が実現したという「成仏」は、宗教的な意味での悟りや救済ではなかった。分かちがたく結ばれたいという現世での願望が、死後の世界でようやく成就したことを指している。思いを遂げた二人が到達したのは、「仏」ではなく「ホトケ」だったのである。

こうした救済観念の変容は、近松の他の作品にも看取できる。『心中天網島』では、心中にあたって治兵衛に「西へ西へと行く月を如来と拝み目を放さず。只西方を忘りやるな」[14] と述べさせている。しかし、他方ではもう一方の当事者である小春が、「たとへこのからだは鳶烏につづかれてても、ふたりの魂つきまつはり。地獄へも極楽へも連れ立つて下さんせ」[15] と語っている。二人が問題にしているのは、首尾よく西方浄土に行くことができるかどうかではない。実際には二人の行き先はどこでもよかった。その関心はただ一つ、この世で叶わなかった夫婦の契りを、心中という行為を経ることによって、来世で実現できるかどうかという一点だったのである。

私は先に近世の怪談を取り上げて、死者の安らぎは宗教的な救いにではなく、この世で身にまとった怨念を最終的に消し去ることができるかどうかにあることを指摘した。そこでは神仏の果たす役割は、きわめて限定されたものになっていた。心中物においても、冥土に旅立つ二人が願ったことは、神仏による救済ではなく、この世で叶わなかった世俗的な願望の実現だった。二人はその成就を死後の世界に託し、みずから命を絶つのである。

こうした死生観の背景には、近世人が共有していた、人は死後もこの世に留まるという認識と、現世の投影としての死後世界のイメージが存在した。

近松のいずれの作品にもその根底には、彼岸世界と根源的な救済者の観念が縮小し、現世の生活と人間の愛憎が浮上する、近世固有の世界観を見出すことができるのである。

おわりに

日本文化に関する概説書を読むと、しばしば日本人の死生観の特色について記述してある。ほとんどの本で、死者は遠くに去ることなく、いつまでも身近な場所に留まるというのが日本人の伝統的な信念だ、という説明がなされている。

この通説の源流は、民俗学の祖とされる柳田國男の説にあった。日本人の死生観・霊魂観を論じた柳田の代表的著作である「先祖の話」[16] のなかで、柳田は亡くなった先祖を身近な存在と捉え、それとの日常的な交流のなかで日々の生活を営む日本人の姿を描き出した。柳田によれば、霊が留まると信じられていた場所は山だった。死を迎えた人の魂は、生前の暮らしを営んだ故郷や子孫の生活を見守ることのできる山の頂に留まり、祭りのたびごとに家に迎えられた。

この柳田の説がもつ強い説得力の背景には、死者がいつまでも身近に留まるという観念が、今日においてもなお、多くの日本人にとってリアルに認識できる状況が存在するように思われる。墓参に訪れたとき、私たちはそこに死者の気配とその視線を感じとることができる。けれどもそれが、この列島上で時代をこえて受け継がれた「日本的」な感性ではなかったことはすでにみてきた通りである。

それは彼岸の絶対的存在に死者の救済を委ねることができなくなった、近世なってようやく形成された通念だった。仏の力で死者がみな遠い彼岸へと旅立った中世とは異なり、根源的存在による救済に対する信頼が失われた近世では、死者は親族縁者による長い時間をかけたケアによってのみ、生前に身にまとった世俗的な感情や欲望を脱色し、生者に害を及ぼすことのない穏やかで安定した「先祖」に上昇することができたのである。

柳田が見取り図を作り、多数の民俗学者や宗教学者がトレースした「身近な先祖」は、この列島の長い歴史のなかで、300 年ほどの歴史をもつ新しい伝統にすぎなかった。それ以前には逆に、この世に留まる死者は不幸な存在であるという観念が主流をなしていた。そうした世界観の断絶が、中世と近世における幽霊のイメージの顕著な相違となって現れることになった。一般人がだれでも幽霊になりうる時代は、死者が遠い世界に旅立つことをやめた近世以降になって初めて到来するのである。

私は本論の「はじめに」において、死が普遍的な問題であるゆえに、不幸な死者——幽霊の問題も時代と地域を超えた普遍的なテーマであることを指摘し、この問題を切り口とした比較研究の可能性について論及した。世界各地域を対象にした不幸な死者の研究は数多く存在するが、背景にある世界観やコスモロジーまでを視野に入れて、その変貌の実態をダイナミックに解き明かそうとしたものは必ずしも多くない。本格的な比較研究に至っては、ほとんど手もついていないような状況である。

この論考は日本列島をフィールドにした研究ではあるが、日本文化の特色としていたずらに幽霊の独自性を強調するのではなく、それを他地域と比較可能なフォーマット化して提示することを試みたものである。まだ試論の域を出ていないが、幽霊というきわめて興味深いテーマについての国境を超えた比較文化論的研究推進の一助となることを願いつつ、稿を終えることにしたい。

注

1) 以下の日本列島の死生観の変遷については、佐藤弘夫『死者のゆくえ』(岩田書院、2008年) を踏まえて記述してある。
2) 増補史料大成『中右記』32頁。
3) 柳田國男「先祖の話」『柳田國男全集』13、ちくま文庫 (初出1946年)。
4) 『江戸怪談集』(下)、岩波文庫、58～60頁。
5) 『江戸怪談集』(上)、岩波文庫、327～328頁。
6) 同、169～70頁。
7) 『今昔物語集』4、日本古典文学大系、480～81頁。
8) 『法華験記』日本思想大系『往生伝　法華験記』287～89頁。
9) 『曾根崎心中　冥土の飛脚』岩波文庫、16頁。
10) 同、45頁。
11) 同、45～46頁。
12) 同、46頁。
13) 同、49頁。
14) 『曾根崎心中　冥途の飛脚　心中天の網島』角川ソフィア文庫、283頁。
15) 同、281頁。
16) 柳田國男「先祖の話」前掲。

参考文献

池田彌三郎『日本の幽霊』中公文庫、1974年 (初出1962年)。
諏訪春雄『日本の幽霊』岩波文庫、1988年。
辻　惟雄『幽霊名画集』ちくま学芸文庫、2008年 (初出1995年)。
服部幸雄『さかさまの幽霊』ちくま学芸文庫、2005年 (初出1989年)。
『別冊太陽　幽霊の正体』平凡社、1997年。

図版出典

図版1：葛飾北斎「さらやしき」『別冊太陽　幽霊の正体』平凡社。
図版2：「安部宗兵衛が妻の怨霊の事」『江戸怪談集』(下)、岩波文庫。

Views of Life and Death in the Ghost Tales of the Edo Period

by Hiroo SATO

Many people would probably agree that ghosts are one of the most interesting subjects in Japanese thought and culture, and a subject that has always drawn interest from abroad. In addition to considering the remarkable popularity the ghost theme has enjoyed, another interesting perspective presents itself which involves a comparison of the ghost-related culture in different societies of the world. Because death is a universal phenomenon, the problem of the unhappy dead and ghosts appears throughout the world, across both geographical and temporal boundaries. Therefore, with ghosts being established as an important focus for scholarship, the author offers one perspective on the topic in this paper. In this article, the question of why ghosts and ghost-related culture came to be so popular in the Edo period will be addressed.

It goes without saying that fearful tales of the dead have been told in all periods and places. On the Japanese archipelago, however, the majority of these tales have their origins in the early modern period or later. Why is it that ghost stories and tales of the supernatural in Japan emerged predominantly in the early modern and modern periods, when society was undergoing a process of secularization? The author will answer this question by a comparison of the customs of the Japanese medieval and early modern periods, taking account of the changes which occurred relating to tombs and funerary practices. In searching for the cause of the large-scale emergence of ghosts in the early modern period, the author will also highlight the shift in Japanese cosmology which occurred between the medieval and early modern periods.

〈論文〉

姥皮の娘とタニシ息子の物語
──『ハウルの動く城』──

古川のり子

宮崎駿監督の劇場版アニメーション『ハウルの動く城』は、『千と千尋の神隠し』(2001年）に次いで、2004年11月に公開された。イギリス人作家ダイアナ・ウィン・ジョーンズの小説『魔法使いハウルと火の悪魔』[1]を原作とする、西欧風ファンタジーである。前作の『千と千尋の神隠し』は日本を舞台とするファンタジーだったが、そのパンフレットのなかで、宮崎駿氏は次のように述べている。[2]

> 日本を舞台とするファンタジーを作る意味もまたそこにある。お伽話でも、逃げ口の多い西欧ものにしたくないのである。この映画はよくある異世界ものの一亜流と受け取られそうだが、むしろ、昔話に登場する「雀のお宿」や「鼠の御殿」の直系の子孫と考えたい。(中略）湯婆婆の棲む世界を、擬洋風にするのは、何処かで見たことがあり、夢だか現実だか定かでなくするためだが、同時に、日本の伝統的意匠が多様なイメージの宝庫だからでもある。民俗的空間──物語、伝承、行事、意匠、神ごとから呪術に至るまで──が、どれほど豊かでユニークであるかは、ただ知られていないだけなのである。

現代の子供たちはハイテクにかこまれ、うすっぺらな工業製品の中で根を失っている。彼らに対して、日本の「私達がどれほど豊かな伝統を持っているか、伝えなければならない」と宮崎氏は言う。

ところが宮崎氏がその次に作ったのは、西欧を舞台とするまさに「西欧もの」のファンタジーだった。前作の意図に反して、ここには日本の伝統的なものは何も見あたらない。しかしそれにもかかわらず宮崎版『ハウルの動く城』は、やはり日本の昔話の「直系の子孫」であり、伝統的な物語との繋がりを失ってはいない。宮崎氏はこの作品において、洋風の外見をまといながらも私たちの心の基盤に深く根を下ろした、新たな「日本の昔話」を生み出そうとしている。

1．娘の物語
――ソフィーと姥皮の娘――

(1)　ソフィーの物語

『ハウルの動く城』は、主人公ソフィーの視点で語られる。18歳の彼女は真面目なしっかり者だが、かたくなで自分に自信を持てずにいる。父が遺したハッター帽子店を継ぎ、帽子を作って暮らす毎日である。

そんな彼女のもとにある日、魔法使いハウルが現れた。彼は動く城を操り、美女の心臓を食べると噂されている。しかし彼は兵士に絡まれたソフィーを救い、彼女の手を取って空中を散歩して妹の働く店まで送り届けてくれた。その夜、ソフィーの帽子店に、ハウルの心臓を奪おうとつけねらう荒れ地の魔女がやって来た。魔女は呪いをかけて、ソフィーを90歳の老女の姿に変えてしまう。

老女ソフィーは、家を出て荒れ地へ向かう。ソフィーはカカシの助けを得て、荒れ地を行くハウルの城に入り込んだ。さびた金属やガラクタの寄せ集めからなるこの城は、暖炉の中の火の悪魔カルシファーを原動力として、生き物のように動いている。カルシファーは、自分を暖炉に縛り付けている、ハウルとの契約の秘密を見破ってくれという。

ソフィーは掃除婦としてこの城に居座り、ハウルやその弟子のマルクルとともに生活することになる。早速、彼女は城の大掃除を始めた。一方ハウルは密かに怪鳥に変身して戦争の現場に出かけ、地上の町を爆撃する飛行軍艦に魔法攻撃をくわえていた。カルシファーは、ハウルが人間に戻れなくなることを心配している。

次の日、ソフィーの掃除のせいで変化した呪いによって、ハウルの美しい金髪が黒く変色する事件が起こる。ハウルは絶望して、身体から緑色のゼリー状のネバネバした液体を溢れ出させる。ソフィーがハウルの部屋に彼を寝かせミルクを届けて看病すると、彼は自分が臆病者であり、荒れ地の魔女からも、国王による戦争への呼び出しからも逃げているのだと告白した。結局、ソフィーがハウルの母のふりをして、国王と魔法の先生マダムサリマンのもとへ、彼が戦争に参加しないことを伝えに行くことになる。

ソフィーが王宮に向かうと、荒れ地の魔女も国王の招請に応じて王宮に現れた。王室付き魔法使いサリマンはハウルのことを、素晴らしい魔法の力をもちながら、悪魔に奪われて心をなくした危険な人物だという。やはり悪魔に身も心も食い尽くされた荒れ地の魔女は、サリマンによって魔力を奪われ本来の年齢の老女にされてしまった。ハウルからも同じように力を奪うと脅すサリマンに対し、ハウルは自由に生きたいだけで魔王にはならないと、ソフィーは断言する。

そこへハウルが現れてサリマンと対決し、その魔法攻撃を受けながら、ソフィーと、荒れ地の魔女とサリマンの犬ヒンを連れて脱出した。夜明け近く、激しく戦って疲れ傷ついたハウルが黒い怪鳥の姿で帰って来た。洞穴の奥で呻く怪鳥ハウルに、ソフィーはあなたの呪いを解きたい、愛していると告げるが、彼はもう遅いという。

翌日、ハウルは引っ越しを行い、城をソフィーの帽子店と結びつけた。城の扉はハウルが幼い頃に過ごした、花咲く湿原にも通じている。新しくなった城でソフィーとハウル、マルクル、荒れ地の魔女、ヒンとの共同生活が始まった。しかし戦火は激しくなり、帽子店のある町は爆撃にさらされ、サリマンの手下も襲いかかってくる。ソフィーをめがけて爆弾が落ちてきたとき、怪鳥と化したハウルが危機から救った。ハウルは、ソフィーを守るために戦場へと赴く。

ソフィーはハウルが戦わなくてすむように、戦火の町からの引っ越しを決意する。まず彼女は城の原動力であるカルシファーを外に出して、いったん城を崩壊させた。そして自分の髪を燃料として与えたカルシファーを再び暖炉に置くと、城は小さなソフィーの城となって立ち上がり、荒れ地を走り出した。ところが荒れ地の魔女が、カルシファーの炎の内にあるハウルの心臓を見つけ、暖炉から取り出して握りしめた。火だるまになった魔女にソフィーが水をかけると、魔女の手の中でハウルの心臓を包む青い火が弱々しく燃えている。そのとき城がふたつに割れ、ソフィーとヒンを乗せた半分は暗い谷間へ落ちていった。

ハウルの心臓と合体したカルシファーに水をかけたことで、ハウルが死んだらどうしようと、ソフィーは号泣する。するとハウルからもらった指輪が光り、落ちた城の扉を指し示す。ソフィーが扉の向こうの暗闇の奥に踏み込んでいくと、そこは子供時代のハウルがいる湿原だった。空からたくさんの流れ星の子が降り注ぎ、落ちては死んでいく。その中に立つ少年ハウルは、落ちてきた星の子を手に受けとめ、それを呑み込んで、胸から彼の心臓と合体した火の悪魔カルシファーを取り出した。それを見たソフィーは、彼女を見つめる彼らに向かって「私はソフィー、待ってて、私、きっといくから」「未来で待ってて」と叫ぶ。

ソフィーがもとの空間に帰ると、そこには傷ついた怪鳥ハウルがうずくまっていた。彼女は待たせたことを詫びながら、彼に優しくキスをする。人間の姿にもどって気を失ったハウルの胸に、ソフィーはカルシファーと心臓を押し込んだ。するとカルシファーは心臓から離れ、星の子となって空に飛び出し、わずかに残っていた城の残骸も同時に崩れ落ちる。ハウルが目覚めると、ソフィーは彼に抱きついた。城から自由になったカルシファーは、彼らのもとに戻ってくる。再びもと通りの形態になった城は、若い姿のソフィーとハウル、老いた魔女、マルクル、ヒンを乗せて、雲の峰の上を飛んでいった。

(2) 昔話・姥皮

主人公ソフィーの特徴は、老女への変身にあるが、老女の姿になって働く少女の物語は、古くから日本の全国各地で広く伝承されてきた。昔話「姥皮」である。叶精二氏は、この話を「民話に造詣の深い宮崎が意識していた可能性はあるのではなかろうか」と指摘している。[3)]

昔話「姥皮」は、おおよそ次のような話である。

> 爺さが、ひでりつづきの日に山の田んぼへいって、「だれかこの田んぼに水をかけてくれるものがあれば、娘三人のどれか一人嫁にくれるがな」と一人ごとを言った。すると藪の中から一人の若者が出て来て、それなら、おれが水かけてくれるから目を閉じていろと言う。細目を開けて見ると、でっかい大蛇が雨をよんで水をかけている。「娘を嫁にもらおう」と言われて爺さは家に帰り、寝床に入って困っていた。娘に大蛇の嫁に行ってくれと頼むと上の二人は断ったが、末の娘は「ああ、行ぐで、行ぐで」と承諾した。末の娘はふくべの中に針千本を入れて、迎え

> にきた大蛇の若者と山へ行く。山奥で娘は池にふくべを投げ入れ、沈めてくれと言う。大蛇はそれを沈めようとしているうちに、針が体に刺さって死んでしまった。
>
> 娘はどこか遠いところへ行こうと山の中を下ってある家に来ると、口が耳まで裂けたおっかなげな婆さが苧を績んでいた。その婆さは山の大蛇に子供をみんな食われたひき蛙で、お礼にと言って娘に宝物のうばっ皮をくれた。これを着れば汚い婆さに見えるし、ほしいものを三度言えば何でも出てくる。これを着て沢を下り大きい家に行って、火たき婆さに使ってもらえという。
>
> 娘は言われた通り、大きな家の火たき婆さになった。ある晩、若旦那が火たき婆さの部屋を覗き、いとしげな娘が本を読んでいるのを見る。それがもとで若旦那は病気になって床についた。八卦見に見てもらうと、この家に若旦那の気に入った女の人がいるから、その人が持っていったお茶を飲めば治るという。みんながかわるがわる行っても、若旦那はちょっと顔を見てはうんうんうなっている。あとは火たき婆さだけになった。火たき婆さがうばっ皮を脱いで、いい着物を出して着て、紅つけて、おしろいつけて、お茶を持っていくと、若旦那はニコニコしてお茶を飲んだ。若旦那の病気はよくなって、娘はうばっ皮から嫁入り着物を出して、嫁になったという。(新潟県長岡市)[4]

従順な娘は、父がした約束通り蛇聟のもとへ嫁に行くが、蛇聟が死んだ後もそのまま山中をさまよう。そこで出会った婆（山姥、ヒキガエル）から姥皮を与えられ、老女の姿になって長者の家の火焚き婆、風呂焚き婆などとなって働く。姥皮を脱いだ彼女の姿をのぞき見た長者の息子は恋の病を患うが、最後に娘はみずから姥皮を脱いで美しい女性となって現れ、息子を癒して幸せな結婚をする。

娘を覆う姥皮は、日本各地の伝承によっては「頭巾、綿帽子、蓑、着物」などと語られることもある。これらは、結婚の儀礼で花嫁の頭を覆う被り物としても古くから用いられてきたものである。今日の結婚式でも花嫁は、「角隠し、綿帽子、被衣(かつぎ)」などの独特な被り物を身につける。こうした被り物で頭や体を覆うのは、花嫁ばかりではない。たとえば葬式において死者は、「蓑笠」を被り、「三角の白い額紙、白布」などで頭や顔を覆う。また赤子の誕生の儀礼では、胞衣（子宮内で胎児を包む膜や胎盤）が「蓑笠」と呼ばれ、被り物の役割を担っていることが知られている。

つまり結婚、葬送、誕生という人生の最も重要な通過儀礼において、娘の世界から妻の世界へ、この世からあの世へ、あの世からこの世へと移動するとき、儀礼の主役たち（花嫁、死者、赤子）は共通して「特別な帽子」を被るのだ。小松和彦氏が指摘しているように、通過儀礼における被り物は、彼らが通過儀礼の真っただ中にあり、日常を離れて、これまでの世界と新たな世界との間の境界領域を行く旅人であることを表している。[5] 昔話・姥皮では、姥皮を被った試練のときを経て、娘は晴れて長者の息子の嫁になる。姥皮の娘の被り物は、婚礼における花嫁の被り物と共通する性質をもつ。

通過儀礼の主役たちの被り物はまた、彼らを覆う母胎（子宮）としての意味を帯びている。胞衣に包まれた赤子の旅と同様に、嫁入り行列・野辺送りの道中は花嫁や死者がいったん死んで母の胎内にもどり新しい世界に再び生まれ出るための、死と再生（母胎回帰）の旅でもある。昔話・姥皮の娘が被る「姥皮」は、まさに「母の皮」であり、娘がその中で変容するための母胎としての役割を果たす。

昔話の中で娘にこの姥皮を与えるのは山姥だが、その正体はヒキガエルだと語られることが多い。カエルはオタマジャクシから変身し、冬には地中に入って眠り春に再び生まれ出るので、変身・再生する生き物と見なされてきた。このような変身と再生の力をもった姥皮＝母胎に包まれて、娘は変容しつつ再生のときを待つ。つらい死の試練を経てやがてその皮を脱ぎ捨てたとき、彼女は美しい大人の女性に生まれ変わり、病んだ長者の息子を救って幸せな結婚を手に入れることになる。[6]

⑶　姥皮の娘とソフィー

「老女ソフィー」は、このような「姥皮を被った娘」の姿と重なり合う。それはまたソフィーが、被り物を扱う「帽子店の娘」であることとも無関係ではない。ソフィーは出かけるとき、常に質素な帽子を身につける。宮崎駿氏が描いたイメージボードには、目深に帽子を被ったソフィーの絵の横に「おしゃれというよりヘルメット」「防御」と書き込まれている。[7] 物語の始まりにおいて姥皮の娘は、どんなに理不尽でも父の言いつけに従うだけの従順な娘だったが、ソフィーもまた父の仕事を継ぎ、固く身を守って自分で人生を切り開こうとしない娘だった。そのような少女たちを覆う被り物（老女の外見・帽子）は、彼女たちを一人旅の危険から優しく守る一方で、日常の世界から切り離し、死の試練に追い込んで変容を促す役割を果たす。姥皮の娘を老女の姿にしたのはヒキガエルの婆だが、映画ではこの役目を荒れ地の魔女が担っている。ヒキガエル婆も魔女も、少女を試練へと導く。

図1　おしゃれというよりヘルメット

ところで姥皮の娘の場合、自分で姥皮を着脱して外見を変化させ、夜一人でいるときは若い娘の姿にもどっていることができた。ソフィーも彼女の気持ちの変化に応じて、若返ったり年を取ったり、その外見を変化させる。ソフィーの場合は自分で意識していないが、もしも彼女が老女の皮を脱ぎたいと本心から願ったならば、本当は姥皮の娘のように自分で皮を脱ぐことができるのだと思われる。自分で呪いを解く時が来るまで、ソフィーは無意識的な老化と若返りを繰り返しつつ試練の時を過ごす。

姥皮の娘が長者の家の風呂や釜の火焚き婆として働いたように、ソフィーはハウルの城の掃除婦、風呂焚き・飯炊き婆として働く。城の大掃除をして掃除婦の仕事を十分に果たすと、ソフィーは魔術師サリマンと対決することになる。サリマンは、荒れ地の魔女と一対を成す存在である。永遠の若さを求める荒れ地の魔女が生・性への欲を肥大化させた人物であるのに対して、サリマンは国家のために支配欲を肥大化させた魔女であるといえる。サリマンとの対決において、ソフィーははじめて積極的に自分の意志で行動し、魔女の申し出を断ってハウルを守ろうとする。そして「ハウルはきません。魔王にもなりません。悪魔とのことはきっと自分でなんとかします。私はそう信じます!!」と断言し、ハウルへの信頼を明らかにした。このとき彼女の外見は若返っている。ところがサリマンに「ハウルに恋してるのね」と、彼への恋心を指摘されたとたん、老女の姿にもどって自分の本心をその下に覆い

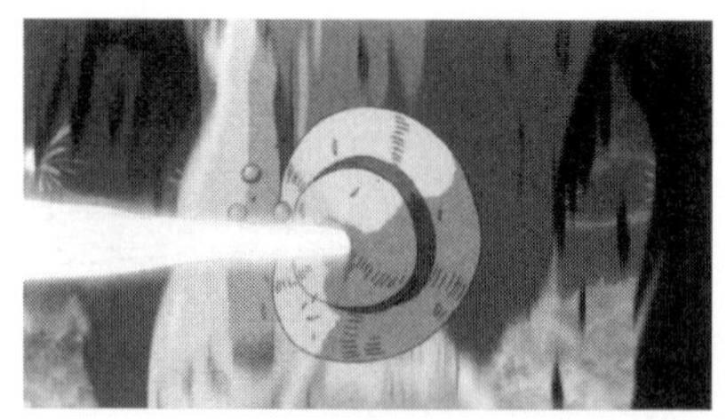

図2　突き破られた帽子

隠してしまう。頑なな彼女は、なかなか自ら姥皮を脱ごうとはしないのだ。しかしその代わり、最後にハウルと王宮から脱出するとき、彼をかばったソフィーの「帽子」をサリマンの魔法の杖が貫いている。物語の始めからソフィーが被ってきた帽子は、ここではじめて突き破られ脱ぎ捨てられた。

ところがこの直後、ハウルは城を引っ越しさせ、その内部をソフィーの帽子店と結びつけた。新たな「城＝帽子店」は、失われた帽子の役割を引き継ぐかのようにその内部にソフィーを包み込む。ハウルは彼女と住む「城＝帽子店」を守ろうとするが、ソフィーは二人のために自ら城を破壊しようと決意する。彼女はカルシファーを城から出して、いったんハウルの城を崩壊させる。そして自分の長い三つ編みの髪を与えたうえで、カルシファーをもう一度暖炉に据えると、瓦礫の中から小さな「ソフィーの動く城」（絵コンテ 1198）[8] が誕生した。宮崎駿氏は、髪が短くなったソフィーの絵に「ヒロインようやく登場！」（同 1185）[9] と書き込んでいる。ソフィーはここでついに脱皮し再生を遂げたのだ。ここまで彼女は何度も老化と若返りを繰り返してきたが、これ以降再び老化することはない。ハウルの城の主導権も、ソ

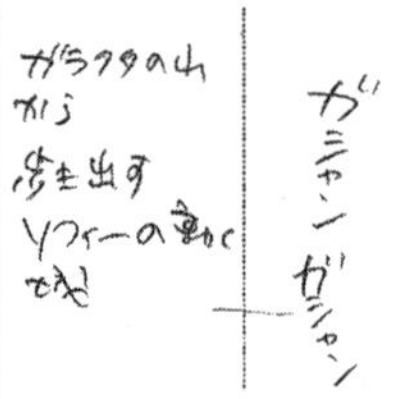

図3　ソフィーの動く城

図4　ヒロインようやく登場!!

フィーの手に委ねられた。

昔話において姥皮を脱いだ娘は、病の床についていた長者の息子を治して幸せな結婚を手に入れる。ソフィーも、心臓を失ったハウルの病を癒す力をここでようやく獲得したのだと思われる。しかし彼を救うためには、ソフィーがハウルの正体を知ってかつての約束を思い出し、「彼（ハウル）の物語」における自分の役割を理解していなくてはならない。

2．息子の物語
——ハウルとタニシ息子——

(1)　昔話・タニシ息子

ハウルの動く城はさまざまなモノの寄せ集めから成るが、全体の大きさに不釣り合いな細い足でまるで生き物のように動き回る。佐々木隆氏はこの城について、人を驚かすと同時に身を守り隠すための城であるとして、硬い殻を被り角を出して身を守るサザエと対比している。またハウルが体から緑色のゼリー状のネバネバを出すことも、カエルやカタツムリ、ナメクジを思わせるという。そして「日本の昔話にタニシが娘によってりっぱな男性になるという話があります。宮崎駿はカタツムリやサザエと良く似たタニシの話を利用しているように思われます」と指摘している。[10)]

日本の各地に伝承されてきた昔話「タニシ息子」は、次のような話である。

昔、爺と婆が田の草取りに行くと、田つぶ（タニシ）がころころって転がってきて、爺様の膝の上に這い上り「息子にしてくれ」と言う。爺は子供がなかったので家に連れて帰った。次の日、田つぶは、嫁をもらいに行くから馬に鞍を置いてくれと言う。爺が「お前のようなつぶに嫁をくれる人があろうか」と言っても、つぶは馬の手綱につかまりころかろ転がって行った。

どこだかの村の大きな家に行き、炉の木尻に上がって「嫁をください」と言うが「誰がお前のような者に嫁をやるか」と断られた。するとタニシは湯をまき散らし、さらに熱い灰をまき散らす。そこで家の人は仕方なく娘を嫁にくれた。田つぶは嫁を馬に乗せて、手綱につかまり転がって馬を曳いて帰ってきた。爺婆はたいへん喜んだ。しかし嫁は田つぶを憎く思って、毎日にらんだ。そこで田つぶは「そんなに憎かったら石場に持っていって、びっちょとつぶせ」と言う。嫁は喜んで石場にタニシを持っていき、びっちょとつぶした。すると美しい良い男になった。そこで喜んで二人は結構に暮らしたという。(青森県三戸郡)[11)]

タニシ息子を覆う硬い「殻」は、姥皮の娘を覆う柔らかな老女の「皮」に対応する。そのままでは結婚できない未熟な状態にある彼らは、妻や夫を獲得するための通過儀礼の途上にある。タニシ息子は、湯や灰をまき散らして脅したり、妻にする娘に盗みの罪を着せるなどして、ずる賢いやり方で娘をもらうことに成功するが、幸福な結婚をするためにはこれだけではまだ不十分である。ここにあげた青森の例では、タニシは石場で嫁につぶされて美しい男に再生を遂げた。真に妻を手に入れるためには、彼は相手の娘によって殺されなくてはならないのである。このことは各地方で、たとえば次のようにも語られている。

……娘は家を追われる。嫁にして連れ帰る。つぶが藁打ち石に上がってだれでもおれどこうちつぶせ、というので、横槌で打つとつぶはつぶれ若者になる。二人は夫婦になる。(秋田県仙北郡)[12)]

……家に帰って嫁とともに神社に行く。嫁がつぶ太郎を下駄で踏みつぶすと、きれいな若者になる。一生幸せに暮らす。(新潟県長岡市)[13)]

……ある日タミナ（田螺）が「今日は磯遊びしよう。」と言うので、娘は短刀を懐に入れて、弁当持って行った。そして広い瀬で弁当開いた。するとタミナが、「お前はここに待っとれ、自分は三里先の沖まで泳いでくるから、自分の殻を大事に握っておれ。」と言うて、殻から抜けだして、沖の方へ泳いで行った。娘は今だと思って、タミナの殻を短刀で切り割って、そこから逃げ出した。前へ行くと、りっぱな侍が道ばたに待っておって、刀を抜いで「お前は俺の殻を割ったな。これからあらためて俺の嫁になるか、どうだ。」と言う。娘はこんなりっぱな人なら、嫁になるどころではないと言うて、大喜びでうちに連れて行った。そう

して爺さんと三人、よい暮らしをした。(鹿児島県薩摩郡)[14)]

タニシ息子は娘によって槌や石などで叩きつぶされ、刀で割られ、あるいは足で踏みつぶされて死ぬ。そうして古い殻を脱ぎ捨てて生まれ変わり、大人の男へと脱皮を遂げる。打ち出の小槌を振ると立派な男になったと語る伝承もあるが、それは主人公の殺害を穏やかに表現したものだ。[15)] タニシ息子が生まれ変わり、結婚できるようになるためには、自分を叩き殺してくれる娘が必要なのである。

(2) タニシ息子とハウル

ハウルは、ガラクタをツギハギした玩具のような動く城の中で、荒れ地の魔女や戦争への参加を要請する社会との関わりから逃げて、フラフラと移動し続けていた。宮崎駿氏によると、この城は「張りぼての城」「大砲をぶっ放したりもしない、見かけ倒しのガラクタ」[16)] で、ハウルは「大人になりきれない青年」[17)] なのだという。彼は見栄っ張りで自信家なのに、傷つきやすく臆病である。そんな彼を守る城を、切通理作氏は「引きこもりの牙城」と呼ぶ。[18)]

硬い金属に覆われた「城の中に籠もるハウル」の姿は、「殻に覆われたタニシ息子」の姿と良く似ている。それはまた「姥皮を被った娘＝ソフィー」の姿とも重なり合う。未熟な若者たちは、彼らを包む殼・皮の中で大人への脱皮に向けて準備しつつある。「タニシ息子＝ハウル」と「姥皮の娘＝ソフィー」は、たがいに助け合って成長していくが、その過程において、ソフィーは何度も老化と若返りを繰り返し、ハウルの城も解体と再生を繰り返す。『ハウルの動く城』の物語は、脱皮・脱殻による死と再生を繰り返しながら成長していく少女と少年の物語であるといえる。

ハウルはソフィーを仲介者とすることで、それまで避け続けてきた魔女サリマンとはじめて対決する。激しい戦いの後、彼はみずから城を解体して新しい城を作り上げる。城は魔法によってソフィーの帽子店や、過去に自分がいた花咲く湿原に繋がる、美しく清潔な城に生まれ変わった。しかし新しくはなったものの、ハウルの城はこれまで通り暖炉の火の悪魔（カルシファー）によって彼の心臓に固く結びつけられたままである。彼は自分の殻＝城を、完全に脱ぎ捨てたわけではない。

ハウルが本当に生まれ変わり、彼を覆う「殻＝城」から自由になるためには、タニシ息子の場合と同様に自分を殺してくれる妻の登場を必要とする。ソフィーははじめからそのために彼に誘惑され、城に導かれていたようにもみえる。宮崎作品においては、昔話「姥皮」の主人公（ソフィー）と昔話「タニシ息子」の主人公（ハウル）が出会い、互いに関与し合って「新たな一つの物語」を形作っていく。

3．姥皮の娘とタニシ息子の物語
――ソフィーとハウルの約束と再会――

(1) 蛇聟とタニシ息子

昔話では、姥皮の娘の物語とタニシ息子の物語は独立した別々の話で、それぞれの主人公が出会うことはない。しかし昔話においても、この二つの話の間には不思議な結びつきを認めることができる。

昔話「姥皮」の発端部分には、「蛇聟」と呼ばれる異類の婿が登場する。彼は沼や池の主である大蛇で、爺の願いに応じて田に水を入れ、約束通り娘を差し出すように要求した。蛇聟は「若い娘を求める恐ろしい異類」であり、娘によって退治される。ところが一方の昔話「タニシ息子」の発端部分では、この蛇聟と同じ振る舞いをタニシ息子本人が行うことがある。

> 或処に、前に千刈田、後ろに千刈田を持つ家があった。或年のこと、旱魃つづきで田がズラリと乾せてしまった。主人は、この田を割れかしてしまえば米がとれないので、どうかして水をかけようとしたが、その工夫がつかなかった。そこで沼の縁に行って、「どのツブ（田螺）でもいいから今夜一晩のうちに田に水をかけてくれた者に俺の娘三人のうち一人くれてやる」と言った。次の日行ってみたれば、昨夜一晩のうちに千刈田に水がかかっていた。その代わりにはツブへ娘をくれてやらなければならないので……（岩手県水沢市）[19)]

多くの類話では、タニシ息子は神仏の申し子として、あるいは自らすすんで爺のもとに現れたと語られる。しかしその場合でも長者の屋敷を訪れた際のタニシ息子の求婚は、やはり強引で計略的である。

田螺は夜半に、こっそり娘達の寝所へ忍んで行って、懐からオシトギ餅どて出して、噛んだものを、ヨデコ（三番目娘）の唇に塗って来た。それから夜明けになったら、台所の方で何やら、『ツスツス』と啜り泣く音がするので長者殿が不審立てて行って見たら田螺が泣いている。事由を聞くと、爺から貰って来たオシトギ餅がないという。娘達が食ったに相違ないというので、長者殿も笑って、『どの娘でもお前のオシトギどて食った者があったら、嫁に呉れてやる』と云った。(秋田県仙北郡)[20]

タニシ息子は眠っている娘の口元に米粉などを塗りつけ、自分の食べ物を盗んだと騒ぎ立てて無理やり自分の嫁にする。長者の娘にとってはタニシ息子もまた、強引に「女性を喰らう恐ろしい異類」なのだ。この性質は「タニシ息子」の多くの類話に共通して認められる。また各地の伝承には、蛇聟がタニシ息子と同じように、娘に槌で自分の肝をつぶさせたり（岩手県紫波郡)[21]、首を切らせ（京都府竹野郡)[22] て死んで、立派な男性に生まれ変わったと語るものもある。このように姥皮の話の「蛇聟」と「タニシ息子」には、互いに置き換え得るような共通性がうかがわれるのである。

⑵ 長者の息子の正体

昔話「姥皮」には、最終的に娘の夫となるもう一人の男性が登場する。「長者の息子」である。長者の家の人々がみな姥皮の娘を老女だと見なしていたなかで、彼だけが娘の本当の姿に気づき、彼女にしか癒せない恋の病に陥った。その理由はとくに説明されてはいない。しかしそのような長者の息子の正体を、かつて娘に退治された「蛇聟」だと語る伝承がある。

長野県に伝わるこの話は、娘の父が蛇に対し、おまえの思うことを叶えてやるからと言って、呑み込みかけたカエルを放させたことから始まる。蛇は若い侍の姿で現れ、娘をくれという。困った父親は、娘が死んだようにして黒金の輿に入れる。蛇は娘を迎えに来ると、その輿に巻きついた。娘は熱くて死にそうだったが、やがて蛇は逃げて娘は助かった。蛇は池のなかで真っ赤になって死んでいた。このあと娘は旅に出て、白髪の婆から「おんべの皮」をもらう。婆は父に助けられたカエルだった。娘は大阪に出て、飯炊き婆として奉公する。そこの旦那が夜、飯炊き婆の若い姿をのぞき見て寝込んでしまう。誰が薬を持っていっても受け取らないので、ついに婆が行くことになる。

> そうしたら、旦那は薬とって飲んで、「うな、おらのかかになれ。」ていうんだと。わけいしょ（若い衆）はたまげて、「うな、おらのかかになれなんて、おら旦那はちっとしんきになった（気がふれた）ではないか。あんつら飯たきばばあに、おれのかかになってくれなんて。」そ思ったと。そうして「おらみたなもん。」なんていったでも、「どうでも、かかになってくれ。」ていうさけ、おんべの皮ぬいで、わけいあねさになって、旦那のかかになったと。そうして、一生仲よくくらしたと。そうしたら、その旦那がへっぴ（蛇）の生まれ代わりで、どうあってもいっしょにならなければならなんで、いっしょになったんだと。それっきり。(長野県下水内郡)[23]

姥皮の娘が最後に救った結婚相手は、じつは彼女がかつて結婚を約束した蛇聟の生まれ変わりだったという。娘の最初の婚約者である蛇聟は、約束を果たされることなく退治された。しかし彼は傷つき病んだまま「どうあってもいっしょに」なろうと、成長を遂げた娘に再会し結婚の約束が果たされる日をずっと待っていたのだ。このような「蛇聟」は、先に述べたように「タニシ息子」ともきわめて近い性質をもっている。

昔話は、「蛇聟」と「長者の息子」と「タニシ息子」の繋がりをはっきり語っているわけではない。しかし昔話がこうして密かに示している可能性（三者が結びつく可能性）を、宮崎駿氏は「姥皮」と「タニシ息子」という二つの昔話を統合することによって実現してみせる。つまり「姥皮の娘（ソフィー）」の物語のなかに、「蛇聟＝長者の息子」の役として「タニシ息子（ハウル）」を入り込ませたのである。

(3) ハウルの病気と始まりの時の約束

物語の始めにおいて蛇聟が「女性を喰らう異類」であったように、ハウルは「美女の心臓を喰らう怪物」として登場してくる。これは人々が彼について勝手に抱いたイメージだが、しかし実際にハウルは、魔法で敵の軍隊に襲いかかり破壊する黒い怪鳥としての姿を持っている。魔法の力を振るって戦えば戦うほどハウルの体は怪鳥化し、やがて人間に戻れなくなって魔王と化すという。「怪物化」は、彼が強い魔法の力を獲得することによって得た病だといえる。長者の息子が患っていたのは恋の病だが、このようなハウルの病は、彼が幼い頃に火の悪魔カルシファーと契約をして自分の心臓を捧げたことに起因する心臓（心）の病なのである。そのときから、ハウルの心は成長を止めてしまった。

図5　サリマンと星の子とカゲ

ところで火の悪魔カルシファーは本来、流れ星の子である。星の子は、青白く輝く星のような顔と細い手足をもつ姿で描かれているが、この姿は魔女サリマンが魔法の力を振るったときにも現れる。つまり「火の悪魔＝星の子」は、「魔法の力」そのものでもあるのだ。その力に魅了された者は、サリマンのように強力な魔法や武器を用いて戦争を起こしたり、荒れ地の魔女のように永遠の命を求めるようになる。サリマンが使う星の子の背後には、巨大な「マンダラケ人間」の黒い影が揺れている。これは「火＝星の子」の力がもつ暗い負の側面を表しているのだろう。ハウルの病は、彼を魔王へといざなう「火＝魔法」の病[24]でもあるのだ。

娘を喰らう怪物ハウルは、心臓を火に捧げて病んだ「蛇聟＝長者の息子」であり、結婚相手の娘によって殺される「蛇聟＝タニシ息子」でもある。他方のソフィーは、蛇聟と結婚の約束をしていながら裏切った「姥皮の娘」に相当する。「蛇聟＝長者の息子＝タニシ息子」であるハウルの癒しと再生は、試練を経て成長した「姥皮の娘」ソフィーが、「蛇聟」との最初の出会いと「結婚」の約束を思い出し、彼女自身の手で「タニシ息子」の妻の役割（＝夫の殺害）を果たすことによって成し遂げられる。

ソフィーはまず、火と合体したハウルの心臓を城から出すことによって、彼の「城＝殻」を破壊する。さらに彼女は、火に包み込まれたハウルの心臓に水をかけた。これらはハウルを殺害する行為に等しい。そのことに気づいてソフィーが号泣したとき、彼女とハウルが最初に出会った時の記憶、始まりの世界への道が開ける。

ここではじめてソフィーは、「火＝魔法」の病を患う異類であるハウルの正体と、かつて彼と交わした再会の約束を思い出し、彼のために自分がなすべき役割とその意味を理解する。病んだハウルは、幼い頃に「再会＝結婚」を約束した婚約者が、自分を殺して生まれ変わらせに来てくれるのをずっと待ち続けていたのである。すべてを思い出し理解したソフィーは、怪鳥の姿でうずくまるハウルに「ごめんね、私グズだから……、ハウルはずーっと待っててくれたのに」といいながら、優しくキスをする。そして弱々しく燃えるハウルの心臓を彼の胸に押し戻すと、火（カルシファー）は心臓から分離して、ハウルは再生を遂げた。「姥皮の娘」によって、「蛇聟＝病んだ長者の息子＝タニシ息子」は死に、立派な「夫」となって生まれ変わった。こうしてついに始まりの時の約束の通り、二人の真の再会＝結婚が果たされた。幸せそうな二人の背後に、主題歌「世界の約束」が流れる。[25)]

4．おわりに

昔話「姥皮」の少女は、姥皮を脱いで再生し長者の息子と結婚をした。昔話「タニシ息子」の少年は、殻を脱いで生まれ変わり長者の娘と結婚して幸せに暮らしたという。映画でも、ソフィーを覆っていた姥皮（老女の外見・帽子）は破れ、消極的で頑なだった少女は、生きる力に溢れた女性へと変身した。ハウルの城も破壊され、彼の心臓はついに城から解き放たれて自由になった。虚栄心に満ちた臆病者の少年は、飾らない自立した青年となったように見える。自分の殻に閉じこもっていた少女と少年は、大人へと脱皮を遂げて互いに結婚相手を獲得した。

昔話では、物語はめでたしめでたしの結末に終わり、彼らが再び姥皮や殻を被ることはない。ところが『ハウルの動く城』の結末は、それとは少し異なっている。なぜなら物語の最後の場面で、「城」は再び復活して彼らを乗せて旅立ち、ソフィーの頭を新たな「帽子」が覆っているからだ。ソフィーとハウルを包むこの新しい被り物は、彼らが自分の意志で操るもので、かつてのようにその心を縛り付けるものではない。それでも彼らは、新しい城に乗り、新しい帽子を被って再び旅に出る。彼らの物語は、まだ終わってはいないのである。

最後の場面で宮崎駿氏は、彼らの人生においてこのような脱皮・脱殻による死と再生の体験が、これからも何度も繰り返されていくことを表しているように思われる。『ハウルの動く城』のメインテーマ曲であるワルツ「人生のメリーゴーランド」（久石譲）のタイトルは、宮崎氏が自ら名づけたという。[26)] このタイトルが表す「繰り返し」は、前作『千と千尋の神隠し』のテーマ曲「いつも何度でも」につながっている。10 歳の少女・千尋の冒険もまた、一度で終わるものではない。幼い頃、コハク川の主である龍神ハクと出会った千尋は、のちに 10 歳になったとき湯屋という異世界の体験の中でハクと再会し、それまで忘れていた彼の記憶を思い出した。冒険を終えてもとの世界に帰るとき、千尋とハクは再び会うことを約束している。

千尋「またどこかで会える？」
ハク「ウン、きっと」
千尋「きっとよ」
（千尋、手をつないだまま、石段をひとつ降りる。）
ハク「きっと、さあ行きな、振り向かないで」[27)]

トンネルをぬけて現実世界にもどった千尋は、おそらく意識の上では異世界での冒険もハクのこともまた忘れてしまっただろう。次に彼らが出会ったとき、千尋がハクを思い出すことができるかどうかはこの作品には描かれていない。しかし 18 歳のソフィーとハウルの物語は、その後の千尋とハクの物語としても受け取ることができるのではないだろうか。新たな冒険の中で、「ソフィー＝千尋」は「ハウル＝ハク」と再会し、忘れていた彼の記憶を取りもどす。こうして人は人生において何度も死と再生の冒険を体験し、その度に大切なものと出会い、思い出し、別れ、忘却することを繰り返していくのだろう。

注

1) ダイアナ・ウィン・ジョーンズ『魔法使いハウルと火の悪魔』西村醇子訳　徳間書店　1997年。
2) 『千と千尋の神隠し』劇場版パンフレット　東宝株式会社　2001年　2頁。
3) 叶精二『宮崎駿全書』フィルムメーカー社　2006年　289頁。
4) 水沢謙一編『とんと一つあったてんがな』未来社　1958年　254–260頁　要約。
5) 小松和彦『異人論』筑摩書店（ちくま学芸文庫）　1995年　211–212頁。
6) 古川のり子「袋＝胞衣を被った子どもたち――誕生・結婚・葬送の民俗と神話・昔話――」『死生学年報』2009年　東洋英和女学院大学死生学研究所　129–146頁、「なぞとき神話と昔ばなし」（第10回鉢かづき姫・姥皮Ⅰ、第11回鉢かづき姫・姥皮Ⅱ、第12回一寸法師・タニシ息子）『歴史読本』新人物往来社　2012年4、5、6月号参照。
7) スタジオジブリ責任編集『THE ART OF HOUL'S MOVING CASTLE』徳間書店　2005年　43頁「おしゃれというよりヘルメット」「内気　防御　自尊心の口元」。
8) 宮崎駿『スタジオジブリ絵コンテ全集14　ハウルの動く城』徳間書店　2004年　537頁。
9) 宮崎駿、同書531頁。
10) 佐々木隆『「宮崎アニメ」秘められたメッセージ』KKベストセラーズ　2005年　20–23頁。
11) 能田多代子『手っきり姉さま』未来社　1958年　112–113頁　要約。
12) 関敬吾『日本昔話大成』3　角川書店　1978年　20頁。
13) 関敬吾、同書3、18頁。
14) 岩倉市郎『鹿児島県甑島昔話集』三省堂　1972年　68–70頁。
15) 古川のり子「なぞとき神話と昔ばなし　第12回一寸法師・タニシ息子　脱皮する少年たち」『歴史読本』新人物往来社　2012年6月号　266–271頁。
16) 『ロマンアルバム　ハウルの動く城』徳間書店　2005年　119頁、美術監督吉田昇氏へのインタビューによる。
17) 同書、101頁、作画監督高坂希太郎氏へのインタビューによる。
18) 切通理作『宮崎駿の世界』筑摩書房（ちくま学芸文庫）　2008年　463頁。
19) 森口多里『黄金の馬』三弥井書店　1971年　72–73頁。
20) 『旅と伝説』1941年5号　52頁。
21) 関敬吾、前掲書3、21頁。
22) 関敬吾、前掲書2、53–54頁。
23) 浅川欽一『信濃の昔話』スタジオゆにーく　1974年　63–78頁。

24) この病は『風の谷のナウシカ』『天空の城ラピュタ』『もののけ姫』でも繰り返し語られてきた。「火＝魔法＝文明」の病である。
25)「世界の約束」（作詞・谷川俊太郎、作曲・木村弓、編曲・久石譲、歌・倍賞千恵子）。「涙の奥にゆらぐほほえみは　時の始めからの世界の約束　いまは一人でも二人の昨日から　今日は生まれきらめく　初めて会った日のように　思い出のうちにあなたはいない　そよかぜとなって頬に触れてくる　木漏れ日の午後の別れのあとも　決して終わらない世界の約束　いまは一人でも明日は限りない　あなたが教えてくれた　夜にひそむやさしさ　思い出のうちにあなたはいない　せせらぎの歌にこの空の色に　花の香りにいつまでも生きて」『ロマンアルバム　ハウルの動く城』徳間書店　2005 年　153 頁。
26)『ハウルの動く城』劇場版パンフレット　東宝株式会社　2004 年。「今回は映画全体を通して常に流れる印象的なテーマを 1 曲欲しいと要望したのだ。久石さんの 1 曲のテーマ作りがはじまった。そうして誕生したのがあるワルツ曲。その曲を聞いた宮崎監督は大喜びし、『人生のメリーゴーランド』と命名した」。
27) スタジオジブリ責任編集『THE ART OF Spirited Away』徳間書店　2001 年　236 頁。

図版出典

図 1　スタジオジブリ責任編集『THE ART OF HOUL'S MOVING CASTLE』徳間書店　2005 年　43 頁
図 2　『ロマンアルバム　ハウルの動く城』徳間書店 2005 年 45 頁
図 3　宮崎駿『スタジオジブリ絵コンテ全集 14　ハウルの動く城』徳間書店 2004 年 537 頁（1198）
図 4　宮崎駿、同書 531 頁（1185）
図 5　宮崎駿、同書 333 頁（698）

Folk Roots of Miyazaki's *Howl's Moving Castle*:
The Girl from *Ubakawa* and the Boy from *Tanishi Musuko*

by Noriko FURUKAWA

The animated film *Howl's Moving Castle* by director Hayao Miyazaki is a fantasy story produced in Western European style, based on a novel by the British writer, Diana Wynne Jones. In Miyazaki's previous work, "Spirited Away," which was set in Japan, he underlined the importance of telling children about Japan's rich folk culture. However, his next work, *Howl's Moving Castle*, at first glance appears to have no connection to Japanese traditions. However, in fact this work has strong ties to the folk tales that have been handed down in Japan. The character Sophie strongly resembles the little girl from the folk tale *Ubakawa*, and the character Howl is very similar to the little boy from the folk tale *Tanishi Musuko*. These main characters never meet each other in the Japanese world of folk tales, but they do in this film, where they influence one another. This article will reveal that this work by Miyazaki, while having a Western appearance, is attempting to create a new "Japanese folk tale" that will resonate deeply with Japanese people.

〈論文〉

死生学の誕生と死生観の探求

——死をめぐる新しい文化の広がり——

島薗　進

はじめに

現代日本では「死生学」や「死生観」という語が広まっている。「生死学」や「生死観」という語も使われるが、「死生学」「死生観」の方が優勢である。『論語』には「死生」の語が用いられており、「生死」は仏教の基礎用語だ。日本では葬儀は仏教で行うのがふつうだから、死と仏教は切っても切れぬ関係があると感じられている。にもかかわらず、「生死学」の語がさほど広く用いられていないのは興味深いことだ。

これは明治維新後の近代日本文化の形成期に儒教の素養が濃い武士出身の知識人が活躍したことと関わりがある。これに対して、中国・台湾では「生死」「生死学」の語が優勢だと聞く。これには、儒教の「未だ生を知らず、焉んぞ死を知らん」(『論語』) という、死より生の方を先んじる発想などが影響しているようである。

だが、いずれにせよ、東アジア地域では英語圏の国々のDeath Studiesと異なって、「生死」「死生」のように「生」と「死」を組み合わせて新しい学問分野をよんできている点では共通である。これは「生」と「死」を表裏一体のものとして考える思考法を表しているものだろう。儒教にしろ、仏教にしろ、道教にしろ、「生」と「死」は切り離せないものと考える傾向があるようだ。

このことと重なるが、他の東アジア諸国の動向は分からないが、少なくとも2000年代に入って以降の日本では死生学や死生観探求がかなりの普及度をもっており、興味を抱いている人の数が多いように思われる。このような事態はどうして生じたのか、そこで求められている死生の文化のあり様はどのようなものなのか、現段階での素描を行ってみたい。

1．死生学の日本への導入

現在の世界的な死生学の興隆は、イギリスやアメリカ合衆国が起点となり、近代医療の限界を自覚するところから始まった。病院は死にゆく人々のケアについて自覚的な対処をして来なかった。生物医学的(バイオメディカル)な医療は病気を治すためには最大限の力を注いできた。医師は病気を治すための知識を身につける組織的な教育を受け、医学研究は痛んだ身体機能を回復するために膨大なエネルギーを注いできた。しかし、そもそも病院を訪れる人は回復して平常に戻るだめ、また労働や健康人らしい交流に復帰するための措置だけを必要としているのだろうか。死に向けての余生を人間らしく過ごしていくための場とそのためのケアも求められている。いや、むしろそこにこそ、医療本来のケアのあり方が見て取れるのではないか。

このことに気づいたのは、イギリスのロンドンで看護師として、また医療福祉係として病院に勤めていたデーム・シシリー・ソンダース（1918－2005）である。ソンダースは1947年、がん治療を専門とする病院で職を得たが、あるとき手術ができないユダヤ人の患者と出会った（ドゥブレイ 1989）。この患者は強制的に退院され、別の病院に移ったが、ソンダースはその患者が翌年死亡するまで、頻繁に見舞いに訪れた。悲しい死別を経験したソンダースは、死にゆく人のケアが適切になされるべきこと、また痛みを和らげる医療がぜひとも必要であることを確信し、再び学生となって医学の勉強を始めた。そして、医師資格を得てからも痛みの緩和の研究という新しい分野に取り組んだ。

ソンダースは病院で研究しつつ医師として治療・ケアにあたるかたわら、医療施設というよりは宗教施設だった聖ジョセフ・ホスピスに通うようになる。医師よりは修道女が中心の施設である。当時のホスピスは末期患者を収容していたが、宗教施設として認知されており専門的なケアは為されていなかった。ソンダースは痛みの緩和を中心に、新たなケアの方式を導入する。ここでの経験をもとに、1967年、聖クリストファー・ホスピスが始められる。熱心なキリスト教徒だったソンダースだが、新たなホスピスはすべての人に開かれていなくてはならず、特定宗教色を持たぬものとした。

これが現代のホスピス運動の始まりとされている。痛みの緩和を中心とする医療ケアに力点があること、スピリチュアル・ケアを尊びつつも特定宗教色を持たぬことが現代ホスピスの大きな特色だが、それは聖クリストファー・ホスピスによって確立されたものである。この新たなホスピスの試みは直ちに諸方面から注目を集め、死の看取りの実践が世界的な広がりをもって脚光を浴びるようになった。欧米諸国にホスピス運動が広がり、よきホスピスケアのための知的交流が広がっていく。これが欧米の現代死生学(thanatology, death studies)の発展の大きな推進力となった。

ほぼ同じ時期に死にゆく人々のケアを目指す、もう一つの知的試みが進められていた。スイスのボランティア運動家だったエリザベス・キューブラー・ロス(1926 − 2004)はそのケアの経験を通じて、病院での科学主義的な死の看取りのあり方に疑問をもった。家族の反対を押し切り、キューブラー・ロスは31歳でチューリッヒ大学医学部を卒業して医師となる(ギル　1985)。翌年の1958年、大学で知り合った夫の出身国であるアメリカ合衆国に移住し、コロラド大学で精神医学も学び、精神医学者として死にゆく過程にある患者に接するようになる。

キュブラー・ロスのまったく新たな知的冒険は、彼らとの対話から学ぶということだった。彼女は、1965年、シカゴ大学ビリングズ病院で「死とその過程」に関するセミナーを始める。死にゆくがん患者とのインタビューから、学生とともに学ぶ試みである。こうした試みを通してキューブラー・ロスは、死にゆく患者の心理への理解を深め、1969年に『死ぬ瞬間』(*On Death and Dying*)を刊行する。この書物は世界に衝撃を与え、各国語に翻訳されていく。この書物では、死に行く人の心情が、否認、怒り、取引、抑うつ、受容の5段階をたどって変化していくとされている。最後には患者は死を受け入れていく。そうなるようにどのような手助けができるかが、死にゆく者へのケアの核心的な課題とされるのだ。

こうした試みの影響は、日本の医療やケアの現場にも次第に浸透していった。英語のthanatologyやdeath studiesという語に対応する日本語として「死生学」という言葉が使われるようになったのは1970年代のことで、医療やケアの現場に密接に関わる新たな知の様態として登場してきた。死生学を学ぼうとするもっとも早い動きは、1977年に大阪で始められた「日本死の臨床研究会」であろう(岡安　2001)。それに先立って、淀川キリスト教病院の精神科医、柏木哲夫は、死に行く者に対する独自の「チームアプローチ」を行っていた(柏木　1978)。これはホスピスケアにひじょうに近いものだったが、柏木自身はまだそのことを意識していなかった。日本で初めてホスピスが紹介されたのは、朝日新聞の1977年の記事によるもので、日本死の臨床研究会の発足とほぼ時を同じくする。

「日本死の臨床研究会」は1982年の第6回の集まりにはすでに500名近い医療関係者を集めるに至っていたという（柏木　1987)。81年には浜松の聖隷三方原病院に日本最初のホスピスが設立され、84年には淀川キリスト教病院でもホスピスが作られる。以後、ホスピスが必要だという認識は急速に広まっていく。もちろん、そこにはそうなるべき必然的な理由があった。医療の発達によって「畳の上」で死ぬ機会は急速に減っていった。だが一方、病院で死に行く人々に対して、ケアをするすべを知らないという、近代医療の重大な欠陥が次第に露わになっていったのだった。

キリスト教色が強いホスピスやグリーフワークの広がりを追うように、仏教界はビハーラの運動に乗り出すようになる。ビハーラとは「安らぎの場」を意味するが、ホスピスに対応する仏教用語として使われるようになる。長岡西病院を拠点として浄土真宗の関係者である田宮仁が、ビハーラの理念を提唱するのは1985年だが（田宮　2007)、それは直ちに多くの仏教教団内に賛同者を見いだした。東京の仏教情報センターの中に仏教ホスピスの会ができたのは1987年であり、後述するデーケンの「生と死を考える会」と類似の「いのちのつどい」が行われるようになる。こうして90年代には、仏教が加わった多様なターミナル・ケアやグリーフワークの試みがなされるようになる。こうした動きを踏まえて、1993年にキリスト教系の東洋英和女学院大学では、大学院人間科学研究科に死生学のコースが開設される。95年には日本臨床死生学会が結成され、その第1回大会が開かれている。

看取る側の苦境の自覚も高まった。1980年代には身近な家族が死に直面していたり、家族の死を経験した者たちの悲嘆に応じるケア（グリーフワーク）の場が求められるようになった。カトリックの神父でもあるアルフォンス・デーケン教授は、1982年に上智大学で「生と死を考えるセミナー」を開いたが、その聴講者が集うようになり、翌年、「生と死を考える会」が始められた（デーケン　1996)。この集いは大きな反響を呼び、1996年の段階で東京の会員は1500名を超え、全国35カ所で同様の集いが開かれるようになっていた。並行して、各地でグリーフワークの集いがもたれるようになった。

デーケンは自らのライフワークを「死の準備教育」(デス・エデュケーション）であるという。人は子どもの時から死と向き合うしかたを学んでいくべきだとし、小学校から大学までそのような授業をカリキュラムに組み込もうとするものである。そして、「死の準備教育」を支える学問的な知の体系が「死生学」である。デーケンはドイツをモデルにこのような試みを広げようとしたが、1990年代には日本でも「死の準備教育」や「死生学」に関わりが深い本がいくつも刊行されるようになった。

21世紀に入った現段階の世界的な動向は、ホスピス専門施設の拡充という方向にはない。多くの病院で緩和ケア・システムが導入され、緩和ケア専用のユニットが設置されているところもある。また、在宅のホスピスケアが推奨されており、欧米ではその組織化が進んでいる。緩和ケア、ホスピスケアに関わる医師、看護師、臨床心理士、ソーシャルワーカー、ボランティア等が学ぶべき専門知識や背景知識として、死生学は大学等で教えられ、学会や専門学術雑誌も刊行されている。東アジアでも2000年代に入り、各国で死生学にあたるものの組織化が進められている。

2．死生学の広がり

死生学への関心は、以上のようなホスピス運動や関連領域への関心に限定されるものではない。まず、取り上げたいのは死をめぐる生命倫理問題である。ホスピス運動に関心が集まっていったのと同じ時期、日本では脳死・臓器移植をめぐる議論が活発に行われた。この問題は、1970年代から論議されてきたのだが、本格的な議論がたたかわされたのは、89年に設置されたいわゆる「脳死臨調」(臨時脳死及び臓器移植調査会）においてで、その92年の答申に基づき、「臓器の移植に関する法律」が公布されたのが、97年のことである。そこでは、死とは何かについて突っ込んだ議論が行われた。その背後には、親しい看取りの人々から切り離されて医師という専門家が管理し決定する死は本来の死ではないのではないか、という重い疑問が投げかけられていた。

脳死・臓器移植をめぐる議論にある種の深みを与えた作品の一つに、柳田邦男の『犠牲(サクリファイス)――わが息子・脳死の一一日』(1995年）があった。この作品はひきこもりの末に25歳で自らのいのちを断った息子、洋二郎が、脳死状態で病院にとどまっていた間の作家の思いを語ったものである。洋二郎は悲しい人生の終焉を迎えながらも、自らの生の証として臓器移植も望んでいたので、作家は死に至る息子の心情に思いをこらすとともに、脳死問題への考察を深めようとし、重要な提言をも試みたのだった。それは「「二人称の死」の視点を」という言葉に要約されている。三人称の視点で死と向き合う医師の立場からではなく、かけがえのない他者の死と向き合う遺族らの視点から脳死とは何かを考えるべきだという主張だった。

こうして80年代、90年代（とくに後者）の日本では、生命倫理問題が死生学や死生観に関わる重要な問題として考察されることとなったが、これは欧米諸国ではあまり見られない現象だった。欧米では脳死による臓器移植が善であることを疑う声が小さかったからである。それはまた、欧米ではキリスト教的な死生観以外の死生観が目立たず、死生観の多様性が意識に上りにくいからでもあろう。

80年代から90年代にかけて、日本では医療やケアの現場から死生観を問い直す動きが顕著に見られたが、やや目を広げて宗教的な文化の変容に注目すると、そこでも死や死生への関心が強まっていたことが知れる。臨死体験と輪廻転生への関心の高まりは､70年代以来、先進国を中心として起こった世界的な現象である。医師のレイモンド・ムーディが『かいまみた死後の世界』の原著を刊行したのは1975年だが、この書物に共鳴するのはオカルト的な関心をもつ人々だけではなかった。欧米でも臨死体験への関心は死生学運動と密接に結びついていたが、日本でも同様である。

91年3月の「ＮＨＫスペシャル・立花隆リポート臨死体験　人は死ぬとき何を見るのか」は視聴率16.4パーセント（首都圏）の高率だった。臨死体験が意義深いと見なすことと輪廻転生をありうること見なすことは連動している場合が多い。井上順孝らが日本の大学生を対象として９５年に行った調査（「現代大学生の宗教意識」『中外日報』1995年10月31日号）では、臨死体験を信じる学生、21.0パーセント、ありうると答える学生、48.1パーセント、輪廻転生を信じる学生、15.3パーセント、ありうると答える学生、36.8パーセントであった（島薗　2007、7頁)。

大衆娯楽文化においても死や死後の生といった話題はタブー視されるどころか、積極的に取り上げられるようになってきた。『アエラ』2003年8月18―25日号は、「十代死生観アンケート」の結果を載せている。100人のうち、3割が「死のうと思ったことがある」と答えたという。この記事は03年の前半だけで11件、32人が試みたというネット心中の流行に想を得ている。たくさんの高校生が集団自殺をする「自殺サークル」(園子温監督)は02年の作品だ。映画作品やマンガ作品に死をむやみに身近に引きつけようとするものが増えている。つねに死を覚悟して生きる剣客を描いた『バガボンド』(井上雄彦)は、1998年から連載が始まったものだが、2012年11月までに34巻までが単行本となったが、国内だけで総売上数6000万部を超えたという。

さらにまた、葬儀やお墓をめぐってこれまでのあり方でよいのかを問う試みが活発化する。すでに、圭室諦成の『葬式仏教』は1963年に刊行されていたが、これは少数の専門家を読者とするものだった。一般視聴者・読者を対象とするものとしては、伊丹十三の最初の監督映画作品、『お葬式』(1984年)が画期的だろう。続いて、自然葬の推進を目指す「葬送の自由をすすめる会」が発足するのが90年、島田裕巳の著書『戒名――なぜ死後に名前を変えるのか』の刊行が91年である。欧米でこの方面からの死生学の基礎的な業績と見なされている、後にもふれるフィリップ・アリエスの『死を前にした人間』(原著、1977年)は90年に、ジェフリー・ゴーラーの『死と悲しみの社会学』(原著、1965年)も94年に訳書が刊行されている。アリエスやゴーラーの著作は歴史的、社会学的な研究を踏まえて、現代人が死をもてあましていること、現代人の生活から死の文化から疎隔されていることを示そうとしたものだった。

実際、葬送の様式の変化は世界各地で急速に進行している。たとえば、日本で新たな葬送の様式を追究している団体の一つに「もやいの会」がある。これは高野山真言宗の大分県の寺院、龍源山功徳院が東京巣鴨に別院を設置して巣鴨平和霊苑として、永代供養合祀墓を営む一方、ともに墓に入る人々の集いを組織しているものである。入るべき家の墓をもたない、あるいは好まない人たちが、死後は永代供養合祀墓に入ることを自ら選びとり、生前からその仲間作りをしていく、それがもやいの会である。1990年にこのもやいの会が発足し、「もやいの碑」や永代供養合祀墓「飛天塚」が作られた。また、葬儀をはじめとする死後の自己の身辺始末一切を生前に契約して委託する「りすシステム」(LiSSシステム、つまり「リビング・サポート・サービス・システム」の略)も作られ、2000年にNPO法人となっている。

戦死者の慰霊の問題も長期にわたって死者をめぐる人々の記憶と関心を呼び覚ましてきた。靖国神社と国家の関係をどのようにすればよいかという問題については、第二次世界大戦後さまざまな方針が提起され、議論が重ねられてきた。だが、当初は日本に特殊の問題と考えられてきたこの問題が、実は世界各地で見られる戦死者の追悼をめぐる政治問題の日本的な表れとしても理解できることが認識されるようになってきた。この点では、1980 年代以降に急速な進展があった（モッセ　2002、国際宗教研究所　2004、同 2006)。そこでそもそも死者の慰霊・追悼の文化にどのようなヴァラエティがあり、それらがどのような宗教的背景をもっているのか、また歴史上、とりわけ近代の戦争において戦死者の慰霊・追悼がどのようになされてきたかについての知識と比較検討がなされるようになってきた。近代国民国家をめぐる「記憶の場」を問う新たな歴史学の動向も、こうした知の展開に貢献してきている（ノラ　2002 − 3)。

日本の死生学はここに例示したような諸領域から立ち上がってくる死への関心、あるいは死と関わる生への関心を吸収しながら形成されてきている。死生学がカバーしようとしている現象や問題は多岐にわたり、現象や問題にアプローチする方法もまことに多様である。一つの学問領域として、堅固な内容をもつところまで至っていない。

しかし、これは必ずしも死生学特有のことではないだろう。現代の諸学問領域は、いずれもその輪郭は流動的であり、柔軟に輪郭を変えつつ隣接領域と関わっていくことが求められている。日本の、また世界の死生学の輪郭がどのようなものになっていくかを予測することは容易なことではない。

3．死生観への関心の深まり

死生学はアカデミックな世界での探求だが、市民の間でも死生観の探求が活発に行われている。文芸や娯楽文化の中でも死生観がしばしば取り上げられるようになってきている。死をめぐる伝統的な文化が疎遠になっていくのを反映して、自分なりの死生観を持ちたいという人々の願いが高まっているのだ。

死に直面すると深い孤独に沈む。その時、ひとびとや世界との交わりが新たに輝きをもって感得される。孤独なのだが、異なる次元で深い交わりを感じている。死生観、とりわけ日本人の死生観を考えるときに見逃せない事柄だ。そのことを印象深く表現した作家であり詩人でもあった人に高見順（1907 − 65）がいる。拙著、『日本人の死生観を読む』（朝日選書）でも触れたが、死の医学的な予知がごく当たり前のこととなった現代の日本人の死生観を考える際に忘れられない人物のひとりだ。

高見順はアジア太平洋戦争後しばらくして結核でサナトリウムに入院した。そこで死を意識しながら書いた詩を中心に『樹木派』という詩集が編まれている。そこでこの作家・詩人は、一本の木に強い親近感をもち、それを作品に形象化している。

　飽きない木
病室から見える崖の木と
僕はすっかり親しくなつた
いつも寝台に寝てゐる僕と
いつも崖に立つてゐる木と
木は木のやうに立つた僕を見たいと思つてゐるかもしれないが
僕は立ちつぱなしの木を見ることに飽きない
木も亦立ちつぱなしであることに飽きない
だから僕もさういふ木を見ることに飽きないのである

死を強く意識した孤独な病者は他者や世界から切り離され、自らのうちに引きこもっていかざるをえない。その自らを一本の木の姿に託している。だが、その一本の木との間で交わりが深まっていく。

十数年後の 1960 年代前半、食道がんにかかってさらに切迫した死に直面する中で、高見順はやがて詩集『死の淵より』に収められることになる詩作品を創造していく。そこには死を前にした孤独の厳しさを鮮烈に表現した作品も見られる。

　死者の爪
つめたい煉瓦の上に
蔦がのびる
夜の底に

時間が重くつもり
死者の爪がのびる

何者にも頼れないが何かにすがろうとする孤独の意識が煉瓦の上の蔦に投影されて、死にゆく者の爪が冷たい壁をひっかき這い上がっていこうとするような陰惨な像が浮かんでくる。だが、この詩集には世界と人々への愛があふれ、新たな次元での交わりを表現した作品もあり、読んでいてほっとさせられる。

　電車の窓の外は
電車の窓の外は
光りにみち
喜びにみち
いきいきといきづいている
この世ともうお別れかと思うと
見なれた景色が
急に新鮮に見えてきた
この世が
人間も自然も
幸福にみちみちている
(中略)
線路脇の道を
足ばやに行く出勤の人たちよ
おはよう諸君
みんな元気で働いている
安心だ　君たちがいれば大丈夫だ
さようなら
あとを頼むぜ
じゃ元気で——

この作品は自分の死後にも存続する世界への信頼と愛を表現している。このように高揚した意識において、愛と信頼は死を越えてしまうと言うこともできよう。孤独の中でもこのような意識をもつことができれば、死の残酷さ、死を前にした孤独の辛さは少しは和らげられるだろう。

だが、この作品に見られるような、死を越えて働く、世界と人々への信頼と愛はたぶん特殊なもの、珍しいものではない。それは異次元（他界）に自らが存続して、この世と交流できるとする想念によく現れている。1990 年代以降、「千の風になって」という名で知られている歌が世界的に広まったのは、そのことを示すよい例ではないだろうか。

私のお墓の前で　泣かないでください
そこに私はいません　眠ってなんかいません
千の風に
千の風になって
あの大きな空を
吹きわたっています
秋には光になって　畑にふりそそぐ
冬はダイヤのように　きらめく雪になる
朝は鳥になって　あなたを目覚めさせる
夜は星になって　あなたを見守る

この歌詞はアメリカの主婦がだいぶ前に作ったものらしいが、広まったのは 1990 年代以降で、日本では 2006 年の紅白歌合戦で秋川雅史が歌ってから爆発的に流行した。その内容は西洋の正統キリスト教の死生観から見ると、霊魂がこの世と交流できるとする点で合致しない。他方、日本やアジア農村地域の伝統的な死生観から見ると、死後の霊魂が土地や集団（故郷）と切り離されていて大空を自由にさすらっているという点で合致しない。孤独を見えなくするほど共同性が濃厚ではないが、死者と生者の交流が断ち切られると考えるような孤独のあり方には違和感がある人々が世界的に増えていると考えてよいだろう。

4．死者と生者の交流を具現する文化

日本の場合、死後にも存続する霊魂、あるいは故人のおもかげがこの世と

交流するという観念はたいへんなじみ深いものである。たとえば、青森県の赤倉や恐山で地蔵盆に行われる死者の口寄せは死者と生者の交流を濃密に具現し、喪失に苦しむ人々の心の空白に異次元的な交流の像を刻み込む働きをしていた。このような劇的な死者と生者の交流の儀礼には縁遠い人々も、盆や正月、あるいは命日やお彼岸に墓参りをしたり、仏壇で線香をあげ手を合わせるという形で死者と生者の交流が行われている。

今、お墓や仏壇に死者の霊魂が実在しているかと問われて、即座に「はい、そうです」と答えられる人は多くないだろう。だが、世代を越えて連続するいのちを尊ぶという死者の思いが伝わるという意識はなお身近に感じることができるのではないだろうか。日本人の霊魂観について、それが薄れていくことに危惧を抱きつつ、そこにこそ日本人の死生観の核心があると考えていた柳田国男（1875-1962）は次のように述べている。

> 人の霊魂がもしも死と共に消えてしまはぬものならば、必ず生きてゐた間の最も痛切な意思、即ち子孫後裔の安全の為に、何か役に立たうといふ念慮ぐらゐは、いつ迄も持ち続けられるだらうと、昔は生きてゐるうちから、さう思つてゐた者が多かつたのである。我が邦固有の神の信仰には、かういふ推測の基礎があり、無言の結束への期待があり、これに対する無限の感謝があつて、各人思ひ思ひの祈願は無く、且つ又何でもかでも有るだけの欲望をすべて叶へて下さるものとも、始めから信じてはゐなかつた（「田社考大要」『定本柳田国男集』第11巻）。

世代を越えて生命が循環しながら連続し、私たちは死によってそのいのちのサイクルに帰っていくのだという考えの中には、死者（先祖）とまたこれから生まれ来る者（子孫）と連帯しているという感性がある。柳田国男はそれを「家」の永続の願いとして考えた。

> 淋しい僅かな人の習合であれば有るだけに、時の古今に亙つた縦の団結といふことが考へられなければならぬ。未来に対してはそれが計画であり遺志であり、又希望であり愛情である。悉く遠い昔の世の人のした通りを、倣ふといふことは出来ない話だが、彼等はどうして居たかといふまでは、参考として知つて置くのが強味である。個人は太平の変化少な

> き世に住んで、子孫が自分の先祖に対するのと同一の感じを以て、慕ひ懐かしみ迎へ祭るものと信ずることが出来た。（中略）日本の斯うして数千年の間、繁り栄えて来た根本の理由には、家の構造の確固であつたといふことも、主要なる一つと認められて居る。そうして其大切な基礎が信仰であつたといふことを、私などは考へて居るのである。（『先祖の話』『定本柳田国男集』第10巻、151頁）。

このような「家永続の願い」は現在もなお続いているが、柳田がこの文章を書いた敗戦前後の時期と比べるとだいぶ弱まってきている。

だが、1980年代に文化人類学者の波平恵美子が大分の山村で経験した次のような逸話は、「集合的生命永続の願い」はその後も生き続けているのではないか、また今後も生き続けていくのではないかと思わせるものがある。

> 私が訪れた家の、世帯主の父親に当たる人はその頃60歳代半ばだったが、インタビューのあと支度をして山へ出かけるという。それは桜の苗木を山に植えるためであった。その人は、自分の家の前の「マエヤマ」（家の正面に立った時に見える山の風景あるいは山そのもの）に見える桜の木は、自分の祖父が植えたものであり、今後生まれてくる孫や曾孫の代の人々が自分の植えた満開の山桜を楽しめるように、今のうちに桜の苗木を植えておくのだと言った（波平恵美子『いのちの文化人類学』新潮社、1996年、第一章）。

このようないのちの考え方、感じ方は、必ずしも「家」の永続という意識に限定して理解する必要はないのではなかろうか。深い縁をもってともに過ごしてきた者どうしは死後も絆が続くという観念、また世代を越えていのちは働き合っていくという観念がその基礎である。そしてそうした観念自体はさほど特殊なものではなく、人類の諸文化に広く見られるものではないだろうか。

フランスの歴史家フィリップ・アリエス（1914－84）は『死を前にした人間』（みすず書房）で「飼いならされた死」について触れている。かつては西洋社会でも死がまったき孤独の露出する「逆立ちした死」として現れることはなかった。「飼い馴らされた死」と「逆立ちした死」の対照を印象深く描き出したのはレフ・トルストイ（1828 − 1910）だ。トルストイはロシアの農民が静かに死を受け入れていく力があると信じて、そこに謙虚な人間こそが体現できる奥深い智恵を見ようとした。

『イワン・イリイチ』に出て来る下僕のゲラシムはそうした知恵者だ。死が間近であることから目を背けようとする官吏のイワンに対して、ゲラシムは行き届いた身の周りの世話をあっさりとしてのけている。ある日、彼の献身ぶりに感じ入ったイワンが少し休みをとるように言うと、ゲラシムはイワンにはっきりと真実を告げて、ともに過ごすことの意味を問う。「私たちは皆死んでゆくんです。少しばかり苦労したっていいではないですか。」トルストイはこの言葉の意味をこう解説している。

> まさしく自分は死にゆく人のためにそれをやっているのだし、また自分にお鉢がまわってきた時には、誰かが同じようにやってくれるだろうから、この仕事は自分には苦にならないのだとゲラシムは言ったのだ。

アリエスはこのトルストイの思想が『ガン病棟』(新潮社）のソルジェツィンに受け継がれていると見ている。アリエスが引く『ガン病棟』の一節は次のようなものだ。

> けれども今、病室を行ったり来たりしながらエフレムが思い出していたのは、カマ川のほとりで死んでいった老人たちのことである。ロシア人も、タタール人も、ヴェチャーク人も同じことだった。だれもが勿体ぶらず、慌てず、死にはしないと力みもせず、死を受け入れた。もろもろの清算を先へ延ばさなかったばかりか、ひそかに用意を整え、前もって牝馬はだれかに遺し、仔馬はだれに、ラシャの上着はだれに、長靴はだれにと決めておいた。そして彼らは一種の安堵を感じながら、あたかも単に別れの丸太小屋に引っ越さねばならないといった具合に息を引きとった。

トルストイに多くを負いながら、アリエスやソルジェニツィンが描き出そうとしているのは、共同体との絆が薄れますます先鋭になっていく孤独に苦しみつつ、なお世代を越えた連帯を保ち、自分を生かしてきたいのちのつながりや世界の恵みに感謝しつつ、今別れを告げようとする世界への愛と信頼に浴しつつ死を迎える道筋だ。

このような死の意識は日本人にとっては理解しやすいものではないか。柳田国男は「家」という閉ざされた共同性の中で、そのようないのちの継承が行われて来たと考え、現代日本人がどのようにしてそれを受け継いで行けるかについて問いかけたが、答は示さなかった。その答はたとえば、高見順の詩作品から読み取ることができるかもしれない。

実際、この 30 年ほどの間に、現代日本人としていかに死を受け止めるかについて、多くの文章が書かれ、映画やコミック作品が作られもした。これらはそれぞれの場で、新たな死生観を生み出そうとする試みと見ることもできる。そうした試みをつきあわせつつ、多様な中にも注目すべき方向性を見いだしていけるとすれば、死に面する人々の孤独をもてあましがちな医療現場に何程か力を与えることができるかもしれない。

引用・参考文献

フィリップ・アリエス『死を前にした人間』（成瀬駒男訳）みすず書房、1990年（原著、1977年）。

岡安大仁『ターミナルケアの原点』人間と歴史社、2001年。

柏木哲夫『死にゆく人々のケア――末期患者へのチームアプローチ』医学書院、1978年。

同 『生と死を支える――ホスピス・ケアの実践』朝日新聞社、1987年（初版、1983年）。

デレク・ギル『「死ぬ瞬間」の誕生―キューブラー・ロスの50年』（貴島操子訳）読売新聞社、1985年（原著、1980年）。

国際宗教研究所『新しい追悼施設は必要か』ぺりかん社、2004年。

同 『現代宗教２００６　特集・慰霊と追悼』東京堂出版、2006年。

ジェフリー・ゴーラー『死と悲しみの社会学』（宇都宮輝夫訳）ヨルダン社、1994年（原著、1965年）。

島薗進『スピリチュアリティの興隆――新霊性文化とその周辺』岩波書店、2007年。

同 『日本人の死生観を読む』朝日新聞出版、2012年。

島田裕巳『戒名――なぜ死後に名前を変えるのか』法蔵館、1991年。

田宮仁『「ビハーラ」の提唱と展開』学文社、2007年。

アルフォンス・デーケン『死とどう向き合うか』日本放送出版協会、1996年。

同 『生と死の教育』岩波書店、2001年。

シャーリー・ドゥブレイ『シシリー・ソンダース』（若林一美訳）日本看護協会出版部、1989年（原著、1984年）。

波平恵美子『いのちの文化人類学』新潮社、1996年。

ピエール・ノラ『記憶の場―フランス国民意識の文化＝社会史』（谷川稔監訳）全三巻、岩波書店、2002―3年（原著、1997年）。

三木卓編『高見順詩集』彌生書房、1997年。

レイモンド・ムーディ『かいまみた死後の世界』（中山善之訳）評論社、1975年（原著、1975年）。

ジョージ・モッセ『英霊――創られた世界大戦の記憶』（宮武実知子訳）柏書房、2002年（原著、1990年）.

柳田邦男『犠牲（ぎせい）――わが息子・脳死の一一日』文藝春秋、1995年。

柳田国男『定本柳田国男集』第10巻、筑摩書房、1962年。

The Birth of Death and Life Studies in Japan and Views of Death and Life:

Variety in the New Cultural Tendencies Surrounding Death

by Susumu SHIMAZONO

The rise of death studies in the contemporary world started in the United Kingdom and the United States where the limitations of modern medicine were severely noticed. The hospice movement which started in the 1960s in Great Britain was an attempt to overcome these limitations of modern medicine, which had not been equipped with the necessary means of caring for dying persons. In bioethics, too, there have emerged many difficult issues which could not be solved by modern medicine. While the term "death studies" has been used by Western countries, in contemporary Japan the terms such as "death and life studies" and "views of death and life" are used. This is because in Buddhism and Confucianism specific words referring to both death and life belong to a central part of these traditions' terminology. In Japan's death and life studies it is widely accepted that views of death and life are very diverse and that scholars in this discipline must deal with many unique problems in contemporary society because of this. The idea is also shared among researchers in Japan that the field of death and life studies includes assisting people in contemporary society in searching for their own personal views of death and life.

〈論文〉

無への転生
――ショーペンハウアーの死後生論――

深澤英隆

1. はじめに

死後生や死後存続の問題が哲学の真剣な主題となりえぬようになってから、すでに長い年月が経っている。「死」という限界問題については、今日も変わらず哲学的思索が重ねられている。しかし死という限界点のさらに向こう側について何らかの認識が成立するという考え方は、哲学の領域ではつとに失効してしまっている。それでもひとびとは、死後の生なるものにしばしば想いを馳せるし、また公認の哲学とは別の「スピリチュアル」な思想系譜にとっては、死後生はいまなお中心的問題でありつづけている。ただそれが哲学の第一線の議論に結びつくことは、もはやない。

それにしても、哲学はいつの時代まで、どのようにして、死後存続という問題を語りえたのであろうか。そのひとつの例を、ショーペンハウアーの死後生論に見てみたい。これまでのショーペンハウアー研究は、それ自身が近現代哲学の枠組みにおいてなされてきたがゆえに、ショーペンハウアーの思想のこうした側面にはあまり論及してこなかった。しかし、死や死後生、さらに「超心理学」的側面に関わるショーペンハウアーの議論の検討は、また別の角度からショーペンハウアーの思想的特徴を照射し、また死をめぐる思想の近代における変容を明らかにすると言っていい。

2. 意志と表象としての世界と死生

2.1. キリスト教批判

ショーペンハウアーにとって、生と死の問題は言うまでもなく決定的に重要な哲学的主題であった。しかし同時代のドイツ観念論が同時にキリスト教哲学と呼んでいい性格をもっていたのに比べて、ショーペンハウアーの生と死の観念は、キリスト教から完全に離床している。

ショーペンハウアーを読む者の誰もが感じるのは、「観念論者」と言われながらも、ときに身も蓋もないまでに発揮される、冷徹なリアリズムの視線である。1850年に完成された『余録と補遺』でショーペンハウアーは、時にその辛辣極まりないユーモアゆえに苦笑を禁じえない文章によって、さまざまな対象を俎上に乗せるが、「宗教」もそうした冷徹な視線を免れなかった。その宗教論は、宗教批判者と宗教の有用性を弁護する者との対話編というかたちをとっているが、全体的には苛烈な宗教批判の調子が支配的である。キリスト教も批判の対象の例外ではない。「……キリスト教の教義は一種神聖な神話であり、それ以外にはどうしても民衆の手にはとどかないような真理を、民衆のもとまで運んでやる車の一種だ。(中略) 教義の不合理な点こそ、寓話的・神話的なものの烙印であり、符号なのだ。(中略) しかしあらゆる宗教の難点は、その寓話的性質を公然と標榜することができず、その点を隠す以外に手はなく、したがってその教説をおおまじめに本来的な意味で真なるものとして持ちださざるをえないことだ」(6/386=13/183-84)。「文明がキリスト教的諸国民において最も高いということは、キリスト教が文明に幸いするせいではなくて、キリスト教が死滅していて、ほとんど影響力をもっていないためなのだ。(中略) すべての宗教は文化と敵対関係にある」(6/419=13/227-228)。このようなことばを語るショーペンハウアーにあってみれば、その死生観がキリスト教の枠組みのなかで考えられることなどは想像しがたい。そもそも宗教的な死後存続論の背後にひそむ願望の虚妄性に、ショーペンハウアーはとっくに気がついているのである。

宗教批判ということに加えて、ショーペンハウアーがカント主義者を自認していたことを考えれば、カントによるスウェーデンボリ批判の継承という意味での霊魂論や死後存続論への認識論的批判がショーペンハウアーに見られるとの推測も成り立つ。とはいえ、ショーペンハウアーはカント的な制限を踏破するかたちで形而上学へと踏み出してゆく。またそうしたなかで、死後存続という問いにも、具体的な解答を与えてゆくのである。そうであるとするならば、まずはショーペンハウアー固有の形而上学の枠組を確認することから、始めなければならない。

2.2. 意志の自己展開としての世界

主著『意志と表象としての世界』（正編1819年、続編1844年刊）で語られたショーペンハウアーの哲学は、あるときは独我論に近い観念論思想として語られ、あるときは、物自体としての意志の宇宙論的生成を解く存在論的形而上学と見なされる。近年のショーペンハウアー研究は、この観念論的・主観的見方と実在論的・客観的見方との間の矛盾的とも受け止められてきた両義性を矛盾ととらえぬような解釈の方向を模索している[1)]。他方で中後期のショーペンハウアーが後者の実在論的な叙述の方向にアクセントを移していったことは、諸研究が等しく指摘するところである。またショーペンハウアーの死をめぐる思索も、中後期において、そうした叙述に則って展開されている。従って以下では、こうした実在論的形而上学の方向からまずショーペンハウアーの哲学的ヴィジョンの概要を示すことにしたい。

「物自体」と「現象」というカント的二分法が、まずショーペンハウアーにとって決定的に重要だった。ただカントにとって物自体は不可知なものであったのに対し、ショーペンハウアーは、この物自体を直知しうると考えた。それが全一的で無時間的な根源的実在としての意志である。この唯一実在としての意志は、「純粋意志」「盲目的意志」として、「理念」的形象原理を介して、客観化へと転じてゆく。その際に働くのが「個別化原理（principium individuationis)」であり、これにより、現象界のすべては全一性から疎外された個別的存在性を帯びることとなる。この現象的個物からなる現象界は、同時に必然的因果関係により余さず決定された「理由律（Satz vom Grunde)」の支配する世界でもある。盲目的欲求のもとに客観化する意志は、無機物から動植物を経て人間へと自然の階梯を積み重ねてゆく。そしてその人間に対して現象界は、主客の分離、純粋直感としての時間と空間および経験的直感としての悟性的認識を通じて、「表象」世界として現出する。ここで本節冒頭に記した観念論と実在論とが循環的に結びあわされる。

しかしショーペンハウアーは、独断的観念論（主観主義）や独断的実在論（唯物論等の客観主義）のいずれかによって、この循環を解決することに、強く反対する。ショーペンハウアーによれば、主観と客観の間には、理由律は当てはまならない。つまり主観が客観を生み出すのでも、客観が主観を生み出すのでもなく、両者はいわば共軛的関係にある（2/15-16＝

2/63)。「表象」は、すでに主観と客観という対立を含み、「それを前提としている」(2/30=2/81)。だから主観的なもののなかをいくら探っても、表象を超えるものは見つからない。ところがショーペンハウアーによれば、「意志」は「意識のもっとも直接的なものを構成して」おり、表象には属さない(2/130=2/213)。

> ……意志だけが物自体である。そのようなものとして意志は絶対に表象ではなく、表象とはまったく種類を異にしている。意志とはあらゆる表象あらゆる客観がそれの現象、目に見える形態、客体性である当のものなのである。意志はあらゆる全体的なものと同様に個別的なものの最も内的なものであり、核である(2/131=2/214、傍点は原文でゲシュペルト。以下同)。

しかし究極実在＝物自体はなぜあえて「意志」と名づけられねばならないのか。それは意志が「物自体のあらゆる現象のなかで最も完全な現象、つまり最も判明で最も大きく展開され、認識によって直接に照明された現象」(2/132=2/215)だからである。ショーペンハウアーによれば、たとえばこれを「力(Kraft)」といった概念で表すならば、決定的なものを取り逃がしてしまう。力の概念は、現象世界に属する抽象概念である。一方意志の概念はそこにおいて「認識するものと認識されるものが一致する」ような、「各人の最も直接的な意識から生まれてくるたった一つの概念」であるとされるのである(2/133=2/217)。

哲学史的常識からすれば、ショーペンハウアーが口を極めて罵倒したヘーゲルらの「主知主義」に対し、ここで主意主義が対置されたということになる。いずれにせよ、物自体が意志に通じるものとされたことは、ショーペンハウアーの死生観に決定的な色合いを与えることとなった。

2.3. 人間の生／生命

2.3.1. 意志と生命

知性的なものに代わって意志が究極存在とされたことは、動的生命性がショーペンハウアー哲学の根本的特徴となったことを意味する。もちろん物自体としての意志は、「意志がそのなかで自らを客観化する諸現象のはなはだしい多様性と差異性（中略）これらの現象相互の果てしない、和解しがたい闘争」の彼岸にあって、「そうした数多性や変転にはけっして巻きこまれていない」(2/183=2/282)。ただショーペンハウアーは、物自体として不変性と不動性にやすらうものとして意志を描くことは、ほとんどない。意志と名づけられるものは、なんと言っても、何ものかを欲し、何ごとかを意欲し、行うものである。ところがショーペンハウアーの意志は、外部性をもたない全一者である。ここから意志は、自己のうちで自己を無限に差異化し展開してゆく現象化の運動として描かれることになる。

生命は、二重の意味で、この意志に関わっている。まずは物自体としての意志が、それそのものが生命と等値されることはないものの、現象を生み出し、現象に外化してゆく運動性をうちにもつ限りにおいて、明らかに生命的なものとして描かれている。これに加えて、無機的な自然の生成のうえに成立する有機的・生命的自然は、生命としての意志でもある。その場合、生命性は自然の目的であろうか。ショーペンハウアーは、自然の合目的性を証言するかのような動植物界のさまざまな事例を挙げて、生命現象の精妙な関わりを描いたうえで、結局は次のように述べる——「本能」的行為は目的概念に従ったように見えながら、目的概念を欠いている。

> それと同じように、自然のあらゆる形成作用は目的概念に従った形成作用と同じでありながらまったく目的概念を欠いている（中略）というのは、自然の外的な目的論においても内的な目的論においても、われわれが手段および目的として考えざるをえないものは、いかなる場合でも、自分自身と合致しているかぎりでの一なる意志の単一性がわれわれの認識の仕方に対して空間と時間へと分かれて出現した現象であるにすぎないからである (2/192=2/295)。

これに加えて、ショーペンハウアーにとって世界の諸現象は、調和と協同であるとともに、それ以上に争闘と殺戮の場である。「意志以外にはなにも現存しないがゆえに、またその意志は飢えた意志であるがゆえに、意志は自己自身を食いつくさざるをえない（中略）。狂奔、不安、苦悩はそこからくる」(2/183=2/284)。

それにしてもそうした意志そのものは、何を欲し、何を目的として現象しているのか。この問いは、ショーペンハウアーに言わせればカテゴリー・ミスである。つまり根拠や目的を挙げることができるのは現象についてのみである（2/194=2/298）。われわれが個々の行為の動機について尋ねられるならば、それに答えることは容易である。しかし「そもそもなにゆえに意欲するのか、あるいはそもそも何ゆえに生存しようと欲するのか」との問いには、答えるすべもない。このことはまた同時に、人間が意志的存在そのものであることを証してもいる（2/195=2/299）。「永遠の生成、際限のない流れは、意志の本質の権限に属している」が、これは人間の企図と願望にも表れている。人間は結局そのときどきの個別的願望を満たしては次の願望へと「絶えざる移行の遊戯」を繰り返すが、意志がそもそも何を、あるいはなぜ欲するのかを知ることはできない（2/196=2/300-301）。

2.3.2.　人間の生と盲目的意志

人間の生を中心主題とする『意志と表象としての世界』第４巻に至り、ショーペンハウアーは意志と生（生命）との結びつきをより直接に語るようになる。意志それ自体は盲目的な「とどまることをしらない切迫（Drang）」であり、これは無機・有機両自然の生成のうちに表れている。

> そして意志の欲するものはつねに生である。というのは、まさしくこの生こそ、その意欲が表象に対して呈示されたものにほかならないからである。そういうわけであるから、われわれが端的に「意志」と言うかわりに「生への意志」と言ったところで、同じことであり言葉の重複であるにすぎない（2/324=3/178）。

ショーペンハウアーは、生のふたつのあり方を指摘している。まず生がこのように意志に密着したものであるならば、自身が生の外化である生物にとって、生は自明で自然な何ものかである。例えば動物は、自らが自然そのものであり、自然と同様に不滅であるとの意識に支えられており、死を恐れない。そしてそれは人間の日常においても同様である（2/332=3/189）。何ゆえを問わない生、生存を維持する活動に自然に没頭する生にとっては、生はもっとも自明な、それに疑いなく身を委ねるべき何かである。

他方でしかしショーペンハウアーにとって人間の生は、あまりに過酷な苦しみに満ちたものであった。これはよく知られた、ショーペンハウアーのペシミストとしての側面であり、生の苦しみを物語る苛烈な、いわば身も蓋もないことばは、主著の至るところに散見される。ショーペンハウアーにとっては、「われわれの人生は、あたかも運命がわれわれの現存の悲惨さに加えてさらに嘲笑を仕組もうとしているかのように、悲劇のもつあらゆる不幸せを含まざるをえないのである」(2/380=3/259)。そうした悲劇がショーペンハウアーにおいてさらに悲惨になっているのは、おそらく意志の盲目的性格という点に起因しよう。生の悲惨のなかでは、おのずと神義論的問いが切実に立ち上がってくる。しかしショーペンハウアーにとっては、もとよりキリスト教的神義論は、まったくの虚妄である。のみならず究極的意志の盲目的な運動が悲劇の根底にあるとすれば、悲劇の「根拠」を問うあらゆる神義論的問いは、そもそも問いとして成り立たないことになる。神義論的問いを宙づりにされた人間は、それでも既成宗教の教義を信じて苦を忍ぶか[2)]、あるいはひたすら悲劇のなかに沈淪するしかない。

2.3.3. 死の意味するもの

「近現代哲学における死の問題」と題する論考で宗教学者のヨアヒム・ヴァッハは、ショーペンハウアー、フォイエルバッハ、ジンメル、ハイデガーの4人を個々に論じるにあたって、19世紀以降における「死の哲学」の決定的な変容を指摘している。それによれば、キリスト教的死生観の相対化とともに、死が「外から」訪れる運命であるという表象が後退し、かわって「まずは生物学的現象にすぎないもの」と受けとめられた死そのものに「意味」を見出そうする姿勢が顕著となった。死は生に内属するものとされ、またそうしたものとして理解されてこそ死は十全に了解できるものと見なされた。この意味で、死の予覚こそが真の自己を開き示すものと考えられるようになった[3)]。こうしたことは、ヴァッハも指摘するように、ショーペンハウアーの死の思考に余すところなく当てはまると言える。

ショーペンハウアーは、主著続編第41章「死および、死とわれわれの本質の不壊性との関係について」の冒頭で次のように言う。

> 死こそはまさに哲学に生命を吹きこむ守護神でありまた庇護者であって、それゆえにこそソクラテスも哲学を「死の練習」と断じたのであっ

> た。死というものがなかったならば哲学的思索をなすことすら困難であったろう（3/528-529=7/11）。

死が哲学的思索と結びつく理由はいくつもあるだろうが、ひとつには、生そのものが死との闘いだからであり、死を了解することが生の意味づけを可能とするからだろう。ショーペンハウアーの描く死の描像の基礎をなしているのは、ヴァッハが言う意味での、「生物学的現象」としてのそれである。それと同時に、死は一方で上述のように極限化されながら、他方では決定的に相対化されてゆく。すなわち、生も死も、いずれも物自体としての意志の現象的表れであるとされ、両者は共属するとともに、いずれも終極的事象としての意味を奪われるのである。

> なるほどわれわれは個体が生成し消滅するのを見る。とはいえ、個体とは現象であるにすぎないのであり、個体化の原理としての根拠率にとらわれた認識にとって現存するだけである。もちろんこのような認識から見れば、個体はまるで贈物でももらうようにして、その生を受容し、無から発生し、やがて死によってこの贈物を失うはめになり、無に帰ってゆくことになる。しかし（中略）誕生と死とは、まさしく意志の現象に属するものであり、それゆえ生に属するものである。（中略）誕生と死とは、相等しい仕方で生に属しており、おたがいのあいだどうしで制約しあうものとして、あるいは——もしそんな言い方を好むとすれば——生の現象全体の両極になるものとして、均衡を保っている。(2/324=3/178-179)

ここでショーペンハウアーは、死を司るインドのシヴァ神が同時に生殖を象徴するリンガを身に帯びていることを指摘する。この生と死の循環運動のなかでは、仮象＝現象としての個は現れては消滅するものに過ぎない。

この認識から、ショーペンハウアーの議論はふたつのベクトルへとわかれてゆく。ひとつは、個体の消滅と種の存続に関わる冷徹な認識である。すなわち自然が物自体としての意志の現象である以上、自然のなかでうまれた個体性は消滅を余儀なくされる。この事態を語るショーペンハウアーのことばは、容赦なく苛烈である（ショーペンハウアーは個体の死を排泄にすら例えている（2/327=3/182)。これに加えて、ショーペンハウアーは、個に対する「種」の優先性を語る。すなわち、「個体の死によって自然の全体が侮辱されるわけでもない。というのは、自然にとって肝心なのは個体ではなくて、種だけであるからである」(2/325-326=3/180)。その場合、種はその原型を「イデア」に持つものとされ、その限りにおいて時間的盛衰の彼岸に位置するものと見なされる（「本来的な実在性をもつのは、言いかえれば意志の完全な客体性であるのは、もろもろのイデアだけであってもろもろの個体ではない」(2-326=3/180-181))。個に対するこうした種の優越の強調は、たとえば現代で言えばレヴィナスのような、個の還元不可能な唯一性を強調する思想からすれば、危険ですらあり、民族主義やファシズムに利用されかねない論理を内包している（事実ショーペンハウアーはナチズムにとっては「ドイツ的思想家」のひとりであった)。これを代償するショーペンハウアーの倫理的ヴィジョンについては後述するが、こうした種の不滅への死の回収の発想が生物学的基礎に立っていることは明らかである。

ショーペンハウアーの死の表象のもうひとつの側面は、「望ましいもの」としての死である。人生が苦難に満ちた呪わしいものであることは、ショーペンハウアーの繰り返し強調するところである。この意味で、死は生の苦難からわれわれを救済するものとして現れる。しかしもちろんショーペンハウアーは、このようなもっぱら消極的な意味において死を望ましいものと語っているわけではない。ショーペンハウアーにとって死の決定的な作用は、この個別化原理により分節された現象界のなかで個別的自我において生きる生のあり方に終止符をうつことであった。「そして死は、おのれのもつ意識をおのれ以外のもののもつ意識から切り離すという錯覚を廃棄する」(2/333=3/191)。個は、現象的自我＝人格は、死において消滅し、そしてそれこそが救いである。さらにこの個別化原理による個人の分断の認識とその揚棄が、ショーペンハウアーにとっては倫理の基礎となる。自己と他者の区別を超えた「同情＝共苦」(Mitleid)、これこそがショーペンハウアーによれば究極の愛である（2/439-443=3/342-348)[4]。

……あらゆる真実で純粋な愛も、あらゆる自発的な正義さえも、まったく個体化の原理の洞察から出てくるのであり、この洞察がまったき明瞭さで現れるならば、全面的な救いや救済をもたらすことになる。これらの現象こそ上述した諦念の状態であり、諦念に伴う不動の平安であり、死における無上の愉楽である（3/470-471=3/384）。

しかしこの場合ショーペンハウアーの語る死とは、生物学的な死であり、端的に無へと帰することなのだろうか。この点をさらに確認しなければならない。

3. 「動物磁気」の意味するもの

3.1. 「動物磁気」という現象

死生論にかかわるショーペンハウアーのもうひとつの主題系列に、「動物磁気」（animalischer Magnetismus）の問題がある。アントン・メスマー（1734-1815）の創始になり、18 世紀後半のヨーロッパ社会を席巻したこの流行現象は、のちに「催眠現象」（Hypnotismus）と改名され、心身に関わるテクノロジーとして定着をみた。ショーペンハウアーの時代は、なおこの現象が正統心理学や医学の承認をえる以前の時代にあたるが、18 世紀から 19 世紀を通じてのこの現象に対する関心は、決して大衆層に限られたものではなく、多くの哲学者がこの現象の解釈に取り組んだ。というのも、催眠トランス下にある人間（当時は夢遊状態 Somnambulismus と呼ばれた）が示す感覚転移、憑依現象、透視、サイコメトリー等の超心理学的事象が、感覚的世界を超える超常的事象の「経験的」な事例と受け取られたからである。ルドルフ・ティシュナーによれば、

ほどなくひとびとは、夢遊現象下で尋常ならざる能力が現れることを、発見するにいたった。例えば思想伝達、透視などがそれであり、それ以来ひとびとはこうした現象を精力的に研究するようになった。こうした探求にはもちろん非難すべき点も多々あった。種々の間違いのもとが見過ごされることもあったし、実験対象となった人間がいかにしばしば暗示にかかりやすいかも、知覚過敏であるかも、理解されていなかった。とはいえ、この時期よりはじめてこうした諸現象を実験的に研究することが可能となったのは事実である。メスマーの登場をまって初めて、「実験的メタ心理学（experimentelle Metapsychik）」が可能となったので

ある[5)]。

当時は学者から民間人に至る人びとの実験や体験が実に豊富に集積され、これについて今日では想像もつかないほどの多量の刊行物が出版された。ショーペンハウアーはこうした書物を熱心に渉猟し、そこで報告される諸現象の事実性を認め、しかもこれを自らの形而上学を実証するものととらえている。

実際、『自然における意志』(1836年刊)に収められた論説「動物磁気と魔術」のなかでショーペンハウアーは、「動物磁気は実用的形而上学として登場」し、「魔術が経験的あるいは実験的形而上学になった」(4/104=8/193)と言う。ショーペンハウアーにとってとりわけこの現象が重要であったのは、それが「私の学説を、強力に、しかも経験的に確かめてくれる」(4/115=8/210)がゆえのことであった。

ショーペンハウアーが動物磁気によって実証されたと考えた事柄はふたつある。第一は、すべての個体化による分断を超えて人間と人間、人間と事物は、形而上学的な次元で結びつきをもっているとのショーペンハウアーのヴィジョンに関わっている。ショーペンハウアーによれば、動物磁気の諸現象において、個体化の原理は無効化され、個人を分かつ境界は突破される。世界には、「物理的結びつき」を超えた「別種の結びつきがあるはずである。これは一種の地下結合であって、これによって、直接現象のある一点から他のいかなる点にも、形而上学的な結びつきをつうじて作用することができる。(中略)夢遊者の透視では、個人個人によって認識が孤立させられているような状態が消滅するのと同様に、個人個人によって意志が分断されているありさまがなくなることもありうるのだ」(4/111=8/203-204)。ショーペンハウアーは、古代以来の「魔術」はここに基礎をおくものであると断定する。メスメリズムにおける施術者の被催眠者への直接的な働きかけやラポールやセラピー、あるいはモノへの直接的働きかけは、万象の実相としての意志の作用によるものとされるのである。

動物磁気のもうひとつの含意については、『余録と補遺』に収められた長文の論考「視霊とこれに関連するものについての研究」において詳しく展開されている。それはすなわち、動物磁気下の現象における時間と空間の超越という問題である。当時のさまざまな実験報告に描かれている催眠トランス下での透視や未来予知を、ショーペンハウアーは哲学が何としても取り組むべき課題であると考える。その際にショーペンハウアーが提示するユニークな概念が「夢器官（Traumorgan）」という概念である。ショーペンハウアーが深層心理学の知見を先取りしていたことはよく知られているが[6)]、夢の諸相を分析するなかでショーペンハウアーは、感覚知覚とは異なる与件を知覚する能力を「夢器官」とよび、これを通常の夢から催眠下の超常知覚までをも可能とする潜在的能力ととらえる。この夢器官は、「脳」が生み出す因果律や時空のカテゴリー制約を克服することができるものとされている。

> 動物磁気、共感療法、魔術、千里眼，正夢のお告げ、視霊、それにありとあらゆる種類の幻視は、いずれも似たような現象であり、一つの幹から分かれたもろもろの枝である。そしてこれらの現象は、空間・時間の法則と因果律をもととする自然とはまったく別の事物の秩序に依存もとづく事物の結びつきを確実に、否定しがたく示している（5/282=11/57）。

ショーペンハウアーによれば、以上の二点が明らかにしているのは、つまるところ通常の自然的秩序を超えた物自体の存在である。逆に言えば、こうした動物磁気の現象の事実性をショーペンハウアーが疑わなかったのは、物自体＝意志について自身がもつヴィジョンのゆえであった。

> いま問題にしている諸現象は、唯物論ならびに自然主義が唯一絶対のものと主張する自然の秩序が、純粋に現象的な、したがってたんに表面的なものであり、じつはこうした秩序の法則なるものから独立した本質、物自体が背後にあることを証明したのである。今問題にしている諸現象は（中略）すべての経験がわれわれに与えてくれるすべての事実のなかで、比較を絶するほど重要である。したがって、これらの現象を根本的に明らかにすることは、あらゆる学者の義務である（5/284=11/59）。

3.2.　スピリチュアリズムの拒絶

動物磁気の実験は、上に見たような、いわゆるオカルト的諸現象と並んで、スピリチュアリズムの思想との結びつきが強かった。スピリチュアリズムとは、死者が生前のパーソナリティのままに死後存続し、霊媒を通じて生者とコミュニケーションをとったり、生者の時空間において超常的な現象を引き起こしたりすることを信仰する思想潮流を表す[7]。18世紀において動物磁気の実験としてなされていたことがらは、19世紀の中葉以降は、ほぼスピリチュアリズムのいわゆる降霊会（セアンス）に変容してゆく。動物磁気の被催眠者は、トランス状態のなかで種々の現象を引き起こしたが、スピリチュアリズムの「媒体」である、いわゆる霊媒がやはりトランス状態に陥ることを考えるならば、このことは容易に理解できる。

さて、言うまでもなく、スピリチュアリズムの死者観念は、先に見たショーペンハウアーの死者像に抵触する。この意味で、ショーペンハウアーはスピリチュアリズムの信念内容については概ね否定的である。他方でショーペンハウアーは、主著執筆後に親炙するに至った動物磁気文献に感化され、「いつの時代にも性こりもなくかならず存在が主張されてきた半面、そんなものは絶対にないとされてきた**心霊現象**の説明は、動物磁気によって新しい道が開かれてきた」と言う（5/286=11/61）。たとえばいわゆる幽霊視についてショーペンハウアーは、催眠によって喚起される夢器官の知覚作用の延長上に仮説的にその可能性を考え、詳細に検討を加えている（5/302-303=11/82-84）。こうした一方で、死者からの伝達とされるものについては、ショーペンハウアーは極めて懐疑的であり、それを悪し様に批判する。たとえば著名な実験的動物磁気・霊媒現象研究者にしてロマン主義の医師・詩人であったユスティヌス・ケルナーは、「プレフォルストの女予言者」と言われたフレデリケ・ハウフェの精細な観察を浩瀚な書物として出版したが、これについてのショーペンハウアーのコメントは辛辣極まりない。

> しかし彼女が亡霊と交わした会話は、彼女の想像力の所産と見るべきである。（中略）したがって女予言者は、知らず知らずのうちに彼女のまえにあらわれた幽霊のプロンプターとなった。そして彼女の想像力は、われわれがふつう無意味な夢を見ているとき事件を勝手につくりだしたり、仕組んだりするのと同じ種類の無意識的な活動を行った。（中略）プレフォルストの女予言者の霊との対話も、わたしの考えではこの種のものである。彼女の作成した対話や劇の台本がいわく言いがたいほど悪趣味であり、無知な田舎娘と、こうした娘にはなじみの深い民衆の形而

上学の観念圏内を一歩も出ていないことが、わたしの説明の正しさを確証する（5/304-305=11/85-86）。

ショーペンハウアーにとっては、スピリチュアリズムは誤った前提に立っている。すなわちそこでは「人は二つの根本的に異なった実体、つまり物質的な肉体と非物質的な霊とから成るという正当ならざる考え方」（5/311=11/93）がまかり通っている。つまり非物質的とされた霊が物象化されて表象されているのである。このことを強調したうえでしかしショーペンハウアーは、死者（の意志）が生者の世界に働きかける可能性は、「アプリオリには」排除できないと言う（5/313-314, 325=11/95-96, 110）。

超常的なものへのこうしたショーペンハウアーのオープンな態度の根拠となるのは、やはりその形而上学的なヴィジョンである。夢器官による幻影が「客観的」認識をもたらすか否かは定かではない。しかしわれわれが通常「客観的」と考えるものも結局脳が作り出した表象に過ぎないのであるから、主観的なものと客観的なものの差は相対的なものでしかない（5/317=11/100）。のみならず、生者と死者の区別すらも、相対的なものでしかない。なぜなら「かつて存在した人と現に生きている人とのあいだの区別は絶対的なものでなく、両者のなかにはともに、同一の生きんとする意志があらわれることをはっきりさせるべきである」（5/328-329=11/114-115）のだから。

4.　無への転生としての死後生

4.1.「存続するもの」の問題

動物磁気現象の経験的データによっても、ショーペンハウアーはスピリチュアリズムの説く人格の死後存続論に傾くことはなかった。それでは、死後、すべては無に帰すのだろうか。ショーペンハウアーはそれを誤解と呼ぶ（「ある人間の死を目撃した場合に、ここでひとつの物それ自体が無に帰したというようなまちがった考えがどうして起こるのであろう」6/288=13/49）。しかしそうであるならば、いったい何が存続するのだろうか。

ショーペンハウアーの基本的な立場は、意志の絶対的一元論である。そうであるとすれば、個別化原理によって分節化し、肉体をもって空間を占め、時間的存在として一定のあいだ存続した（あるいはそのように表象された）個別的人格＝意識は、ふたたび時空の制約を離れて、原意志に帰滅してゆくことになろう。死して滅びる有機的生命から独立した霊魂は存在しない(3/537=7/22)。われわれは本質的には不生不死であり、この意味でキリスト教の「無からの創造」の理念はまったくの虚妄である（3/557-558=7/46-47)。そもそもショーペンハウアーによれは、われわれと世界とは元来ひとつなのである。

> けれども根底においてわれわれは、ふつうに考えられているよりははるかに世界と「一つ」なのだ。世界の内的本質がわれわれの意志をなし、それの現れはわれわれの表象という形をとる。この一体的存在を明瞭に意識できるほどの人にとっては死後の外界の存続と自己自身の存続とのあいだの相違は消失し、両者は同一不二のものと映るであろう(3/556=7/44-45)。

なによりも死は、われわれのわれわれ自身からの解放なのである。死は「もはや自我でないものとなる大いなるチャンスなのだ」(3/582=7/78)。こうした事情をもっとも端的に表すのが、われわれは死後「存続する（fortdauern)」のではなく「不壊」(unzerstörbar）なのである、とのショーペンハウアーの語法であろう。

> ……現象と物自体の例の区別をしっかりとつかむならば、人間は現象としては死滅するが、しかしその本質そのものも同様に死滅するわけではなく、したがって、この本質に死後の存続を付与することはできないけれども——存続のような時間概念を除去することはこの本質にとって本来のことである——、にもかかわらず本質は不壊である、と主張することはできる。かくてわれわれは、存続とは異なる意味における不壊性の概念までたどりついたことになろう（3/565=7/57)。

　ただしこうした考え方には、困難が伴われる。この不壊なるものは、ショーペンハウアー自身が認めるように、直感を欠き、まさに表象しがたいものである（3/565=7/57）。すでに見たように、ショーペンハウアーによればわれわれはこの不壊なるもの＝物自体を、「意志」として直接体験できる。しかしわれわれが自らのうちに体験する意志は、自己人格と分ちがたく結びついており、不壊なるもの自体をありのままに把握することはできない。意志が存続するとの考え方は、避けがたくわれわれの人格的存続の観念と結びついてしまう。他方でしかし、「存続」、あるいはこの観念がさけがたく時間性とむすびついているとするならば、「不壊性」の観念そのものは、保持されねばならない。

このジレンマは、ショーペンハウアーの叙述にも反映している。まずショーペンハウアーは、不壊なるものをさまざまなことばで言い換えている。「生命原理」は不壊であると言われたり（3/539, 568=7/24, 59）、「存在」が不壊であるとも言われる（6/286=13/47）。のみならず、「主観的なもの――つまりいっさいのもののなかに生きかつ現れる意志――またそれとともにいっさいが現れる場としての認識主観もそれに劣らず不壊なるものでなければならぬ」とも言われる（3/556=7/44）。またさらに踏み込んでは、「愛の精神は、けっして消え去ることも無に帰すこともありえぬという確信」（3/564=7/55）とされたり、「道徳的な生存が死を超えて広がる」（3/573=7/66）とも言われたりする。もちろんこれらのことばは、意志の一元論の枠内で解釈することも可能である。しかしそれらはまた、不壊なるものの観念に関するある種のゆらぎと受け取ることもできる。

こうしたゆらぎをさらに反映するものと考えられるのが、「輪廻」に関わるショーペンハウアーの言及である。すでに主著においてショーペンハウアーは、古代インドの輪廻の観念を「神話」として紹介し、とりわけ輪廻からの離脱の思想を絶賛している（2/420-421=3/314-315）。後年の著作になると、神話というよりも存在論的な可能性として、より積極的に輪廻が語られる[8)]。その際ショーペンハウアーは「輪廻」（Metempsychose）と「再生」（Palingenesie）を区別している――「輪廻というのは、いわゆる霊魂全体が別の肉体に移ってゆくことだが、再生というのは、個体の解体と再建のことであり、その場合、意志だけが持続して、新しい存在の形体をとって、新しい知性を獲得するのである」（6/294=13/58）[9)]。この再生の基体である意志は、全一的な意志でなければならないはずだが、ショーペンハウアーはその全一的意志が同時に個別的再生への傾きを宿しているようにも語る。「かの意志が否を言わぬかぎり、われわれの死後に残るものは全然別個の生存への萌芽」(3/574=7/67) であり、死没ののち保存された「不壊なる胚種」(3/577=7/71) である。大いなる意志への帰滅ののち、再生は起こる。それは「それ自体不壊なる意志が生の夢想を継続してゆくことであり、意志は数多くの多種多様な認識をあい継ぎあい受けながらつねに新しい形で教えられ向上せしめられ、ついには自己自身を放棄するにいたるものである」(3/576=7/70)。ところで、この引用の末尾では、期せずして、生の、また意志の目指すべき点が示されている。

4.2. 意志の克服と「無」への転生

ショーペンハウアーの死生についての見方には、人間=意志の帰趨と目的に関し、ふたつの議論の方向性がある。ひとつは、死とともに個別的な人間(個別化した意志) は全一的意志に回収されてゆくという筋道である。再生があるにせよ無いにせよ、ここではこの個別化からの解放と原意志への再吸収が、人間にとっての救いととらえられている。

> 死は、肉の喜びを伴う生殖が結んだ結び目を苦しみつつ解きほぐすことであり、われわれの本質の根本的迷妄を外部から力ずくで破壊すること、大いなる幻滅である。われわれは根本的にいって存在すべきではなかった何ものかなのであり、だからこそわれわれは存在することをやめるのだ (3/581=7/77)。

上の引用は、きわめてペシミスティックに響くが、「死は、もはや自我でもないものとなる大いなるチャンスなのだ」(3/582=7/78) ということばにもうかがえるように、死はショーペンハウアーにとって大いなる解放でもある。

こうした一方ですでに前節末の引用の末尾は、ショーペンハウアーの死生論のもうひとつこれとは異なる議論の系列、意志の自己超克のモチーフを暗示している。すなわち盲目的な意志が、自己の本性の「認識」に至ることによって、盲目性を脱し，自己解放に至るというモチーフである。もとより物自体=意志は表象しえぬものとされるため、このプロセスに関わるショーペンハウアーの叙述は、一見すると矛盾や不整合を免れない。もっとも重要な議論の筋は、意志の本性を認識し、意志の盲目的欲求と理由律による強制を克服する人間においては、ある種の意志自身の自己放棄、ないし自己「破棄」が生じるということにある。個々の意志の自己破棄が全一的意志のそれとどう関わるのか、また個々の人間は捨身の生によってついに解脱をえられるのか、それとも死を待つほかないのか、上述の「不壊なる胚珠」は、どのような条件において「再生」を終えることとなるのか、これらの点についてのショーペンハウアーの記述には曖昧な部分もあり、またもとよりそうしたことは述定できる性格のものでもないだろう。いずれにせよ、こうした救済論の主旨は、すでに主著において確立されていた。

> まだ個体化の原理、利己主義にとらわれている人は、（中略）個別的な事物がおのれの意欲のもろもろの動機となってつねに更新されてゆくのである。ところがこれに反して、前述したような全体の認識、物自体の本質の認識は、あらゆる意欲の、意欲すべての鎮静剤となるのである。いまや意志は生にそむいている。（中略）こうした人間は、自発的な断念、諦念、真実の放下、全面的な意志の滅却の状態に到達するのである(2/448=3/354)。

この意志の滅却を主導するのは、「認識」である。

> 意志そのものは、認識による以外には、なにものによっても廃棄されない。こういうわけであるから、救いのただ一つの道は、意志が妨げられることなく現象し、この現象においておのれ自身の本質を認識しうるということである。この認識の結果としてのみ意志はおのれ自身を廃棄することができ、それとともに意志の現象と離しがたい苦しみをも終焉させることができる（2/474=3/388)。

それに加えて、この文脈においてはじめて十全な意味が与えられるのが、「自由」の概念である。もちろんショーペンハウアーは、自己の強く決定論的世界像と自由の確保の両立の論理的困難を意識している。その際ショーペンハウアーは、「もともとの自由、すなわち根拠律に依存しないということ」は物自体にのみあてはまり、現象には無縁であることを強調するが、「しかし、その自由はやはり現象において直接に目に見えるようになりうるのであり、それはただこの自由が現象しているものを終焉せしめる場合に限られている」(2/476=3/391) とも言う。それではそうしたことは、どこで生じるのか。ここでショーペンハウアーが語るのが「生への意志の否定」であり、それを体現する聖者の禁欲理想である (2/452f.=3/360f.)。ショーペンハウアーは諸宗教の禁欲主義を比較し、とりわけキリスト教の伝統における禁欲的実践について言及をしている。すでに主著では、次のように言われている。

> 少数の人間の場合、認識がこの［意志への］奉仕を脱却し、その軛を投げ捨て、(中略) 意志に逆作用すると、そこから意志の自己廃棄、すなわち諦念が生じうるのを見るであろう。これは、あらゆる徳と聖の究極目標であり、それどころか、これらの最も内的な本質であり、世界からの救済である (2/181-182=2/282)。

それでは意志が「破棄」されるとき、ついにすべては「無」に帰すのであろうか。絶対的非存在が、やはりショーペンハウアーの理想なのであろうか。「我」が死を迎えるとき、表象としての世界も同時に消失する。その滅却が原意志にもおよぶとき、ついに終極的な無化が成就するのであろうか。

ショーペンハウアーは主著の最終節で、「無」の概念についての興味深い議論を展開している。カントにならいショーペンハウアーは何ものかに比して無とされる相対的な「欠如的無」と、何ものとの比較にもよらない「否定的無」ないし「絶対的な無」とを区別し、われわれが「無」を語る際には、結局のところ相対的な無を意味しているという。ショーペンハウアーによれば、そうであるならば、「符号は交換」されうる。つまり通常われわれの生の側を存在とし、その否定の側を無であるとするなら、符号を交換してわれわれの生を無とするとき、他の側は有ともなるはずである。ただわれわれは常に生の側にいる。だから「哲学が意志の否定として否定的にしか表現できないもの」について語ろうとするならば、「われわれは意志の完全な否定に到達した人びとすべてが経験した状態、すなわち恍惚、有頂天、開悟、神との合一等々の名前でよばれる状態を指し示すほかない」。これは主客の分離という認識の要件も欠いた「状態」であり、「自分自身の経験によって近づく」しかないなにものかである。ショーペンハウアーによれば、この自己経験におもむく一歩手前こそが、哲学にとっての「積極的認識の最後の境界石」である（2/485-486=3/403）。しかし主著『意志と表象としての世界』の末尾のことばによれば、われわれは、子供が暗闇を恐れるように、無を恐れてはならない――

> われわれは無を回避することさえしてはならないのである。（中略）意志の全面的な廃棄のあとに残っているものは、まだ意志で満ちあふれている人びとすべてにとっては、たしかに無である。しかしまた逆に、意志がおのれの向きを転換させ、おのれを否定してしまった人びとにとっては、このわれわれのこれほどまでに実在的な世界こそ、その太陽と銀河のすべてをふくめて――無なのである（2/487=3/405）[10)]。

5. おわりに

ショーペンハウアーの書物は、哲学の書としてはめずらしく、読む喜びを与えてくれる。叙述は興趣に富み、思わせぶりな難解さやミスティフィケーションは一切ない。それでももちろん概念把握を超えた形而上学的な事態を叙述しようとするテクストである限りにおいて、複数の解釈をゆるす箇所がないわけではない。とりわけ、形而上学的な他世界＝実在界を措定しようとする実在論的ベクトルと、そうした措定的思考法を余すところなく、徹底的に否定してゆこうとするベクトルとが緊張関係をもって共存している。生死や死後生の問題について言えば、生と死のあいだの移り行きを実体的変容のように表象させるような部分もあれば、生と死といった分節的概念そのものすらキャンセルしようとする思考の展開も見出される。

死後生論におけるショーペンハウアーの位置は、時代の転換を証言している。ショーペンハウアーは、キリスト教的死後生観の衰微ののちに前景化してきた死そのものの哲学的主題化の潮流の、重要なパイオニアであった。さらにキリスト教に代わって、いわば経験的形而上学として登場してきた動物磁気の実践とそのスピリチュアリズムによる解釈は、上に見たようにショーペンハウアーの死後生論の重要なコンテクストをなしていた。この流れは、のちに「超心理学」や「科学的オカルティズム（wissenschaftlicher Okkultismus)」などの名前で、ドイツのアカデミックな世界の一部分となったが、こうした領域の哲学的吟味に先鞭をつけたのが、ショーペンハウアーであった[11]。しかし結局のところショーペンハウアーは、ナイーブな死後存続の観念には終始否定的だった。当時の哲学者のなかでも、実体論的思考の虚妄をもっとも鋭くついていたショーペンハウアーにしてみれば、これは当然のことであった。

ショーペンハウアーの哲学には、思いもよらない現代性がある。たとえば、現代のこころの哲学との近縁性である。ショーペンハウアーは、当時の哲学者としては例外的に明確に、認識の「脳」への依存性を繰り返し強調した。過去も未来も同様に脳の作り出した幻覚であり、ただ「現在」の直接性を生き抜くことが、生と死を超えた人間の形而上的境地であるということを、ショーペンハウアーは示唆してもいる[12]。例えば心の哲学と人工知能論の専門家である前野隆司の近著、『「死ぬのが怖い」とはどういうことか』(講談社、2013年)の立場は、ショーペンハウアーをかなりの程度連想させる。もちろんショーペンハウアーにとっては、脳それ自体も表象であるので、ショーペンハウアーの立場からすれば、脳還元論は決定的な限界をもたざるをえない。

こういった一方で、ショーペンハウアーの、とりわけ東西の神秘思想を援用しつつなされる生死の超克の議論や、さらに当時のヒプノ文化[13]に注目しつつなされる議論は、19世紀末から現代にまで至るある種の体験主義的でエソテリックな宗教潮流(ニューエイジやスピリチュアリティ)の先駆けの一部ともみえる[14]。また全存在の一体性や非因果的共時連関を語るショーペンハウアーのことば[15]は、現代のスピリチュアリティの潮流に特徴的なホーリズムに近接している。しかしここでも注意しなければならないのは、ショーペンハウアーの思想は批判的思考と反実体主義的思考を核とするものであり、これらの要素と今述べた潮流の常である安易な実体主義的傾向とは、およそ相容れるものではないということである。この意味でも、徹底した否定的・批判的思考と、死生の形而上学とが結びついたショーペンハウアーの思想は独特なものであり、また死生をめぐる思考に今日なお多くの示唆を与えるものと言うべきだろう。

注

ショーペンハウアーからの引用は以下の原典および邦訳による。引用にあたっては、邦訳を基礎としたが、原典を参照して修正を加えた箇所も少なからずある。引用頁数は、文中の括弧内に、まずゴシック体で原典の巻数／頁数を、つづいて明朝体で邦訳の巻数／頁数を示した。

Arthur Schopenhauer, *Sämtliche Werke*, 7Bde., Wiesbaden: Brockhaus Verlag 1949-1950.

『ショーペンハウアー全集』全14巻、白水社、1972-1973。

1) 高橋陽一郎「ショーペンハウアーにおける矛盾の積極的意味」『理想』687号、2011年、23-37頁、参照。
2) この意味において、ショーペンハウアーは、キリスト教を含めた既成宗教を、徹頭徹尾方便的なものと見る。「宗教について」(343-419=13/28-228) を参照。
3) Joachim Wach, *Das Problem des Todes in der Philosophie unserer Zeit* (Tübingen: J. C. B. Mohr 1934), S.6-7.
4) ここに、種の限定性を超えた普遍的な愛の倫理が基礎づけられている。またショーペンハウアーにとっては、人間は全自然と本質を同じくしている。したがってこの愛は、人間以外にも及ぶ。ショーペンハウアーは、熱烈な動物愛護主義者だった。これについては上野山晃弘「ショーペンハウアーと動物倫理――共苦の倫理学の現代的意義」『理想』687号、2011年、139-148頁、参照。
5) Rudolf Tischner, Mesmers Bedeutung für die Metapsychik (1928), in: Hans Bender(Hg.), *Parapsychologie. Entwicklung Ergebnisse, Probleme* (Darmstadt: Wissenschaftliche Buchgesellschaft 1980), S.54.
6) ショーペンハウアーの深層心理学への影響についてはJosef Rettner (Hg.), *Vorläufer der Tiefenpsychologie* (Berlin: Europaverlag 1985) を参照。
7) スピリチュアリズムと動物磁気＝催眠現象の結びつきについては、以下が詳しい。当事者側からは、Carl du Prel, *Spiritismus* (Leipzig: Reclam 1893). 批判的立場からは、Hana Moll, *Der Hypnotismus* (Berlin: Fischeer's Medicin Buchhandlung 1907).
8) とはいえ輪廻＝再生の観念は、ショーペンハウアーによればあくまで、時間のカテゴリーを何としても免れえないわれわれの思考様式がやむをえず要請する思考モデルにほかならない (3/575=7/69)。ショーペンハウアー以降の哲学史のなかで、輪廻の哲学的考察を行った例として、ゲオルク・ジンメルがいる。以下を参照。深澤英隆「生の形成者としての死――ジンメルの生／不死生論」、鶴岡賀雄・深澤英隆編『スピリチュアリティの宗教史』上巻、リトン、2011年、287-312頁。

9) ショーペンハウアーは、仏教の所説を傍証としてあげるのみならず、疫病で大量の死者が出た後で出生率が上がるなどの事実をあげ、この再生を事実として可能なものと考えている（3/576=7/71）。

10) 以下の引用もこれと同様の事態を語っている。「われわれが知っている生存を彼はすすんで放擲する。生存の代わりに彼において生ずるところのものはわれわれの目には空無にみえる。なぜならわれわれの生存は、これに代わって生ずるものからみれば空無であるがゆえに。仏教信仰ではかのものをニルヴァーナ、すなわち寂滅とよんでいる」(3/583=7/79)。

11) ショーペンハウアーと超心理学については、以下の文献を参照。Hans Driesch, Schopenhauers Stellung zur Parapsychologie, in: *Jahrbuch der Schopenhauer-Gesellschaft*; 23 (1936), S.15-99; Hans Bender, Einleitung, in: ders. (Hg.), *Schopenhauer, Parapsychologische Schriften* (Basel/Stuttgart: Benno Schwabe & Co. 1961), S.9-24; Andrea Kropf, *Philosophie und Parapsychologie. Zur Rezeptionsgeschichte parapsychologischer Phänomene am Beispiel Kants, Schopenhauers und C.G.Jungs* (Berlin etc.: Lit Verlag 2000).

12) こうした方向で、京都哲学とも近づけながらなされたショーペンハウアー解釈として以下を参照。板橋勇仁「ショーペンハウアーにおけるニヒリズムの徹底――意志の否定と無そして自由」、『理想』687号、2011年、111-125頁。

13) 筆者は、広義の催眠現象や催眠実践に心理的・生理的基礎をおく宗教文化現象・実践の潮流を、この語をもって呼ぶ。近代以降のヒプノ文化は、とりわけメスメリズムの発展の系譜上に、さまざまな展開を遂げつつ、今日にまで続いている。現代においても、ヒプノ文化は、たとえば死者とのコミュニケーションや死後世界への参入を標榜する実践の基礎として、しばしば援用されている。一例として、日本でも少なからぬ実践者をもつ以下の技法書を参照。ブルース・モーエン『死後探索マニュアル――自分でできる魂救出エクササイズ』(ハート出版 2009)。

14) ショーペンハウアーは、主著執筆期のドレスデン時代に、同市に住んでいた特異な哲学者でインド研究家であったカール・クラウゼと交遊をもった。クラウゼは瞑想術（おそらくヨーガ瞑想）の教室を開いており、ショーペンハウアーも手ほどきを受けたとも言われる（リュディガー・サフランスキー『ショーペンハウアー』山本尤訳、法政大学出版会、1990年、344頁)。ショーペンハウアーの意志の概念を、ある種の内的体験と結びつけて解釈することも――これは非常に慎重になされる必要があるだろうが――おそらく不可能ではないだろう。

15) こうした点については、論説「個人の運命に宿る意図らしきものについての超越的思弁」(5/211-237=10/281-315）を参照。

Rebirth into Nothingness:
Arthur Schopenhauer's Arguments on Life after Death

by Hidetaka FUKASAWA

Much time has passed since life after death ceased being regarded as a serious theme of philosophy. This is due to both a decline in the Christian worldview, and due also to the epistemological limitations of metaphysical knowledge established by Kant. Arthur Schopenhauer belongs, despite his grounding in Kantian thought, to those last philosophers who discussed the afterlife. In this article, the author situates Schopenhauer's views of life, death, and the afterlife in the context of his overall philosophical framework, and discusses their implication for contemporary thanatology.

As is well known, for Schopenhauer this world is both the objectification of the ultimate entity called "Will" (*Wille*) and the imaginary constitution of human "Representations" (*Vorstellungen*). For Schopenhauer, human life is the result of the blind force of the Will, a fate that must be overcome. Furthermore, for Schopenhauer death has the positive function of emancipating the ego-being from the laws of "*principium individuationis*" and "*Satz vom Grunde*," which strictly determine the phenomenal world.

Schopenhauer denied the idea of personal survival after death and argued that the human consciousness returns to the Will as Oneness. At the same time, influenced by Buddhist thought, he discusses the possibility of "rebirth" (not the reincarnation of the same ego-personality). Seeking empirical evidence for his metaphysical views, Schopenhauer was also absorbed in the study of contemporary literature about "animal magnetism," but he was critical of naive spiritualistic interpretations of the phenomena.

The motive of the self-overcoming of the will is identifiable throughout the philosophy of Schopenhauer. This self-overcoming is realized both before and after death when the distinction between life and death will be transcended. It is not only the individual pursuit of the ascetics but also the process of emancipation of the cosmological Will itself from its blind urge. Seen from this world, the world that emerges after the overcoming of the Will seems to be "nothing." After Schopenhauer, however, the "signature" of nothingness and being is reversed in the other world. Death and self-overcoming of the Will is, as it were, a new birth into Nothingness.

〈論文〉

死の後をめぐる幸福な記憶と忘却
――キルケゴールとホワイトヘッドを読むリクールの思索を手がかりに――

佐藤啓介

はじめに

人は、自らの生をつねに振り返り、思い出し、そこに意味を与えながら生きている。そして、それを通して、その生のなかで関わった人々のことをも振り返っていく。だが、その生が終わらんとしているとき、その人、すなわち、スピリチュアルケアの対象となるような人は、自らの生をどう振り返り、今後の生をどう捉えるのか。そして、その人を見守る人たちは、その人のことをどう覚えていくのか[1)]。

こうした問題について考えるときに鍵となるのは「記憶」という概念であろう。記憶は、時に、人に悩みや苦しみをもたらす可能性もある。過去の幸せな時間を忘れられず、それに比べて今は……、と落胆したり、今を恨んだりする。そんな幸せな記憶など、忘れてしまえればいいのに、とさえ思ったりもする。だが、同時に、各人のアイデンティティを形成し、人々の関係を幸福に結びつける役割を果たすものでもある。私たちは、自分の過去を覚えているからこそ、自分たりうるのである。そして、過去を覚えているからこそ、そこで関わった人々との関係を築きうるのである。

以下では、ポール・リクール（Paul Ricœur: 1913-2005）という哲学者が展開した、「死に面した人の記憶」にまつわるキリスト教的な思索を手がかりに、スピリチュアルケアにおける記憶の力の重要性や、そのあり方について考えたい[2)]。

彼は晩年、ケアワーカーとともに妻を介護し、その死に立ち会った。そうしたなかで、人は自らの「死」、そして「死後」についてどのように考えたらよいのか、と自問するようになった。なるほど、伝統的なキリスト教の考え方によれば、死後、人は神のもとに召されるのだから、死を恐れることはないとされる。しかし、そのような死後をイメージする想像力は、この科学技術時代の現代において、著しく衰退し、それをそのまま受けいれるのは、私たちはあまりに「冷ややか」になってしまったのかもしれない。では、聖句に由来する死後のイメージを、私たちがなお理解可能な仕方でどのように解釈しなおすことができるだろうか。リクールは、そうした問題に、彼の遺稿『死まで生き生きと』において取り組んでいる[3)]。そして、まさにその考察の鍵となるのが「記憶」という概念なのである。

1. リクールにおける死までの生の思想

まずリクールが考えるのは、死に臨む人を含めたあらゆる人が、自らの死というものをどのように考えるのが適切なのか、という問題である。言い換えれば、とりわけ死に臨む患者に対し、周囲の人々は、生と死をどのように考えるようその人に促すのが、より「よい」ことなのか、という問題でもある。

リクールは、自らを不安にさせる自らの死の問題を、いかにして扱わないかという方法を、まず否定的に提示する。

それは第一に、自分以外の様々な死者から死を考えることを止めることである。というのも、「すでに死んだ死者たちの行方の問題を先取りし、それを内面化してしまうことで、まだ到来していない私の死と私との関係が曖昧になり、摩滅し、変質してしまうから」である[4)]。あくまで、考える対象は自らの死である。

第二に、死者たちもまた、生き残っている人々と同じ時間において、実在しつづけるのかどうか、という問題を問わないことである。そうした「死後の生」の問題は、あくまで「死者たちに関して、生き残った人々が出した問いに対し、生き残った人々が出した答え」に過ぎず、自らの死の問題に対する視角とはなりえない。

第三に、自らをすでに死んだ死者として見ることはしない、ということである。この第三の観点は重要である。確かに、私はいつか死なねばならない。ハイデガーの言葉を待つまでもなく、それは不確実な確実性である。ただし、その私の死を、死んだ私を私が見つめる視点、いわば未来完了の視点で考えることをリクールはおこなわない。自分の死を、死にゆく私を見つめる外からの視点で考えることは、自分の死を看取る人々と同じ位置に自分を置くことになる。言い換えれば、「生き残る側」に自分を立てて、死ぬ自分を考えることになる。しかし、まさに、こうした「私が死を看取られること」を先取りすることこそが、「死の恐怖」の核をなす、とリクールはいう。

自らの死を「今ここにいる自らの視点」以外から考えようとするこれらの方法とは異なり、リクールは、ターミナルケアに携わるケアワーカーらの言葉を手がかりに、次のような死の考え方を提示する。それは「死までまだ生きている（encore vivant）人」の視点である。つまり、死という「終端」を立てて、そこから自らの生を振り返るのではなく、どこにあるか分からない終端に続く生の「道行き」を見すえるような視点である。こうした人々においては、たとえ重篤の状態にあろうとも、「なお残されている思考の能力を占めているものは、死後があるかという気がかりではなく、なおも自分を肯定しようとする生の最も深い原資を動員させることなのである」[5)]。

無論、リクールとて、あらゆる重篤患者が、自分のことをそのように見ることができる、といいたいわけではないだろう。死後の不安に苦しむ人々がいることは事実なのだから（だからこそ、スピリチュアルケアに対する需要もあるのである）。むしろ、リクールの真意は、患者の視点を、そのような死に臨む人の視点へと変えさせることが可能であるし、また重要である、という意味で受け取ることが妥当だろう。

では、この視点の違いが生むものは何か。リクールは、死まで生き生きと自分の生を見る人においては、自らの生のうちに「本質的なもの（l'*Essentiel*）の出現」が感じられる、という[6)]。彼のいう本質的なものとは、その人の生を支え、生の本質をなすもの、生をなお「生き生きとさせる」原資のことである。おそらくは、リクールのいう「本質的なもの」を「スピリチュアルなもの」と言い換えたとしても、間違ってはいないだろう。しかし、それが「出現」するとは、果たして、どのような事態なのだろうか。

ここで重要になるのが、死に臨む者に立ち会う人の存在である。具体的には、スピリチュアルケアに携わる人間を想定すると分かりやすいだろう。そうした人は、「死に臨む人を、まだ生きている者として、……すなわち、まだ－生きている（vivant-encore）というその人の体験のなかで本質的なものが出現することによって支えられている者として見る視線」をもった「共苦」（compassion）の人である[7)]。こうした人は、患者とともに「本質的なものが、内的に超越する運動」を共有する、とされている。すなわち、患者自身にとって、その本質的なものが自らの内部において生じ、生を「まだ生き生きと」させる深い原資として感じられ、同時に、それを見守る人にとっても、その患者においてそうした原資が活動的になり、それが表出する様子が感じ取られるのである[8)]。

もちろん、リクールは、ケアに携わる人間のことを過度に理想化しているわけではない[9)]。共に苦しみ、同伴する人に「職業的な面」があることも確かであろうし、時に、患者に対する感情を抑制する場合や、義務論的な理由から冷淡に振舞わねばならない場合があることも想定されよう。しかし、同時に、死まで生きている人の戦いに同伴／共苦することができる「能力」(capacité) には、職業的な面のみならず、本来的に倫理的な次元も備わっているとリクールは考えている[10)]。

こうしてリクールは、人が自らの死を考えるにあたり、「死まで生き生きと」ありうる人間に、より人間の根源的な姿を見て取り、結果、死の先取りによる死の哲学を展開しない。ここにあるのは、「死までの生の哲学」であり、その死は「生の究極的な肯定」の思索である[11)]。無論、この思索は、スピリチュアルケア一般の理解にとって、有益なものであることは否定できない。だが、同時に、これは特にキリスト教的思索と呼ぶものでもなければ、それどころか、キリスト教的な死後や復活の問題が否定されたかにすら思える思索である。では、それらの問題をリクールは単に否定するだけなのだろうか。そして、記憶という概念は、どうなったのだろうか。

2. 死と「幸福な忘却」

リクールは、遺稿集『死まで生き生きと』の後半において、端的に「自らの死後」について考えようとする。しかし、すでに見たように、「死後生」の問題は、「死者たちに関して、生き残った人々が出した問いに対し、生き残った人々が出した答え」に過ぎないのだから、「自らの死後」を考えるには不適当であるのだった。この観点はここでも一貫しており、リクールは徹底して死後生についてのイメージを解体しようとする。

では、果たして、自らの死後についてこれ以上、何を考えればいいのか。ましてや、自らを自らの死を看取る側からではなく、「死に臨み、まだ生きている人」として見る人は。

ここでリクールは、キリスト教思想の伝統を考慮しながら、死後を考える二つの思考路線を提案する。一つは「完全な離脱」(détachement parfait)、もう一つは「神の顧みへの信頼」(confiance dans le souci de Dieu) という路線である。

前者「完全な離脱」に沿った思考路線は、死後生を徹底的に否定した先にあるものである。死後生というイメージが発生するのは、私が自己の存在を欲するという意味で、私の「存在欲望」が働くからである[12)]。リクールは、この欲望そのものは決して否定しない。だが、現代において、キリスト教的に可能な死後についての思考は、そうした「自己への執着を犠牲にして」遂行されるものであるとリクールはいう。すなわち、私の死後を、私に一切執着しないようにすることである。ただし、単なる消極的な死後生の断念ではなく、「生への愛を、他者へ転化する」こと、すなわち「他者という、私の後にも生き続ける人を愛する」ことこそが[13)]、キリスト教的な死後についての思考方法なのである。彼は、エックハルト——そもそも「離脱」という語法それ自体、エックハルトから学んだものである——の言葉を手がかりに、次のようにいう。「自らの死後生の断念の《アガペー的》構成要素は、死の手前で、《離脱》を完成させる。すなわち、離脱は、単に何かを失うだけではなく、何かを得ることでもあるのだ。それは、本質的なものへ自己が解放されることを、である」[14)]。

ここで、「本質的なもの」という概念が再登場している点に注目したい。先に死に臨む人において、本質的なものが内的に超越して出現してくる、というリクールの考えを確認したが、まさにその内的超越は、死後生のイメージを解体し、代わりに、自己の死後にも生き続ける人々への愛へと、死に臨むキリスト者を誘いうる、というのがリクールの主張なのである。それはたとえば、死に臨む人を共苦のなかで看取るケアワーカーへの愛として、であろう。こうして、死に臨むキリスト者は、「死まで生き生きとし、私の死後の他者を愛する」者として、死に臨むことが可能になるという。だからこそ、リクールは次のように神への祈るのである。「神よ、私が死んだら、思いのままになさってください。何も要求しません。どんな《その後》も要求しません。私の存在欲望、存在努力を引き継ぐ務めを、生者の時間のなかにいる他者たち、生き残る人たちに託します」。[15)]

こうした「自己への執着」から離れる生のあり方を、リクールは、「忘却」という語で理解しようとしている。しかし、それは、自らの生きてきた過去を忘れる、という意味ではない。そうした忘却は、自らのアイデンティティ、尊厳すらも損ない、ひいては、自分自身の生を肯定することすらできなくなってしまう。では、それは、どのような意味での忘却なのか。

この忘却の意味を理解するためには、彼の晩年の主著『記憶、歴史、忘却』(2000年) に目を向ける必要がある。その著書の結論に相当する部分において、リクールは「幸福な忘却」(oubli heureux) なるものが存在するかどうか、極めて難渋な思索をおこなっている[16)]。記憶について徹底的に考察したリクールは、私たちの記憶が本質的に忘却より強いものであり、仮に記憶が薄れたとしても、それは「後で思い出される」(再認される) ことがありうるものであり、決して「失われる」たぐいのものではないことを、強く主張する。たとえばそのことは、フロイトの精神分析が明らかにするような、記憶の隠蔽のシステムを考えてみてもそうである。過去のある記憶は、意識から隠蔽され、忘れ去られたかにみえる。しかし、それは決してその存在が失われたわけではなく、無意識の内部に根強く「取っておかれ」、複雑なメカニズムを経て意識に働きかけてくる。その意味で、リクールが考える「自己への執着」からの離脱としての「忘却」とは「自らの生きてきた過去を忘れ去る」という意味では理解できない[17)]。

だが、リクールは、私たちには、「過去をなかったことにする」忘却とは異なる、「思いわずらいのなさ」(insouci) という意味での忘却という存在様態がありうるのではなかろうか、と問いかけている[18)] (ただし、それに対する明確な回答は提示されていないことにも注意したい)[19)]。そして、それが幸福な忘却たりうるのではないか、と示唆しようとしているかに思える。とはいえ、そうした忘却は、何らかの手段をもちいて可能になるような「作業」ですらありえない。ここでは、思いわずらいのなさ (insouci) に含まれる「思いわずらい」(souci) が、同時にハイデガーが語る「気づかい」(Sorge) のフランス語訳でもあることに注意したい。私たちは、存在者として、つねに何かに (そして自己に) 気づかっている。だからこそ、「気づかわないようにしよう」とすることは、それもまた一つの気づかいに転化してしまう。その意味で、それは作業としておこなうことのできるものではない。

では、思いわずらわないこととは、どのようにして可能なのか。実のところ、リクールもその「方法」を明確に示しているわけではなく、その記述は極めて暗示的である。その暗示的記述としてリクールは、キルケゴールが『様々な精神での建徳的談話』(1848年）の第二部「私たちは野の百合、空の鳥から何を学ぶことができるか」に記した次の言葉を引用する[20]。「もし、思いわずらう人が、本当に野の百合や空の鳥に注意を向けるなら、そして、彼がそうしたもののなかに我を忘れるなら、彼は百合や鳥という先生たちから、自分でも気がつかないうちに、自分自身について何かを学ぶだろう」[21]。

リクールは、このキルケゴールの言葉を通して、自己への執着から離れる「幸福な忘却」について形象化しようとしていると思われる。この言葉は、有名なマタイ福音書6章25～34節――日々のことに思いわずらわないようイエスが説く箇所――について、キルケゴールが実名で詳述した著作のなかに記したものである（彼の哲学的主著の多くは仮名で著されており、実名で著されたのは、主に宗教的著作である)。ここでしばらくリクールから離れ、キルケゴールの「野の百合、空の鳥」に関する記述に付き従うことにしよう。

この聖句においてイエスは、人が日々の糧や衣服について思い悩むべきではなく、何よりもまず神の国と神の義を求めるべきであることを、野の花、空の鳥を見て学ぶよう説いている。自らは何もしない花や鳥でさえ、神は装い、養ってくれているではないか、だから日々のことに思い悩むな、と。キルケゴールはこの箇所に徹底した注解を施し、人は、鳥や百合という教師から、非常に重要なことを学ぶことができると考えた[22]。私たち人間は、日々、金銭や人間関係など、多くのことに思いわずらい、多くのことに悲しみ、不安を覚える。だが、福音書が説くように、心を散らし、足元の百合を見やり、空の鳥を見上げるとき、人は、「思いわずらいを見ない」ことができる[23]。キルケゴールは、こうした状態を「神的な気散じ」と呼ぶ。彼が神的な気散じを説明する描写は、感動的ですらある。

> 「あなたは、かつて星明かりの空を見たことがあるだろうか……。もしあなたが静かにたたずむならば、もし偶然に立ち止まり目を上に向けたならば……あなたは、ますます心動かされるようにして、この世のものから離されていくだろう。そして、星空に思いを向ける瞬間ごとに、そ

の場で忘れ去られるべき〔この世の〕事柄は、ますます深く忘却に沈んでいくのである。おぉ、神的な気散じよ、不忠実に、そして背信的に自分のことを気散じと呼ぶのではない……。そうではなく、永遠なるものと通じあっているのであり、それゆえ、〔神的な気散じが〕難しいのは最初だけなのである。それさえなされれば、気散じの静けさは高まり、その静けさのなかで、高揚も増していくのである。」[24]

では、ここで「星空」になぞらえられている、気散じによって人が見る対象とは何だろうか。キルケゴールによれば、それは「人間であることがいかに素晴らしいか」という事実である。より正しくは、神に似せて造られた被造物としての人間が、いかに素晴らしいか、という事実である[25]。その事実に心を向けることで、この世のわずらいは、おのずと忘却される、というのである。

しかし、キルケゴールが「難しいのは最初だけ」と述べているように、私は、鳥や百合に目を向けるからといって、ただちに「虚心坦懐」に神的な気散じに転じることができるわけではない。そもそも、どんなに鳥や百合に目を向けようが、それらとて、いつかは死に絶えてしまうではないか。こうして、思いわずらいに囚われている人は、むしろ、鳥や百合を見ることで、悲嘆を覚え、それを通して自らの有限な身を嘆くことになってしまう[26]。キルケゴールは、人間がこの深い思いわずらいから目を転ずる道を、「自由な選択」に求める。すなわち、神とこの世的なものとの間のどちらを選ぶか、という自己の選択である[27]。それが、マタイ福音書がいう「まず、神の国を求めよ」ということの意味だとキルケゴールは考える。人は、まさに困難な最初において、その選択をしなければならないのである。だが、「自由に選択できる」ということは、それ自体人間にとって特権であり（私たちは、なお、選択できない必然的状態にはおかれていないのである）、そこでの正しい選択こそが、人間を祝福へと約束するものなのである。その選択によって、人間は、この世の思いわずらいから離れ、神的な気散じに至るのである。

『記憶、歴史、忘却』において、リクールもまた、こうしたキルケゴールの思索、より厳密には「思いわずらいのなさ」としての忘却という概念に、同意を示している。そして、そうした思いわずらいのなさにおいて、自らの人間としての身分に満足し、もはや思慮深いふりをせず、他人と比べた場合の不安と絶縁することを学ぶことができる、と考えている[28)]。おそらく、まさにそのときはじめて、本節の前半で述べた死後のイメージにまつわる「完全な離脱」、すなわち「自らの死後を考えたとき、自らの生への愛を、他者へと向け直すこと」ができるのだろう。ただし、そうした忘却は、当然、自己の過去、そして自己自身への意識を「なかったもの」にするわけではない。すでに述べたように、忘却は、消失とは異なる。その過去は、取っておかれたままである。それに、わずらわないのが、「幸福な忘却」なのである。

こうしてリクールは、死後に関して、自らへの執着をしないという「幸福な忘却」の意義を論じるのである。

ただし、そうした忘却――キルケゴールのいう神的な気散じ――は、意識的にしようと思ってできるものではない。キルケゴールは、その忘却の「最初」にして唯一決定的な条件として、「神的なものを選ぶ自由な選択」を設定した。だが、リクールの場合、その方法については、問いこそ投げかけられているものの、一切答えが与えられていない。リクールは、そのような忘却を「気づかう記憶の地平（horizon）にある、気づかわない記憶」と形容する[29)]。この「地平」という語には、リクールがしばしばおこなう語法においては、「祈願するほかないもの」「思惟を超える限界上にあるもの」といった意味合いが込められている。この「いかにこの世のこと、そして自己について気づかわないことができるか」という方法の一点において、『記憶、歴史、忘却』における哲学者としてのリクールは、キルケゴールの思索から不可知論的に距離を保つ。そして、キリスト教的色彩に彩られた『死まで生き生きと』においても、自己の生への執着という「思いわずらい」からいかに離脱しうるかという方法は、（おそらくは断片的な遺稿という書物の性質上の理由もあって）明示されないままである[30)]。少なくともいえることは、私たちは、記憶する方法を学ぶことはできても、忘れる方法を学ぶことは容易にはできないということである。そのため、幸福な忘却は、つまるところ「何もしない」ことによって行われるほかない、かすかなものでしかないのかもしれない[31)]。

3. 死と「幸福な記憶」

しかし、リクールは、さらにもう一つ、キリスト教的に死後を考える方法がありうると指摘する。それが、第二の思考路線「神の顧みへの信頼」、すなわち「神が私を記憶する」ことへの信頼である。

「神の顧み」というときリクールが念頭においているのは、詩編8編5節である。「そのあなたが御心に留めてくださるとは、人間とは何ものなのでしょう。人の子は何ものなのでしょう、あなたが顧みてくださるとは」(新共同訳)。もちろん、そこでいう記憶とは、単なる機械的な記録ではない。先にも述べたように、顧み(souci)という語が、ハイデガーの気遣い(Sorge)の訳語であることからも推察されるように、「気遣い、配慮、共苦のようなもの」としてのそれ、である。

ただし、この「神の記憶」とは、私の死後、生き残った人々が送る時間と同じ水平的な時間性において起こる事態ではない。すなわち、人が死後、神のもとに向かい、現世での生とは違う新たな生をそこで送る、といった事態を考えているわけではない。さらに、神が私のことを覚えていてくれる、という願いは、人間が自らを慰める想像的な投影とも受け取られかねない。それに対し、リクールの考える「神の記憶」とはそのようなものではないという。では、果たして「神の記憶」とは、どういう事態を指しているのだろうか。

リクールの「神の記憶」概念を理解するには、私たちが理解している「時間」とは違った時間理解が彼の議論の前提にあることを確認しておく必要がある。

彼は、時間は過ぎ去るものではなく、「重なりあう層をなしている」という考え方を展開している。かつてあったものからは、何一つ失われない。過去は過ぎ去って、もはやないもの、不在のものとなってしまうわけではなく、つねに「すでにあった」ものとして、現在の基底をなすものとして、現在に蓄積されていく。このように理解された時間とは、「蓄積し、濃密になり、全体化する瞬間のうちに凝縮された時間性」として理解されることになる[32)]。

確かに、人間が、「かつてあった」ことを清算して「消失」させるという「存在の総決算」をすることはできない。なるほど、確かにそのとおりであろう。事実、過去の痕跡は、現在につもり重なって残っているのだから。だが、なぜそうなのか。なぜ、かつてあったことが、なかったことにはならないのか。この「かつてあった」が、かつてあったものとして保たれる世界、すなわち「なかった」ものにならない世界の構造をリクールは「保持(préserver)されるという意味での恩寵」と呼ぶ[33]。それはまさに、恩寵と呼ぶしかない、私たちに前もって贈与された世界の構造なのである。そして、こうして、あらゆるものがなかったことにならない世界の構造を、リクールは「神の記憶」と呼んでいるように思われる。

こうしたリクールの議論は、ホワイトヘッドのそれに近いものがある。ホワイトヘッドは、世界全体を一つの有機体として捉え、個々の個体が相互連関して生成・発展すると考えた。そして、個々の個体は、自己を実現し終えると、後続の個体に客体化されていく。そうすることで、個体は、後続者の記憶のうちに保持され、また、世界の形成に寄与しその一要素となっていく。このとき、ホワイトヘッドによれば、個体は「神の記憶」に保持されることになる。世界におけるあらゆる創られたものが、神において抱握されていくのである[34]。こうして、個体の自己実現の活動の終わりとともに「一つ増し加えられた世界」を、神は抱握して記憶していくのである。こうした「何一つ失われ、欠けることのない時間」の構造は、確かにリクールの時間概念と親和的である。

ただし、リクールはホワイトヘッドのように、この世界と神の関係についての形而上学を展開しようとしているわけではない。リクールが試みているのは、詩編で語られていたような「神の記憶」「神の顧み」を、いかに想像力によって適切にイメージ化するか、ということである(リクールはそれを「図式化」(schématiser)と呼ぶ)。つまり、聖書で語られている内容を、現代において私たちが理解することを可能にする「イメージ」の構築を目指しているのである。

こうした意味での「記憶する神」を論じた思想家として、ヨナスの議論を挙げることもできよう[35]。ヨナスもまた、リクール同様、いかに過去の事象が失われず、現在において「現前」するかという問題に取り組んだ。そして、過去が実体として現前するのではなく、あらゆる出来事が書き込まれるような永遠の記憶、しかも、精神を有する神的な主体のうちにその位置を占める永遠の記憶というものを、要請のかたちで論じている。

だが、ヨナスとリクールとの議論には、大きな違いも見られる。それは、その神の記憶と、個々の実存としての人間との関わり方である。ヨナスの議論は、過去の出来事を語る際の「真偽」の基準を考えるなかで展開されたものである一方、そのような私たち個々の実存との関連性については議論がなされていない。これに対し私自身の死を考えることから議論をはじめたリクールの場合、神の記憶の議論は、「人間実存の意味や正当化(justification)」に深く関わる議論として提起されている[36]。

リクールは神の記憶と人間実存の関係について、次のようにいう。「神の生成に関していえば、人間の一時的な実存の意味（*sens*）の側が、神における《痕跡》(marque) として図式化される。そのつどの実存が、神において《差異を生む》(makes a difference) のである」[37]。果たして、これはどのような意味なのだろうか。

プロセス神学の代表者・ハーツホーンは、私たちもまた、世界の他の個体同様、私たちもまた世界の生成の一要素であり、その点において、「神の生成に寄与をなす」という[38]。リクールの念頭にあるのも、このような「神の生成に寄与をなす自己」である。私が実在したという最小限の事実を含め、私の実存は、こうした神の記憶において「捉えなおし」(récapitulation) をされ[39]、そこにおいて、私自身が実存に与えるのとは違う意味を与えられる。「何も無益には存在しなかった。……あらゆるものに意味があり、無駄には起こらない」[40]。神は、そうした一人一人の実存にそのつどそのつど意味を与えながら「保持」することで、その行為の一つ一つが、神自身の内部に「ユニークな、反復不可能な意味」を痕跡として刻み込み、そして「差異」を――すなわち変化による生成を――生んでいくのである。

しかし、そうした「神の記憶」が一体何になるというのか。どうせ死んでしまったら、神に記憶されようが、私にとっては何の関係ないではないか。そういいたくなるかもしれない。だが、思いだそう。リクールは、決して自らの死を先取りせず、「死まで生き生きとする」人間の視点に立つことを勧めていた。神の記憶とは、神からの離反という罪からの救済ではなく、赦しである、とリクールは語っている[41]。ここで彼がいう赦しとは、「(罪ある人に対して）行為する自らの能力が返され、行為に対しては、行為を継続する能力が返されること」である[42]。すなわち、私たちは、自らの実存、そしてその行為が神に記憶されるという希望があるからこそ、過失を犯したり行為に失敗したとしてもなお、次の行為をおこなう可能性の原資に「賭ける」ことができる、そして「死まで生き生きと」生きることができる、ということをリクールは考えていると思われる。つまり、私たちは、自らの日々の生の細部に至るまで、神に記憶され、神の一部となっていくという幸福な期待のもとに、生を、死まで生き生きと生きることができる、というわけである。こうして、記憶の主体となるのは、死に臨む自己でもなければ、それを看取る人ですらなく、神なのである。そして、おそらくは、こうした「神に記憶される」ということが、リクールの考える「神に召される」ということの現代的な解釈なのである。

ただし、以上のような「記憶する神」の思想は、それが適切なイメージを与えてくれるものであると同時に、あくまで「祈願」にとどまるものでしかない。恩寵への信頼でしかない。というのも、その恩寵を自らの既得権益であるかのごとくに要求することは、第一の思考路線「離脱」で示された「自己への執着」を再び呼び込んでしまうからである。この点でも、リクールによる記憶する神の思想は、プロセス神学的な形而上学とは違いがあるのである。後者は、それを世界の構造として記述する。他方、リクールは、それを世界の構造として想像的に描き出し、信頼し、願うのみなのである。

おわりに

以上、リクールという一人の思想家のキリスト教的な考察を手がかりに、死に臨む者において、記憶や忘却というものが、どう関わりうるのか、そして、その「幸福な」あり方がありうるのかどうか、あるとすればどのようなものなのかを考えてきた。

死後の生といったものに対する宗教的想像力が衰退する現代において、そのイメージをそのまま語っても、死に臨む者に対する安らぎ、癒しとはならない可能性がある。リクールは、キルケゴールやホワイトヘッドの読解も手がかりとしつつ、そうした時代において、「自己への執着の忘却による他者への愛の転移」や「神の記憶に刻まれる自己」といった概念を創出することで、伝統的な宗教的概念と、現代におけるスピリチュアルケアの現場とを橋渡ししようとした、と位置づけることができるだろう。議論としてはあまりに哲学的であるかもしれない。だが、その核心にある考え方のみを取り出せば、至って平易に次のように記述できるだろう。

第一に、人は、自らの死を先取りすることなく、自らを死まで生き生きとする者と見ることができ、また、ケアワーカーもまた、そうした視点を共有することで、その生が生の深い力によって支えられるものとなる。

第二に、死後における自己への執着を徹底的に否定するという意味で、「思いわずらいのなさとしての幸福な忘却」は、同時に、自己の死後も生き続ける他者たちへの愛へと転化しうる。

第三に、自己を含め、あらゆるものは、世界から失われ、なかったことになるわけではなく、世界に痕跡をとどめ、意味を刻んでいく。そのことは、「神に記憶される」こととしてイメージでき、そうしたイメージが、自らの死までの生に対する根本的な支えとなる。

特に、第二と第三の点に示されるように、私たちは、スピリチュアルケアの場においてただちにイメージされる「記憶」の働き――自己の生を振り返り、それを物語り、意味づけるための記憶――とは異なる仕方で、臨床の場において、記憶、そして忘却の役割を（宗教哲学的な観点から）考えることができる。そして、そのような視角を提供する点に、リクールの死に関する思索の意義を求めることができるのではないか、というのが筆者のさしあたっての結論である。

注

1）本論考は、東洋英和女学院大学大学院死生学研究所主催シンポジウム「スピリチュアルケアを考える」（2012年7月28日、東洋英和女学院大学大学院）での発題「〈宗教哲学から〉スピリチュアルケアにおける幸福な記憶、幸福な忘却」に一部加筆修正を加え、原稿化したものである。当日、質問をいただいた他のシンポジストやフロアの皆様に感謝したい。

なお、当日の発題が、既発表の拙論を基にしていたため、本論考の内容もそれらとの重複があることをご了承いただきたい。拙論「スピリチュアルケアとキリスト教的な死後の生――リクール『死まで生き生きと』を手がかりに」鶴岡賀雄・深澤英隆編『スピリチュアリティの宗教史（上）』、リトン、2010年。「「記憶する神」という思想――宗教哲学の再考とともに」『理想』第688号「特集〈神〉思想のアクチュアリティー」、理想社、2012年。

2) 詳述は避けるが、リクールは、一方において哲学者として思索しつつ、同時に、敬虔なプロテスタントとして、終生、自らの信仰を告白しつづけた。ただし、彼は極めて慎重に、その両者の混同を避け、「信仰のうえに哲学を基礎づける」ことがないよう、警戒した。その成否はさておくとして、彼の著作を読む際、彼のその意図は最大限に尊重されるべきだろう。なお、リクールのキリスト教的思索に対する筆者の理解については、以下を参照。拙論「満ちあふれる論理――リクール宗教思想の根本概念」『日本の神学』第43号、日本基督教学会、2004年。

3) Paul Ricœur, *Vivant jusqu'à la mort: Suivi de fragments* (Préface d'Olivier Abel, Postface de Catherine Goldenstein), Seuil, 2007. 久米博訳『死まで生き生きと――死と復活についての省察と断章』、新教出版社、2010年。以下、邦訳を参照しつつ、訳文はすべて筆者によるものである。

4) Ibid., p. 37.

5) Ibid., p. 43.

6) Ibid., p. 43. 強調原文。

7) Ibid., p. 46.

8) リクールはこの実例として、「集合的記憶」の概念の提唱者として知られる社会学者モーリス・アルプヴァクスの死を看取った作家ホルヘ・センプルンの叙述に頁を割いている。社会主義者だったアルプヴァクスは、ブーヘンヴァルト収容所に強制収容され、そこでセンプルンにその死を看取られた。リクールは、その二人の姿を「同伴／共苦された死における友情」（amitié dans le mourir accompagné）と呼んでいる（p. 48）。

9) Inid., p. 47.

10) 「能力」とは、90年代以降のリクールにおいて、非常に重要な意味をもつ概念である。彼の後期の思想の核にあるのは、人間がその存在論的な次元にもとづいて倫理的に行為することができる能力をもっていることに対する厚い信頼である。そして、リクールの解釈学的哲学は、その自身の能力をいかにして各人が自らの手で捉え返すことができるか（すなわち、自身のものとして把握しなおすことができるか）、という課題の解決に向けられている。その解決方法として重視されるのが、テクストの解釈を通じた自己形成（ないし自己再解釈）なのである。

11) Paul Ricœur, *La critique et la conviction: Entretien avec François Azouvi et Marc*

Launay, Calmann-Lévy, 1995, p. 236.

12) 「存在欲望」とは、リクールが、スピノザのコナトゥス概念やジャン・ナベールの「根源的肯定」の概念を通じて人間の根底に認める、人間の存在せんとする傾向性のことであり、1960 年代以来、一貫して用いられる用語である。

13) Ricœur, *Vivant jusqu'à la mort*, p. 76. 強調原文。

14) Ibid., p. 76.

15) Ricœur, *La critique et la conviction*, p. 239.

16) Paul Ricœur, *La mémoire, l'histoire, l'oubli,* Seuil, 2000, pp. 650ff. 久米博訳『記憶、歴史、忘却（下）』、新曜社、2005 年。

17) 関連して、以下も参照。Paul Ricœur, *Parcours de la reconnsaissance*, Stock, 2004, pp. 169-175. 川崎惣一訳『承認の行程』、法政大学出版局、2006 年。

18) *La mémoire, l'histoire, l'oubli*, p. 655.

19) 川口茂雄『表象とアルシーヴの解釈学――リクールと『記憶、歴史、忘却』』、京都大学学術出版会、2012 年、467-469 頁、特にその注 7 も参照。

20) 以下では、主として英訳版を参照する。Søren Kierkegaard, *Upbuilding Discorses in Various Spirits, Kierkegaard's Writings XV* (ed. and trans. by Howard V. Hong and Edna H. Hong), Princeton U. P., 1993. なお、引用に際しては、英訳版の頁数と、デンマーク語版全集の巻号およびページ数を併記する。

21) Ibid., p. 656. また、当該部分の邦訳としては、以下の二種類が存在する。大谷長・藤木正三訳『種々の精神での建徳的談話（原典訳記念版キェルケゴール著作全集第 9 巻）』、創言社、2002 年。久山康訳「野の百合・空の鳥　第二部」『キルケゴール著作集　第 18 巻』、白水社、1963 年、241 頁以下。

22) キルケゴールの自然観という観点から、この著作における自然（鳥と百合）が、人間にとっての教師でありかつ反面教師であり、さらには自己生成の契機であることを的確に指摘した以下の論考は参考になる。伊藤潔志「キェルケゴールにおける自然の教育学的考察」『新キェルケゴール研究』第 5 号、キェルケゴール協会、2007 年。

23) Kierkegaard, *Upbuilding Discorses in Various Spirits*, pp. 183-184/ VIII 270-272.

24) Ibid., pp. 185-186/ VIII 272.

25) Ibid., p. 192/ VIII 278.

26) Ibid., pp. 201-203/ VIII 286-288.

27) Ibid., pp. 205ff./ VIII 289ff.

28) Ricœur, *La mémoire, l'histoire, l'oubli*, p. 656.

29) Ibid., p. 656.

30) ただし、その考察のヒントは与えられている。リクールはこの遺稿の後半で、レオン＝デュフールによるイエス解釈を取り上げ、「離脱」の主題を、イエスの死の主題と結びつけ、イエスの死を「供犠」として解釈せず、イエスによる他者への命の贈与（すなわち、離脱を通した他者への愛）だとして考察している。しかし、その考察は非常に断片的であり、ここでその箇所を論じることは避ける。Ricœur, *Vivant jusqu'à la mort*, pp. 84ff.

31）しかし、久米博が指摘するように、忘却の積極的な意義を論じた哲学者は、極めて稀であり、この忘却をめぐる思索がリクールの独創性を高めていることは確かであろう。久米博『テクスト世界の解釈学——ポール・リクールを読む』、新曜社、2012年、308頁。

32）*Vivant jusqu'à la mort*, p. 81. 関連して、以下も参照。Paul Ricœur "La «figure» dans *L'Étoile de la Rédemption* de Franz Rosenzweig" *Lectures 3: Aux frontières de la philosophie*, Seuil, 1994. リクールは「神の記憶」の概念が、ホワイトヘッドに由来することを明言している。*Vivant jusqu'à la mort*, p. 77.

33）Ibid., p. 82.

34）Alfred North Whitehead, *Process and Reality: Corrected Edition* (David Ray Griffin and Donald W. Sherburne eds.), The Free Press, 1929/ 1978, pp. 344-346. 平林康之訳『過程と実在——コスモロジーへの試論』、みすず書房、1981-1983年。山本誠作訳『過程と実在（ホワイトヘッド著作集　第10・11巻)』、松籟社、1984-85年。

35）Hans Jonas, "Vergangenheit und Wahrheit: Ein später Nachtrag zu den sogenannten Gottesbeweisen" *Philosophische Untersuchungen und metaphysische Vermutungen*, Insel, 1992.

36）*Vivant jusqu'à la mort*, p. 79. 当然、この「正当化」(justification) という語には、「義化」という救済論的な意味も込められている。

37）Ibid., p. 78. 強調原文。

38）Charles Hartshorne, *Omnipotence and other Theological Mistakes*, State Univ. of New York, 1984, pp. 7ff.

39）*Vivant jusqu'à la mort*, p. 81.

40）Ibid., p. 83.

41）Ibid., p. 81.

42）*La mémoire, l'histoire, l'oubli*, p. 642.

Being Remembered by Forgetting about Death during Life:
Ricoeurian Thought via Kierkegaard and Whitehead

by Keisuke SATO

In this time of highly developed scientific and technological societies, many people appear to have become too rational to accept traditional Christian teachings on death and life after death. In this situation, Ricoeur tries to make the Christian concept of "after death" more meaningful to people again by rethinking the concepts of "remembering" and "forgetting," which surround death, a possible afterlife, and those who are dying. People generally pay most attention to their day to day troubles, and by doing this, they tend to cling to their "selves" and their lives. Ricoeur insists that we should quit doing this, and rather love our neighbors. In other words, we should forget matters relating to our own death and love those who will continue living after our own death and continue thinking of us when we are dead. In the same way as Kierkegaard, Ricoeur regards this state of "selflessness" as blissful and this would be one way to imagine a type of "after death." This image is not of one's life after death as it is usually imagined, but one's *agape* that continues among those still living after one's death. After our death, the fact that one has lived, acted, done things, existed, etc. cannot be completely lost even if we are able to live free from our "selves" or when we die. In this world, these facts of our having lived have been recorded countlessly by those still living. So, one can trust that the fact that one has existed cannot be lost, either. Ricoeur calls this structure of the world in which nothing can be lost the "memory of God" which is a concept derived from Whitehead's metaphysics. According to Ricoeur, people can live happily every day by believing that even after their death their existence is recorded in the memory of God and is part of the ontological structure of the world. In this sense, one who believes this has already ascended to heaven while yet still alive on earth.

〈論文〉

スピリチュアル・ケアとしてのターミナル・ケア
──「宗教史」からの観点──

鶴岡賀雄

「ターミナル・ケア」ということを、とりあえず、「自らの死に直面して苦しむ人に“よりそって”ケアする（慈しむ）こと」とうけとっておこう。そしてこれを、スピリチュアル・ケアの特殊な、しかし最も重要なあり方の一つとして見てみる。死、とりわけ自らの死に直面するとき、各人の「スピリチュアル」な次元がある切実さで露わになろうからである[1)]。そのように見たとき、ターミナル・ケアに関わる者にはどのような心構えが求められるだろうか。かつては「スピリチュアル・ケアとしてのターミナル・ケア」を実践する地位にあった宗教者たちの遺産から、何かを学べるだろうか。

筆者は、この現代的で切実な問題に確たる見識なり知見なりがあるわけではない。「自らの死に直面して苦しむ人」と接した経験も多くないし、じっさいにそのような現場に置かれれば、どのように振る舞えばよいのかさえおぼつかないことだろう。それでも、「宗教思想」を学んできた者として、いまある思いを並べてみたい。

1.「死すべき人間」

「死」について語ること、（人に読まれることを意図して）書くことは難しい。死とはどういうことか、と考えるとき、まずは、それを考え、語り、書いている当の者である「私が死ぬ（だろう）」という事態をいったんは基準にしておきたい、と思うからである。誰かを「ケア」するためには、その人の苦しみと「似た」──けっして「同じ」ではありえない──ものを、「ケア」する者もまた何ほどか感じていることが有意義だと思うからである。

だが、その「（私の）死」の思いは、言いようもなく恐ろしく、理解不能な何か──むしろ「何か」という把握のかたち自体を毀すもの──として

「私」に臨む。実際に死に直面したときの、おそらくは「自分の死について考える」といった距離さえもとれなくなったときに陥るだろう切迫した思いとはなお異なるにせよ、いわゆる「一人称の死」を巡る思考や論述の困難は、古来指摘され続けているとおりである。が、それでも人は「私の死」について思考しないわけにはいかない。そしてその困難をなんらか越えて、あるいは回避して、人は「私の死」を基準にしつつもそれを一般論に拡大して、「人間（一般）にとっての死」とは何かについて、さまざまに語り続けてきた。昨今もまた、現代日本の状況のもとで、死を巡る言説が増えてきているようにも見えるが、しかしこれは、たえて変わることのない人間のあり方なのだろう。自らの死を意識し、自分を含めて「人はみな死ぬ」という事実を意識することは、ほとんど人間の本質を構成するだろう。

自分の死、一人称の死よりも、遠いあるいは近い他人の死、あるいは動物の死の認識が人間にとって先に形成され、自己の死（の不安や恐れ）はむしろ後発の問題意識だとすることもできよう。が、ともかく、その「人はみな死ぬ」ということの自覚、「死すべき人間（homo mortalis）」という人間把握は、「人間」の成立と同時的と言っても過言ではない。逆に言えば、「人間」と区別された限りでの動物は、死ぬけれども「死の意識」を持たないし――ほんとうにそうかは疑いうるが――、「不死（immortal）」の存在――「神々」が典型――は既に人間ではない、ということである。

そして、いささか独断的に言えば、そうした「死の想い」が宗教を生んだ。宗教という語は、しかしこの文脈では適当でないかもしれない。近年の宗教学は、宗教という語の指す範囲のあまりの広さ（ないし拡大可能性）とある種の狭さ（西欧キリスト教モデルが拭い去れないこと）の狭間で汲々としている感があり、「宗教」のもつ多くの側面を過不足無く捉える方式はたしかにほとんど形成不可能に見える。が、その問題に拘泥する必要はここではないだろう。「死の想い」、「死すべき人間」という自覚ないし自己意識から、さまざまな想念が生まれ、また実践が産み出されてきたことは確かであり、そしてそれは、「宗教」といわれうる人間の営為の重要でおそらく不可欠の部分をなすだろうから。なぜ宗教があるかと言えば、それは「じつに人が死ぬるからである」[2)]。「死の想い」は「宗教」のほとんど存在理由であり、「メメント・モリ」は「宗教」の必須要件である。

だから、いわゆる宗教史を顧みることは、現代日本において死に直面する際にも有意義であると思う。現代日本とは大きくあるいはまったく異なった時代状況、文化状況において、人々が死をどのように想念してきたかを省みることは、私たちの死を考える際の視点を拡げてくれるに違いない[3)]。というのも、「死を想う」ことが人間であることの条件であるなら、現代日本とは遠いけれども、しかしやはり人間である人々の「死の想い」を探ることは、人間であることの「別のあり方」を、その可能性を知ることに繋がるだろうから。「今・ここ」としての現代日本の状況が不可避・必然のものではなくて、「こうではない可能性」、現状が変わりうることの可能性に気づくことに繋がるだろうからである。そうした観点から、「大雑把」の誹りを敢えて引き受けて、以下では、現代日本とは異なるところの大きい「死の想い」の諸相を、大きな歴史的区切りと重ねながら展望してみたい。ただし、区切りは、現代人の「死の想い」の性格を対比的に示すことを意図したものであって、学的に妥当なものであるかどうかについては敢えてこだわらないでおきたい。

2．死をめぐる人類の思考：宗教史からの観点

多くの古代社会や、かつて「未開」と言われた伝統社会にあっては、個人の死がその「私」性の故に問題化されることはあまり無かった、と想定されうるだろうか。多くの神話で語られる「死の起源」は人一般の死であって、現代人の問題であるターミナル・ケアに関わるような問題は見出されない、とするべきだろうか。これはあまりに粗雑な見方なのだろう[4)]。が、本稿の目的からはその粗雑さで留めておく。ともかく、古代社会でも、またいわゆる部族社会においても、多くは「英雄」を主人公とする物語において、人の死の不可避性とそれにまつわる苦しみや悲しみは重大な問題として語られ、思考されて続けてきた。

さらにいわゆる軸の時代とされる頃から、個人ベースの新しい死生観が練り上げられるようになる。古代の大文明圏における複数の伝統の交錯、共存によって、どのような世界観のもとに生きるかの「個人的」選択が可能になり、あるいみで要請されることになったからでもあろう[5)]。それにともなって、「死」ということの、また「死後」というものの捉え方の多様性も意識されることになり、「死後」をめぐる今日にいたるまで支配的な考え方が練

り上げられていく。それは、総じて、肉体の死と、いわゆる「第二の死」(絶望〜虚無）の「間」としての「来世」を想い描くさまざまなタイプと言えよう。たとえば、肉体の死後、(肉体とは区別された)「魂」は、天国に、地獄に、あるいは煉獄に行く。あるいは、この世へ、ないしは高次・低次の霊界へと輪廻転生する。あるいは、先祖・祖先となって、この世とのさまざまな遠近差をもつ「あの世」に留まる。あるいは、時が来てこの世に復活する。あるいは、この世界自体から決定的に離脱・解脱する。あるいは、この世界を包み超える大きな宇宙のいのちのようなものに溶け込んでいく……。これらが、死後についての人類の宗教的思考の遺産の主なものだろう。そしてこれらは、いわゆる中世世界において、それぞれの宗教伝統が洗練深化されていくのに応じて、さまざまに精緻化されていくことになるわけだが、重要なことは、そうした「死後」世界は、たんにそのように信じられるというだけではなく、「死の前」である「この世の生」よりも何らか価値の高いものとして想念され、したがって「この世の生」の終わりとしての死は、より価値の高いもの――言わば神々のごときあり方――への接近として意義づけられていた、ということである。

「死後の世界」とは、しかしこの世の単純な延長ではない。死後とは、この世の生との何らかの質的断絶を経て「後」の事柄である。その断絶の深刻さゆえに、死後ということ自体が思考しがたいことは冒頭に一言したとおりである。死後への思考は、われわれ人間の生きるこの世すべてとの断絶を思考することであり、なるがゆえに特有の困難を伴うのだった。古代的な死後世界観の中で、死後の魂がこの世と地理的・空間的に何らか連続した異郷に行く、といったイメージが次第に語られなくなるのは、この断絶をめぐる思考の深刻さが増してくるためとも思われる。

だが、そうした断絶の困難を超えて、死後の思考はなされ続けてきた。それは、「死すべき人間」がその人間であることの条件を何ほどか超えた「後の」、「彼方の」あり方についての思考であるから、その意味で「生死を超えた」超越的世界についての思索である。宗教の語彙を用いるなら、人間とは質的に異なる「神仏」の次元についての思索である。そして、そうした神仏の世界が、何らかリアルに確保されていた時代は、かつてたしかにあったのだろう。「中世」と総称される時代は――それがいつからいつまでなのかは問わない――概ねそうした時代だった、としておく。

そうした時代に生まれた「生死を超える」思考から、現代人にも響くところがあろう死の思索もなされてきた。私ども日本人に親しい言葉を三つ並べてみよう。

> 三界狂人不知狂／四生盲者不識盲／生生生生暗生始／死死死死冥死終
> (三界の狂人　狂えることを知らず、四生の盲者　盲なることを識らず。生まれ生まれ生まれ生まれて生の始めに暗く、死に死に死に死んで死の終わりに冥し。)

空海（774-835）の主著『十住心論』のエッセンスを記したともされる『秘蔵宝鑰』の冒頭に掲げられる「序詩」の末尾である。仏教を知らない人々は生死の暗く冥い輪廻の中に沈没しているのであり、仏法とは要するにその「生死をあきらめる」ことなのだ、という趣旨である。空海の説く仏法の内容にかかわらず、華麗な漢詩文を自在にした空海なればこそのこの直截な詩句には、現代人が死を想うときにも、なお深く響く迫力がある。

さらに現代人の心に訴えるところがあろう文章を、道元（1200-1253）の『正法現蔵』、「生死」の巻から引こう。

> 生死の中に仏あれば生死なし。又云く、生死の中に仏なければ生死にまどはず。〔…〕ただ生死すなはち涅槃とこゝろえて、生死としていとふべきもなく、涅槃としてねがふべきもなし。このときはじめて生死をはなるゝ分あり。〔…〕この生死はすなはち仏の御いのちなり。これをいとひすてんとすれば、すなはち仏の御いのちをうしなはんとするなり。〔…〕いとふことなく、したふことなき、このときはじめて仏のこゝろにいる。たゞし、心をもてはかることなかれ、ことばをもていふことなかれ。ただわが身をも心をもはなちわすれて、仏のいへになげいれて、仏のかたよりおこなはれて、これにしたがひもてゆくとき、ちからをもいれず、こゝろをもつひやさずして、生死をはなれ、仏となる。

そして、この成仏の方途として、いわゆる七仏通誡偈、「諸善奉行　衆悪莫作　自浄其意　是諸仏教（もろもろの悪をなさず、すべての善を行い、自らの心を浄めること、これが諸仏の教えである)」、の趣旨が説かれる。結局仏法とは、生死を超える（離れる）ことだった。
そして最もよく知られているだろう良寛（1758-1831）の、三条の大地震の折りに知人に宛てて書いた手紙にあるという言葉。

災難に逢ふ時節には災難に逢ふがよく候。死ぬ時節には死ぬがよく候。是はこれ災難をのがるる妙法にて候。

この言葉の真意がなんであれ、「死ぬ」ことが「よい」とされる次元が掴まれていることは確かである。それが良寛の仏道に根差していることも疑えない。

こうした、かつては大きな力があった「死後」世界イメージ、さらには「生死を超える」次元のリアリティが見失われていく時代が近代である、と見ることができる。フィリップ・アリエス（1914-1984）の有名な大著『死を前にした人間』（1977）が、それを「飼い馴らされた（apprivoisée）死」から「軛を脱して野生化した（ensauvagée）死」への移行として描いていることはよく知られているとおりである[6)]。

3．「現代」思想における死の思考

「近代」（私たちの現代を含む）をそうした時代と定義するなら、この定義上、伝統的な死後世界イメージ、あるいは「生死を超える」境地のリアリティは多くの人にとって喪われている。つまり、宗教的世界観の語彙やイメージで「死後」をあるいは「生死の超越」を考えることがもはやできない。
では、いわゆる宗教ではない、理性的思考に徹しようとする哲学的思惟によって死後や生死の超越を説くことはできるだろうか。哲学の思惟の典型でありまた原点でもあろう（プラトンの伝える）ソクラテスの、死を前にした言葉を思い起こしてみよう。自ら毒杯を仰いで死ぬ直前の思索の結論として語られる言葉である。

しかしながら、諸君にも、裁判官諸君、死というものに対して、よい希望を持ってもらわなければなりません。そして善き人には、生きているときも、死んでからも、悪しきことは一つもないのであって、その人は、何と取り組んでいても、神々の配慮を受けないということは、ないのだという、この一事を、真実のこととして、心にとめておいてもらわなければなりません。[7)]

魂の死後存続の哲学的証明とも見える議論の帰結として言われているこの言葉において押さえておくべきことは、ソクラテスは魂の死後存続の理論的証明をなし得た、ということではなくて、死を前にしての「よき希望(euelpis)」という魂の態度が可能であること、むしろほとんど必然であることの宣言であるだろう。近代哲学の思惟の典型を示すカントも、その道徳哲学において、人は「来世」を「希望」しうることをはっきり説いていた[8)]。

しかるに、「現代」哲学の大勢は、「死後（の生）」が思考困難であること、つまりは、死後の生を思考することの断念を大前提とするかのようである。「死後の生」ということを、文字通り語義矛盾として思考対象から排除するするかのようである。現代哲学の巨大な出発点といえるマルティン・ハイデッガー（1889-1976）の『存在と時間』（1927）では、死とは、「実存すること一般の不可能性の可能性」なのだった[9)]。そして、そうした死を引き受けて、事実としての死の如何にかかわらず人間の「本来的可能性」にむけて自らを投企して行くことが説かれるのだった。ここでは、死は、事実としての「死亡」ではなく、「生」に「構成的に」組み込まれている死、いわばつねに「足下にある死」としてとらえ返されている。死を想うことで、人間は本来的に有限な自らのあり方に気づかされ、死すべき有限者としてこの世界の内に存在する。

だが、そうだとすると、事実としての死に直面するときどうなるのか。人間存在の有限性としての死（の必然性の自覚としての死）ではなく、事実としての死はどうなるか。とりわけ、「私の死」はどうなるか。

前記のアリエスの大著と並んで、一人称の死、二人称の死、三人称の死をくっきりと区分することで近年の死を巡る議論に大きな枠組みを与えたヴラジーミル・ジャンケレヴィッチ（1903-1985）の『死』（1966）は、この古い問題に現代人の感覚で哲学的に正面から立ち向かっている[10)]。その議論の大きな要点は、まず、（1）死なない生は（人間の）生ではないということ、すなわち不死の神々と比しての人間の本質としての可死（むしろ必死）性の確認。そして、（2）「（私の）死」は（ましてや死「後」は）「神秘」であって、いわゆる三人称的客観性の思惟（これは「解決」しうる「問題」を考える思考である）を以てしては考えることのできないということ。しかしそれでも、（3）私が「生きた」という事実は「取り消し得ない」（不滅である）。

この第三点は、死に直面した人にとって何らか「慰め」になるだろうか。現代思想の多くは、この方向に死の恐れからの解放の途を探るようである。しかしこの第三点については本稿では問わずにおき、第二点にこだわってみたい。「私の死」の思考困難さの性格について述べられた典型的な一節を引く。

> 相対的他者、つまりある意味で似ていてある意味で異なっているものとは、同一者はさまざまな関わりをもつことができる。しかし絶対他者に対しては、目が眩んでしまう他者に対しては、我々はどんな小さな共通点も比較可能な観点ももたない。これは、被造物が神的絶対者を前にしたときのありようである。だがそれでも、人間とこの至高の他者との直面状況にあっては、何らかのかたちでの対話なり、宗教的ないし神秘主義的ないし直観的関わりは必ずしも排除されていない。一方、生ける存在者と、この存在者の死の彼方の非在者との間には、いかなる種類のどんな関わりも、アプリオリに、保持し得ないように思われる。死者は誰との関わりの中にもない。であるからして、この死者の死は、絶対に誰とも分かち合うこと・伝達することができない。〔…〕[11]

第二の論点は、言い換えれば、「（私の）死」および「死後」は、どうしても不可知であること、つまり知の対象として現前化、再現前化することができないということである。つまり「生」が「いま」生きていることだとすると、その「生のいま」としての「現在」からは思考も表象もできないということである。ジャンケレヴィッチはここで、死を（絶対他者としての）神よりもある意味で強いものとしているかのようである。死の「神秘」は、絶対他者たる神の思考、直観、ないしは（神との）合一よりもなおいっそう語りえず、孤絶した事柄だとしている。「私の死」は、「私」というものの孤絶性が端的に露出する出来事である。

それはそうだとして、ではそうした死の不可知性、思考不可能性は、いわゆる死の不安、死の恐怖を生むばかりだろうか。死の不可知性は、ソクラテスにおいてそうだったように、「希望」可能性の保証ではありえないだろうか？　つまり、「死んだらどうなるか」が「考えることができない」、「わからない」ということは、恐怖の理由にも希望期待の理由にもなりうる。であれば、この不可知性に直面する人を、恐怖や絶望ではなくして希望、待望に向かわせるものは何だろうか。「信仰」がそれである、との答えはたやすい。しかし、現代の思想状況は、いわゆる宗教への信仰を前提とする思考態度を不可能としていた。

ジャンケレヴィッチは無神論者だったが、ここで現代のカトリック哲学者ジャン＝リュック・マリオンの近著『否定的確実性』の論説を参照しておきたい[12)]。そこでは、神の全能性という古いテーゼが再検討されて、「全能」ということを、人間にとっての不可能事がそこにおいては可能であること、つまり「不可能性の可能性」（ハイデッガーの「死」の規定の言わば裏がえし）として捉えられている。思考可能性を含む「我々にとっての」あらゆる可能性を画する限界――その典型が「死」だろう――のいわば「彼方」――マリオンはこの語は使っていないが――としての、神の（「領域(region)」ならざる）「本領」にあっては、あらゆる不可能性がありえない。つまり不可能性が不可能であり、あらゆる可能性が可能である。この「(我々にとっての）不可能性の可能性」の圏域については、たしかに有限な我々には表象不能であり経験不可能である。しかしこの不可能性が「死すべき」、つまり有限な人間のあらゆる経験の条件（つまり必然性）を構成している限りで、この不可能性の経験は、この限界の彼方への「なんらかの超脱(transgression)」に向けて開かれている。それは自らの有限性の経験において逆説的に経験される「反・経験（contre-expérience)」――とマリオンは術語化している――として思考され経験されている、とするのである。この理路は説得力をもつだろうか。別の宗教伝統に養われた思惟に拠りつつ、上田閑照は、「死に逝くことによってのみ行くことのできるところ」としての「限りない開け」に超え包まれて、この世の人間の生があることを語っていた[13)]。

「死すべき人間」という人間的経験の条件をめぐる哲学的思索によって、

死の彼方、「死後」の圏域が、逆説的なかたちでであれ何ほどか思考可能であるとして、では、その限界としての死に「面した」状況のもとで、人はその「死後」への超脱・移行をどのように思念しうるだろうか。それを、ソクラテスのように、何か「よい」こととして「望む」ことはできるものだろうか。

4．死への「希望」

人は、「事実」上の希望不可能性（ないし極限的困難性）に抗して、なお「私」の将来に何かよきことの実現を願うことができるだろうか。つまり、「この世の果」としての死を前にした臨死の人に「希望」は可能か。

ここで再び、「信仰」が、ということは「死後」への希望が可能だった中世的世界の、ただしこんどは西欧中世の言葉に戻ってみよう。よく知られた言葉をまた並べる。

一切の望み（ogni speranza）は棄てよ　汝ら　ここを入る者

ダンテ（1265-1321）『神曲』の「地獄門」の銘文である（地獄篇、第三歌）。たんなる肉体の死ではなく、魂の救いの可能性がもはや無い、つまり一切の希望のない絶望の場所が地獄なのだった。ということは、肉体の死自体は、必ずしも恐れ忌むべきものではない。肉体の死よりも恐れるべきものがあり、肉体の死自体はむしろ、希望の原理ともなりうるということである。だから自らの肉体の死を前にして、アッシジのフランチェスコ（1182-1226）は自作の「太陽の讃歌」（「被造物の讃歌」）に次の一節を加えることができた。

讃えられよ、我が主よ、我らが妹（sora nostra）なる／　肉体の死（morte corporale）のゆえに／　彼女からは誰ひとり生きて逃れることはない。〔…〕
おんみの至聖の御心の裡にあると、死が見出す人々こそ幸い／　第二の死（la morte secunda）が彼等を損なうことはないだろうから。（「太陽の賛歌」12, 13）

太陽や月を、兄弟姉妹として観じていたフランチェスコは、自身の死を前にして「肉体の死」をも姉妹と呼んで、その故に、それを通して、神を讃えるのである。であればその死は、愛しむべき姉妹として肯定されるのだから、絶望ではなく、希望に満ちた死だったはずだろう。その希望とはどのようなものなのか。何かの死後生のイメージが、ダンテが描いた天国のようなものがそこにはあったのか。とすれば、「科学的世界観」に支配された近現代人には、なおそのようなイメージは抱きうるだろうか。

キリスト教神学では、希望とは、信仰、愛とならぶ「対神徳」の一つ、つまり人間が神とふさわしく関わるさいのあり方（「徳」）の一つだった。中世から近世への移行期、十六世紀スペインに生きた修道士十字架のヨハネ（1542-1591）は、中世以来の伝統に拠って、希望を、人間の最も基本的な精神的能力の一つである記憶の相関者としてとらえている。神（絶対他者）との関わりの中で、記憶が質的に変容して「希望」になる（知性が「信仰」になり、意志が「愛」になるように）、というのが、主著の一つ『カルメル山登攀』で説かれる彼の主張である。

ジャンケレヴィッチが書いているように、その絶対他者性において、死は神に、あるいは神は死に、似ている。（この世を超えた）神に近づくことは、（この世に）死ぬことである、といった言辞は、キリスト教修道文献の常套である。「神秘家」十字架のヨハネも、キリスト教神秘神学の伝統に則って、絶対他者なる神を否定の言葉で語る。いわゆる否定神学である。深く広い否定の境位を介してでなければ、神について語ることも、神と関わることもできない。記憶が神に関わる「希望」に変容するためには、したがって、記憶の否定としての「忘却」の必要性が説かれることとなる。忘れることは希望の条件なのである。

> 記憶が保っているものを喪えば喪うほど、それだけ多くの希望をもつことになる。そして希望を多くもてばもつほど、それだけ神とひとつになる。〔…〕完全に何も所有しなくなれば、完全に神を所有することになり、神とひとつになることだろう。[14)]

記憶に保たれているものを喪失すること、記憶喪失者になることが説かれている。それは「何ひとつ思いおこすことのない大いなる忘却（grande olvido)」であり、記憶が失われればそれだけ希望が増す、というのである。奇妙な教えのようにも聞こえる。非人間的、とさえ思われよう。しかしここで言われている記憶は、アウグスティヌス以来の把握を継ぐものであり、自らの人生の諸々の出来事の思い出の総体、といったものよりもっと広い意味を持つ。自らの人生としての過去（への執着）を忘れる、断ち切る、といったことだけではない。

人は、最も広い意味での過去の経験の蓄積によって、「その人」になっている。その、この世での全経験の蓄積が記憶である。これを「忘れる」――これは完全に喪失することではない――とは、それまで「この世」で有意義に生きるために学び、蓄えてきた世界了解の全体――そうした中には、いわゆる近代的な「科学的世界観」もある――に縛られた考え方を放棄することと解することができる。そのようになれば、この世の経験に由来する具体的形象や思念から離脱し解放されて、何も思い煩うこともできずにただ将来に善きことを願う、あるいは予感する、純粋な希望が実現しうる、ということである。そして彼の所説では、この希望は、やはりこの世の経験に縛られた知性判断の停止としての信に連なり、さらにはこの世で何かを為さんとする意志ないし欲求の質および対象の変容態である愛へと充実していくことが言われる。

十字架のヨハネら、なお中世的キリスト教の世界観に信頼し得た時代の人々は、このようにして、「生死を超えた」「永遠の」神の世界へと、その「純粋な希望」を向けることができた。この世の経験に結びついた具体的イメージや思念を忘れ果てた境地は――この世の経験に根ざした「来世の描き」を十字架のヨハネが否定するわけではない――、深い平安でありえた。ある大きな安心感、不可知の「死後」への肯定感が支配的でありえた。そうした神仏の境位を見失ったかに見える近現代の人々には、この世のすべての忘却は、純粋な希望の平安へと、もはや繋がりえないのだろうか。しかし、中世の人々にとっても、十字架のヨハネ自身強調するように、それはもとより容易なことではなく、いわゆる「魂の暗夜」を経なければならないのだった。

本稿の課題は、往時の「深い」宗教思想、「達人」の境地に迫ることではない。現代の状況の下で、（スピリチュアル・ケアとしての）ターミナル・ケアという場に於いて、現代とは異なる死生観に生きる可能性を探るために、宗教史の遺産を省みることだった。そうした関心からして、以上の非常な駆け足の回顧から辛うじて拾い出してみたい論点は、死に直面して絶望しない（つまり希望を抱きうる）ことの「可能性の可能性」を指摘することだった。

現代日本の具体的で差し迫ったターミナル・ケアの現場のリアリティにとっては、このような反省はほとんど意味のないことに見えるだろうか。「軸の時代」の産物である超越的世界観に根ざした偉大な宗教者の境地や、その遺産になお連なる哲学者の思弁は、現代人には遥かに仰ぎ見うるとしてもいささか重く、あるいは高いとこからの説教として響き、多くの人にとって実際の役には立たないだろうか。

しかしそのように現代人の「可能性」を予め閉じてしまわない方がいいのではないか。もとより、「現代日本の状況」が早急に変わることはないだろうし、死が「飼い馴らされていた」世界に回帰したり移行したりできるわけではない。そもそも、死は本来的に、「飼い馴らされ」うるものではないのでもあろう。しかし、往時とは異なる現代の状況があるとすれば、その大きな一つは、民衆とエリートといった区別自体が有効ではなくなったところにあるだろう。また一方、いわゆる宗教的達人として「祭り上げられて」いる人たちは、自分の言葉を特権的なものとして、「一部のエリート」だけが解る深遠難解なものとして語っているわけではない。とりわけ死についての言葉はそうしたものだろう。死こそは、エリート／大衆といったこの世の区別を端的に無化する出来事だろうからである。死および死後を、現在の大勢とは別様に受け止める可能性を拡げる可能性を考えることは、意味があると思う。

5 「死に臨む人を慈しむ」ということ

「死すべき人間」ということが「人間であること」の核心にあるのであれば、つまり臨死状況において、緊急に且つ深刻に人間の本質が露呈すると見るならば、臨死とは、優れた意味で形而上学的出来事であろう。死に臨むことに伴う身心の苦痛、死にゆく人々のそれぞれの人生のかけがえのなさと、残されたこの世の時間の切迫が、この出来事をその都度特有なものとする。その特有さは、その人をケアする人を何ほどかまきこみ、「私の死」を含めた「死と死後」の想いを紡がせるだろう。

しかし、「私の死」は神秘――一般論の地平での理解を拒むもの――である。そして、死とはどういうことかを、「私の死」を基点として考えようとするかぎり、誰の死も神秘なのだろう。つまり多くの人々と共有しうる言葉や思念の届かない地平での出来事である。人の死は、「そのたびごとにただ一つ、世界の終焉」（デリダ）であるはずである。死にゆく人に「通ずる」言葉は無い、のかもしれない。それでも、上に辛うじて素描したような「よき希望」が、この世の大いなる忘却とともに臨死者にとって可能であるとすれば、その人に寄り添ってケアする者もまた、よき希望を持ってその人を看取ることも可能だろう。その希望に何らか具体的なかたちを与える死後のイメージがその二人に共有されている必要はないし、そもそもそのような共有の不可能な状況が死なのだったが、その不可能性はその彼方に、「この世を超えた」可能性を想う可能性を排除するものではない――、このように思うことは可能なのではないか、というのが小稿の結論である。

注

1) 窪寺俊之『スピリチュアルケア学序説』(三輪書店、2004年)、12-13頁、参照。
2) 折口信夫「民族史観における他界観念」(1952年)、『折口信夫全集　20』(中央公論社) 65頁。
3) 近代の日本人がどのように死を想ってきたかについて、多くの日本人にとって身近に共感できる諸相をくっきりと描き取って見せた最近の著作として、島薗進『日本人の死生観を読む』(朝日新聞出版社、2012年) がある。
4) 名高い『ギルガメシュ叙事詩』における「不死」性獲得の失敗の物語については、「ギルガメシュの異界への旅と帰還――「英雄」と「死」――」(『死生学年報　2011』(東洋英和女学院大学死生学研究所編)、135-164頁) にいたる渡辺和子氏の一連の研究がある。
5) 大家たちによる「軸の時代」についての近年の議論として、Cf. Robert Bellah & Hans Joas (eds.), *The Axial Age and Its Consequences*, Belknap Press, 2012.
6) フィリップ・アリエス『死を前にした人間』(成瀬駒男訳、みすず書房、1991年) (Philippe Ariès, *L'Homme devant la mort*, Seuil, 1977)。
7) 『ソクラテスの弁明』(41c-d) (田中美知太郎訳、岩波書店)。
8) 『実践理性批判』第一部、第二篇、第二章「最高善の概念規定における純粋実践理性批判の弁証論」、五「純粋実践理性の要請としての心の不死」。
9) 『存在と時間』第二編、第一章「現存在の可能的な全体存在と、死へとかかわる存在」、第53節「死へとかかわる本来的な存在の実存論的投企」。
10) ヴラジーミル・ジャンケレヴィッチ『死』(仲沢紀雄訳、みすず書房、1978年) (Vladimir Jankélévitch, *La mort*, Flammarion, 1966; 3e ed., 1977)。
11) *Op. cit.*, p.255. (引用は拙訳)。
12) Jean-Luc Marion, *Certitudes négatives*, 2010, Grasset;, II Le propre de Dieu (「神の本領」)。
13) 『上田閑照集』第九巻「後語」(岩波書店、2002年)、他。
14) 十字架のヨハネ『カルメル山登攀』第三部、第七章2 (引用は拙訳)。

Terminal Care as Spiritual Care:
From the Viewpoint of History of Religions

by Yoshio TSURUOKA

If the definition of a human as homo *mortalis* is valid, the terminal stage of a human being's life can be qualified as especially spiritual. This is because in this stage human beings will be seriously, and in many cases painfully, forced to realize their essential dimension. This essential dimension is our "essence" that distinguishes us both from animals who are not conscious of their own limits of existence, and also from gods who are by definition immortal. To care for those facing their own, closely approaching death should be regarded as an important case of spiritual care.

Reflecting on this condition of death from the viewpoint of the history of religions, in this short essay the author draws the reader's attention to the significance of "hope" as expressed in some important and famous writings by Japanese and European religious authors in the medieval and early modern era. They were written in the time when death was still *apprivoisé* or "tamed" (i. e. death could be still easily accepted as if it were under a person's control), to use the expression of Philippe Ariès. Contrasting with the prevalent philosophical reflections on death that seemed to exclude categorically any possibility of an afterlife, those medieval and ancient thinkers emphasized a possibility of hope beyond bodily death. Their ideas were similar to those of Socrates who concluded his philosophical examination about death with a "good hope" for afterlife just before his own death.

According to John of the Cross, the 16th century Spanish monk, hope as a theological virtue is obtained through purification of the memory. The memory is transformed into pure hope by abandoning its ordinary function. This requires forgetting everything that one has acquired during one's life and has stored in one's memory, including a scientific world view that might hinder the person from imagining or thinking about any kind of afterlife. (John of the Cross's concept of memory which had been inherited from Augustine, is not the same concept that is usually described in modern science.) Such teaching may sound somewhat inhuman for many contemporary people. For him, however, this total oblivion is not a forced separation from one's life-long experience in this world but the required condition for liberation from the anxiety and fear that causes spiritual pain and agony.

Is it impossible for the people living (and dying) in our contemporary, civilized society to accept such ancient or medieval ways of conceiving a bodily death with a purified hope for afterlife? To answer the urgent question of how to care for the dying in the present day, historians of religions seek to contribute by interpreting past ways of thinking, living, and dying that could be very different from ours today. They also contribute by rethinking such historical themes to enlarge our own possibilities.

〈論文〉

子どもの生きる力を支える

――『禁じられた遊び』と『千と千尋の神隠し』より――

前川美行

はじめに

2011年3月11日の大災害は、人々に衝撃と深い傷を与え、今なお苦しみを生み出している。被害を目の当たりにした多くの人は、半ば駆り立てられるように救助活動やボランティア等の行動を起こした。職場の命を受けて派遣された人々の活動や、いたたまれなさからとにかく行動した一人一人のボランティアや、草の根的な繋がりから生まれた小さな活動が、被災地のみでなく全国に広がった。何をすべきか、何ができるのかと立ち止まり、また歩きだし、自分の無力さに押しつぶされそうになりながらも人々は行動を続けている。中には、「援助」という名の無神経な行為もあったであろう。しかしながら、時とともに形を変えて減衰していく活動を支えている根底には、専門家としてあるいは個人として、組織や仲間と一緒に、大局的な視点を持って今ここでコミットすることを恐れない行動力がある。はっきりと目に見える傷があらわになっていた時から、次第に傷口が閉じ、痛みは見えないものとなる。傷口は閉じて皮膚は再生を始めても、得体のしれない「塊」は奥に沈み込んでいく。心の苦しみも同様である。

見えない塊となった思いや苦悩を抱えて、人それぞれの心のプロセスは進んでいく。社会の中の隣人としての私たちの役割は、その心のプロセスが回復へと緩やかに進むことができるような環境作り（場であり、関係である）を支えることであろう。ここでは、心理療法家としての経験から「心の回復のプロセス」を考察し、「傷ついている子どもに私たちは何ができるだろう」というテーマを考えてみたい。

1．ある活動——「お楽しみ隊」

関東のある私的な避難所に被災地から集団で避難している人たちがおられた。2011年10月から半年間、月に1度のペースで、本大学院臨床心理領域修了の臨床心理士を初め10人余りのグループを作ってボランティア訪問した。臨床心理士、メンタルケアというと、何か問題があったからそこに行ったのだろうとか、問題を洗い出すために来たのだろうと思われ、警戒されがちである。それは当然のことで、心理療法とは本来自分の意志で相談をするものであり、心理療法家が御用聞きのように訪問するものではない。そのような考えもあり、狭義の心理療法やメンタルケアではなく、広義のメンタルケア、予防的な意味も含めての「ホッとする時間と場」の提供を目的とした活動を計画した。大災害で突然故郷をなくし、見知らぬ土地で集団生活をしている大人たちや、見知らぬ学校に転入して頑張っている子どもたちの疲れの蓄積が大きくなったころに、何かできないかと避難所管理者の方から声をかけられて始めたものである。

考えたのは、「お楽しみ隊」。月に一回定期的に朝からお邪魔して、皆さんとともに食事や活動をして、午後の2時間、子どもたちと一緒に遊び、大人の方たちとはお茶飲み話のできるティーコーナーを作った。メンバーの中で茶道をたしなむ人が、ポットのお湯でたてたお抹茶を一緒に飲みながらのよもやま話の場である。

初めはやや警戒し、緊張した面持ちだった子どもたちのうち、小さなお子さんたちがまず打ち解けてくれた。すぐに10歳前後のお子さんまで、男女それぞれ個性豊かにメンバーたちと触れ合い、毎回遊びの時間はあっという間に過ぎた。親御さんたちも一緒に遊んでくださったり、年配の方もお茶を飲みながらいろいろとお話をしていかれた。特に、子どもたちは、毎回お楽しみ隊のお兄さんやお姉さんを笑顔で迎えてくれ、飛びつき、じゃれついていた。その笑顔に支えられて、筆者たちは「ちょっと楽しいことを一緒にしよう」をテーマにして鬼ごっこやいす取りゲーム、シャボン玉、お菓子作りなどを準備して訪問した。

では、「お楽しみ隊」はなぜ臨床心理士を中心に作ったのか。それは、『臨床心理士は遊びが功罪さまざまな力を持っていることを知っているから』である。臨床心理士養成の訓練の中で、心の痛みを体験的に知り、不用意に触れることの危うさを学んでいる（はずだ）から、である[1)]。

避難所の人々は一つの同じ考えを持ち、導くリーダーがおられる集団だった。筆者たちが訪問を始めた頃は、被災や関東での避難生活による疲れが蓄積していたころであったが、ちょうどその頃リーダーが東北地方に戻る（移転）計画を決め、その後その計画を進めていく目的によって集団の心はまとまり次第に元気を取り戻していかれたようだった。筆者たちは毎月お邪魔しながら、集団をまとめ、生きる力を奮い立たせるリーダーと集団の力に感動し、生きる上で大切なものを教えていただいた。もちろん、その陰には一人一人の大変な御苦労があったのであるが……。

そのような環境に包まれながら、子どもたちは発語や動きが活発になり、笑顔で甘えてくる感じやこちらに働きかけてくることが増えてきた。笑顔に筆者たちも力をもらい、子どもの成長の力に圧倒されるほどだった。子どもたちに大人たちが声をかけ、受け入れた地域の人々が声をかけ、個人を超えた見守りの力があったのである。こうして、親と子、大人と子どもの力が相互に働きあっていた。

しかし、活発になるだけでなく、遊びの中で「破壊」が起こることもあった。それは、被災の影響であると同時に、子どもたちの生のエネルギーの健康な発露でもあったと思う。爆発するかのように強く発現したら、それは形を壊し、表現そのものが表現者自身の心を壊すことすらある。その遊びの暴発に注意すること、それが臨床心理士の見守りに求められることである。無防備な表現は更なる外傷体験を生み出す。表現することは心の回復を助けるが、表現の力が本物であればあるほど一触触発の危険を伴うのである。つまり、子どもには遊びを生み出し表現する力が備わっているのだが、それは子どもたちが柔軟な心と傷つきやすい心を持っているからでもある。外との境界が薄く、外からの影響を受けやすいのだ。

2．子どもの回復と表現

大切なのは、何かの行動や思いが自然に表現されたとき——たとえば、思い出して急に泣き出したり、震えたり、興奮したり、夜中に泣いて起きてきたり——そんなとき、受け止めてくれる人がいることである。聞いた人がその思いを身体全体で受け止め、「怖かったね」と言葉にして返す。言葉で伝え、抱きしめる。「今、ここで」怖がっている（追体験している）存在そのものを受け止め、今が守られた時であることを伝え返すのが大切だ。

学校や家庭で、そんな詩や絵や作品を作った時に受け止めてもらえると、少し緊張が緩み、心が落ち着く。

別の被災地での話。津波から一年経った頃、あるお子さんがお母さんに突然打ち明けた。地震の後、自分が帰ったらお母さんが弟を幼稚園に迎えに行ったと祖母から聞いた時の気持ち。お母さんが帰ってくるまでとても不安だったことを、初めて泣きながら話した。一年経って初めてである。『怖かった……お母さん、帰ってこないかと思った』と泣きじゃくり抱きついてきた。心の時間はそれぞれの時間で動き出す。学校で一斉に「被災体験を作文に書きなさい」では無理なのだ。安心できる場で、ほっとできるようになって、自然にその思いが表現され伝えられるものである。お母さんがその後心配になり、学校の先生に相談された。「心のケアが必要でしょうか」と。だが、それは自然な感情表現であり、家でも学校でも元気に生活している様子ならば、個別相談など専門家による心のケアは必要ない。このお子さんは恐怖を恐ろしく思い出した（再体験した）のではなく、「怖かった」と過去のものにできたからこそ泣きじゃくれたのである。今、目の前にいる母親を実感して「怖かったけど、もう大丈夫だ」と安心したのである。お母さんはしっかりと抱きしめて一緒に泣いたとおっしゃったそうだ。そっとまた何かに触れて感情があふれた時に「今は大丈夫だ」と安心できること、それが恐怖を過去のものにして今を生き直すことになる。これが心の回復のプロセスである。

3．子どもにとっての死と遊び

3．1．親の死

日本では、自殺者の数が毎年３万人を超えてすでに 14 年がたった。1997 年まではほぼ 24000 人前後で推移していたのが、突然 1998 年に 32000 人に増加し、以後３万人台から減らない（男女比 11：9。2011 年は未成年の自殺が微増という発表。2010 年中のデータでは、30 代 15% 40 代 16% 50 代 18% 60 代 18% 70 代 11%）。

少し想像力を働かせていただきたい。

一人の自殺者の周辺には家族がいる。自死遺族という言葉もある。40～50代の多くの自殺者が親であるとすると、子どもは10代の多感な時期に親を亡くしている可能性が高い。その子どもだった人たちもその後14年の間には大人になり、多くは親になっておられることだろう。

(ケースに関する以下の話は、プライバシー保護のため、複数ケースから考えられる典型的一例として作成して挙げている)

【ケースAさん】

Aさんは30代後半の男性。大学生の頃に父親が自死。父親のような弱い人間にはならない、と思って生きてきた。就職し、結婚。息子が3人。小学4年生を筆頭に幼稚園まで。とても子どもをかわいがっているが、あることを思い出して苦しくなることが増え、「自分が死ぬのではないかと怖くなった」と相談に来られた。きっかけは父親のことだった。死ぬ前日に父親が柿をおいしいと食べていた顔を思い出し、父はなぜ死んだのか、と急に考えがまとまらなくなったとのこと。転勤の話とも聴いたが、なぜそんなことで死んだのか……。対面した遺体に母が泣き崩れたのを思い出し、身体が震える。ずっと思い出さずにきたことだった。自分も崩れそうになる。立っているのが精いっぱいだと。すると、急に「自分も死ぬのかな、それでこんなことを思い出したのかな」と。子どももかわいいし、仕事は大変にはなってきたが、それなり。自分もああなるのかな。恐ろしい。怖くて酒に逃げたくなるような不安。

親の死の影、ずっと抑圧して閉じ込めていた記憶の蓋が開いた。なぜ、今？……こんな風に閉じ込めていた記憶が開くことがある。

心理療法の現場では、このような事例に会うことも少なくない。もちろん、親の死の影は、自死だけではない。またPTSDと呼ばれる形で、外傷体験から半年経ったころから何らかの心理的問題が現れることもある。ここでは、一見明らかな症状や生活への支障がなく何年もすごしてきたにもかかわらず、psychologicalな問題を抱えて生きているケースを念頭において、お話ししたい。

3．2．子どもと遊び

脳は夢を見るときにいろいろな記憶領域を整理している、defragmentation していると言われるが、身体の記憶や意識に上らない経験も含めた受動的経験を、身体や心的イメージ・思考を通して、主体的体験に変換していくことは何らかの表現行為である。心的表象を作ったり思い（物語）を話したり、詩や絵を描いたり、思い描いたりする。特に、子どもたちにとってはその行為は「遊び」となる。遊戯療法の理論をまとめたアクスライン, V. M. は「遊びは子どもの自己表現の自然な媒体」と述べている。

ところで、「遊び」の要素としては次の３つが考えられる。

①心的リアリティの表現・具現化：ワクワク感・興奮・恐れ等さまざまな感情を遊びの中で表現することによって「今、ここ」に心的リアリティが現れる。たとえば、甘えたいという気持ちを赤ちゃんごっこで赤ちゃんになって甘えたり、怒りを戦いごっこでぶつけたりする。感情が乗った時ほど遊びに集中し、面白くなる。

②人との交流：体験の共有である。手をつないだり、身体をぶつけ合ったり、一緒に縄を回したり跳ねたり、身体感覚を人と合わせて楽しむ。楽しさや悔しさや怒りも共有する。ドキドキする遊びなどによって感情や体験を「今、ここ」で人と共有する。また、かくれんぼでは、見つかっちゃったと思う自分の残念さを体験するだけでなく、自分が見つけてもらえたうれしさも同時に味わう。人に自分を認めてもらうという人との交流である。例えば、幼児は見つけてもらうことで自分の存在を確認しているかのようだ。このように遊びによってさまざまに人と交流する。

③再体験（カタルシス・心理化）：緊張の解放や体験の生き直し。受動を能動に変えると言ってよいだろう。黒ひげ危機一髪などの遊びで黒ひげがボンとはじけた時、びっくりして笑いがあふれる。緊張から解放され、緩む。粘土をこねたりちぎったりたたきつけたりして気持ちが落ち着くこともある。ぬり絵など、塗る行為自体が自己治癒的働きを持つこともある。決まった単純な動作や動きが身体を落ち着かせる働きも持つ。ままごとやお人形遊び、スポーツなども身体を通しての再体験やカタルシスである。

単なるカタルシスではなく、戦いの遊びを通して攻撃性が元気さへと姿を変えることもある。人形遊びで子ども役を叱ることで、実は自分が怒られた体験や消化しきれなかった体験を生き直す場合など、遊びは衝撃的出来事を消化し自分の能動的体験に変換する力も持っている。つまり受動的体験を具現的・象徴的に「今、ここ」に再体験することにより、能動的体験へと心理化される（心に収める）ことを助けるのである。カバーアップするのではなく、能動的に体験を自分のものとして生き直す助けとなるのだ。これは、受動的体験を余儀なくされることの多い子どもという存在にとって、成長のために不可欠であると言えよう。

3．3．映画『禁じられた遊び』“Jeux Interdits”（1952）

ここで一つの遊びを扱った有名な映画『禁じられた遊び』のプロットに沿って話を進めることにしよう。

① 始まり～家を追われる

1940年第二次世界大戦中の都市郊外、幹線道路を地方へと避難する人々の行列で始まる。歩く人々、自家用車、リヤカー、馬車…。それぞれ大きな荷物を持ち、命からがら逃げている。そこに突然の空襲。人々は道に伏せ、野原に逃げる。その群衆の中に若い上品な両親に連れられた一人の女の子ポレットがいる。突然手からすり抜けて走り出した飼い犬のジョックを追いかけてポレットは走り出す。あわてて追いかける両親。そして道端で犬を捕まえたポレットを両親がかばって道に倒れこんだその時、空から爆撃が襲った。爆撃機が去り、ポレットは立ち上がるが、両親は動かない。ママ……と呼んでも動かない母親の頬にそっと触れる（写真１）。

やがてポレットは痙攣して動かなくなったジョックを抱いて道行く人々の列に押し戻される。一人の夫婦がリヤカーに乗せてくれるが、ジョックの死体は川に捨てられてしまう。そこでジョックの死体を追いかけたポレットが村へと迷い込んで、お話が始まる。

戦時中のフランス。死は日常的。大騒ぎして町から逃げていく人々、爆撃。でもそのすぐ横でのどかに牛を放牧している日常がある。この後、戦争の影は爆撃機の音や照明弾の光、戦争記事、帰還兵などとして描かれる。

写真１　母の頬にそっと触れるポレット

５歳前後のポレットは母親の頬にそっと触れて、どのように感じたのだろう。「動かなくなった親」というこの体験を心に収めることは大変困難だ。ポレットは泣き崩れるのではなく、犬を抱き締めて歩きだした。

迷い込んだ村でポレットは、一人の少年ミシェルと出会い家族を得る。ドレ家の人々は素朴に優しい。「きれいな服ね」とそっと抱きあげてくれたり、お休みのキスを喜んだり、そこには日常がある。家はどこか、なにがあったのか等詳しいことは聞かずに、かわいそうにとご飯を食べさせ寝させてくれる。そんな生活が始まる。

② 十字架集め

ドレ家の壁の十字架を見つけて「あれは何？」とポレットは訊く。都会の生活では十字架はなかったらしい。また、ミシェルはポレットにお祈りを教える。家族の中でミシェルのみが文字が読め、お祈りができる。教会で教育を受け、素朴な信仰を持ち、真面目な11歳程度の子どもという設定。ポレットは十字架に魅かれる。ミシェルから、死体は穴に埋めそこに十字架を立てるのだと聞き、隠していたジョックの死体を教えられた祈りを唱えながら、納屋に掘った穴に埋め十字架を立てた。ほかにも虫やネズミの墓を作る二人。

一方ドレ家では、ポレットと同じ頃に村に迷い込んだ馬に長男が蹴られて臥せっていたが、突然家族の目前で吐血し亡くなる。長兄のお葬式。二人はそこで見た祭壇の十字架や墓地の十字架、すなわち本物の十字架を自分たちの納屋の墓地に収集し始めてしまう（写真２）。

写真２　夜中に十字架を墓地から集める二人

なにも知らない大人たちは十字架泥棒・墓荒らしと大騒ぎする。やがて、祭壇の十字架を取る現場を見つかり、二人の子どもたちの仕業だと発覚した。それと同時に家族のように暮らしていたポレットが、戦争孤児として通報されて、施設へと引き取られることになる。

③ ラストシーン～ポレットの涙

ミシェルはポレットを懸命に守ろうとするが、ドレ家には引き取りの役人が到着する。ミシェルはポレットと引き裂かれ、一方ポレットは「ここにいたい」と泣く。名前を聞かれたポレットは「ポレット・ドレ」と名乗る。大変印象的なシーンだ。その後シスターに連れられたポレットは駅の雑踏で名札を掛けられ、しばらく待つように指示される。その名札は「ドレ」である（写真3）。

写真３　「ポレット・ドレ」の名札をつけたポレット

そして、ラストシーンが始まる。雑踏の中から、「ミシェル！」と呼ぶ声。じっと不安げな目で座っていたポレットはその声ではじかれたように動き出す。それは帰還兵である息子を呼ぶ母親の声だった。「ママ」と答える青年と母親……。それを見たポレットは、「ママ…」と一瞬立ちつくす(写真4)。しかしすぐに「ミシェル、ミシェル！」とうわごとのように叫びながら雑踏の中に紛れ込む（写真5）。ここで再びポレットは独りぼっちになった。「ママ」という言葉を飲み込み、「ミシェル」と不安気に叫ぶポレットの心の中では何が起こったのだろうか……。

写真４　「ママ…」と立ちつくす

写真５　「ミシェル！」と叫び走り出す

こうしてエンディング。始まりと同じ短調のメロディが流れる[2)]。

十字架を集めた二人の子供の思いは悲痛と言えるほど真剣だった。決して「遊び半分」ではなく、真剣な「遊びそのもの」だった。しかし、二人は遊びを辞めさせられ引き裂かれた。現実に引き戻されたのだ。両親の死を理解できていないポレットは、なぜか十字架に魅せられ「死んだら穴に埋め、十字架を立てる」ということを知って十字架にこだわり祈る。両親の身体を埋め、十字架を立てなければ、と意味のわからない内的動因によって駆りたてられたのだろう。同時に、その行為が自分の心を落ち着かせることを知っていたのではないだろうか。

3．4．死への関心

ところで、なぜこの遊びは周囲から問題とされたのだろうか。

十字架集めは弔いの遊びでもある。目の前で突如訪れた「両親の死」をおそらく理解できていないポレットは、お祈りを知らない子どもであり、家にも十字架はなかったという設定である。道端で動かなくなってしまった人々は穴に埋められただろうと教えられる。ママも埋められたのか、穴の中は暗いのか……。

子どもが、死に魅せられて死骸を集めたり、死に関する物を集めることがある。それが「殺す」という形に進んでしまう危険な場合もある。それはおそらく「死」に圧倒されて魅せられたまま引きずり込まれるように何かを求め続ける行いであり、「死」にまつわる感情は心理化されず、実感として死をとらえていく動きではなく、単なる好奇心や強い刺激として自我からは遠いものとして反復されるものとなってしまう。それは「死」と向き合う動きとは逆である。

一方、子どもが身近な誰かの死をきっかけに「死」を考え始めることがある。それは多くの場合、自分が生きている「生」とこの現実を意識することと表裏の関係にある。死に魅せられ、存在がなくなることについて想像を巡らせるとき、ここに在る存在に気づき、「命」の尊厳を感じる契機となる。それが「自分という存在」の実感にもつながり、子どもの成長にとって重要な出来事ともなるのである。

映画や文学作品にはそのように子どもと死を取り扱っている作品が多い。例えば、映画『Stand by Me』（スティーヴン・キング原作）では死体を探しに出かける少年たちの冒険と成長が描かれる。山の中で、夜を明かした主人公の少年が鹿と会うシーンは大変印象的だ。夜に友人と焚火の前で交わした話と少年の心に生まれたある気づきが、このハッとするような鹿との出会いに象徴的に演出されているようだ。また、日本では『夏の庭』（湯本香樹実原作）も少年たちが「死」への興味に導かれて現実の死と出会う体験が描かれている。

筆者の印象ではあるが、５歳前後に「死」をぼんやりと意識したという話を聴くことが多い。具体的なきっかけがあったわけではないと本人は記憶していることが多いようだが、「死」を意識することは自然な感情でもあるからだろう。「死」を扱った写真集がある。自然の中で見つけた死体に起こる変化をとらえたものだ。写真家宮崎学の『死』『死を食べる』である。すでに「死」を意識しなくなっているような場面にもリアルな「死」が存在していることを死体を通して気づかせてくれる。写真というヴィジュアル素材の持つ刺激の生々しさが直接感覚に訴えかけてくる。語りかけるような文とともに読者はハッとする。

例えば、この写真集は子どもも見ることができる。文章は読めなくても写真をじっと見ている子どもを見て、親はびっくりする。この子は、なぜこんな恐ろしいものを見ているのだろう。なぜ、これを読んでくれというのだろう。読んでやってよいのかと戸惑い、不安になる。「死」から目をそらしている自分が脅かされるような不安でもあるのかもしれない。「どうぞ手に取ってお子さんとご一緒にご覧になってください」、そうお伝えしたいところである。

子どもたちが死に関心を持つのは、自分自身の存在への関心であり、生命への関心である。そこに湧き上がる感情は大変尊いものだ。「死」が私たちの中に生み出す不安や恐怖と向き合うことでこそ畏怖の心が生まれてくるのではないだろうか。それは単に死への不安がなくなるということでもない。「死」があること（死の存在）を知ることは、言葉にならない何か、目には見えない何かにハッと気づき、「生」（自他ともが持つ）へのまなざしが変容する体験につながるのではないだろうか。

ポレットの話に戻ることにしよう。独りぼっちの子どもは、親を懐しんで泣かないのか？　村の生活ではなく、親との生活をしたいと泣きぐずるのではないだろうか。否、である。ポレットは両親が死んだことを大人たちの前で泣き叫んだりしない。爆撃されたことも話さない。唯一ミシェルには「ママは死んだ」、「パパとママを探しに行きたい」と言い爆撃機の音を怖がり、泣く場面はある。まだまだ子どもであるミシェルもどうしてよいかわからずに、ただ慰めたり励ましたりする。一方ドレ家の大人たちは、彼女の苦しみや怖さには目を向けず不問にして、何もなかったかのように生活させる。映画の中の大人たちは不思議なまでに「死」に無感動なのである。戦争を語る場面も、長男の死に対する態度も、日常的一場面として流れ作業のように儀式を執り行っていく様子が描かれている。形骸化した「死」への態度と、儀式にすることもできない圧倒的な「死」への態度の両面が描かれている。原作ではポレットはその村に現れる“恐るべき子ども”として描かれ戦争の残酷さをあぶりだしている。

ポレットにとっても大人たちにとっても死は向き合い受け入れることが大変難しく、生の日常から切り離さずにはいられない。実感はないのだ。両親にはもう二度と会えない。声も聞けない。二度と抱きしめられない。……そんなことは実感できないだろう。それよりも村でドレ家の人々と一緒に暮らすことが、彼女にとっては大切な現実であり、自分はドレ家の人間だと思いこむ。直面できない現実は意識から締め出され、今の現実のみが存在する。彼女にとっては、「両親はここにいる。私は独りぼっちではない。」と思うことが生きるためには必要だったのだ。

4．死者との関係

4．1．現実との出会い

今という時間を生き延びること。独りぼっちにならないこと。これがポレットが生きるために死に物狂いで選んだ行為だった。しかし、一方でポレットの心は、ポレットに十字架集めという危険な行為をさせた。それによって一見平穏だった日常は壊され、彼女はやがて現実と出会う。

ここであるケースを紹介しよう。「死んだ」という事実は既知のものだしわかっていたのに改めて訪れる感覚がある。それはつらい体験や死の受容と関連して起こることでもある。

【ケースＢさん】

双子の弟が事故死。弟が何か悩んでいることは知っていたのに、忙しくて時間が取れずにいた20代Ｂさん。呆然としてしばらくは何も手につかなかったが、回復。弟と一緒にやっていた趣味を再開することで弟の供養をと考えていたが、命日が近づくころに、急にまたそわそわと不安で何も手につかなくなって相談に来られた。開始後しばらくして見た夢。

【夢】夜中に玄関のベルが鳴る。今頃誰だろうと思って起きてドアを開けると、弟が立っていた。いつもの笑顔。「お帰り」と言って抱きしめた。
目が覚めて「ああいないんだ」と号泣した。抱きしめた感覚が手に残っている。

夢を話しながらBさんは、もう一度号泣した。弟の死を実感を持って認識したということだろう。「本当にここにはいないんだ」と死を実感するには時間がかかる。その人のいない生活が落ち着いてから実感することも多いのは不思議なことである。その人がいない日常の時間が流れた後に、死にもう一度心の中で直面する。ここで起こることは、悲しいけれども生きている自分の生への実感であろう。つまり、自分の生を実感して、その人の死を受け入れることになるのではないだろうか。その人が死んだあとも自分が生きていることを受け入れることが、その人の死を受け入れることではないだろうか。だが、大事な人の死を受け入れて生きるとはどのようなことなのか、筆者にはまだまだ解けない。

【『水中の声』（村田喜代子著）】
4歳の娘が近所の池に落ちて突然亡くなった母親が、ほかの子どもの危険な行為を見張り始めるというお話。母は、娘はもう死んでいるのに、まるで娘の死を防ごうとするかのような行動をしている。現実からの逃避であろう。妻のエスカレートする行動に対して、夫は「死ぬ子は死ぬんだ。生きる子は君がぶたなくても、生きる。俺たちの子は4つの年までこんな風に幸せに育ち、ある日笑顔で家を出て、音も立てずに、死んだ。こういう死に方も、子どもの世界では、一つの自然死じゃないのかな」と語る。ラストシーンでは、娘が歌っている録音テープを発見し、それを二人で聞く。歌を次々歌い続ける娘の声が、やがてテープの劣化か震え始める。水の中で震えながら歌っている声のように聞こえ、二人は蒼白となる。ここで、「溺れて苦しんで死んだ娘」と改めて出会い、死を実感する。母親の姿の描写には、現実を受け入れられない悲しさと滑稽さがあふれ、著者特有のシニカルな視線が生み出したのが、残酷なまでの死との直面であろうと思う。この歌声からの連想で悲しみが二人に大きくのしかかる。

4．2．死者との出会い

ところで、死者に対して生前持っていた感情にはよいものだけでなく、怒りや意地悪な感情もある。死によって、その人に対する思いが行き場を失い停滞し、罪悪感が生まれ、苦しむ。反動として死者へのよい感情だけを意識し、死者を素晴らしい人と語り、美しい逸話、受け入れやすい感情のみで死者を飾ろうとすることもある。それによってますます自分の中の「悪い感情」は押し殺され、停滞する。しかし、「死」を実感することによって、死者との新たな関係が始まり、停滞していた感情が動き出すようだ。それは、今生きているこの世界と自分との関係が動き出すことでもある。

【ケースCさん】

生まれる数日前に父を病気で亡くした男性。Cさんは「小さいころから人と話すのが苦手で、人間関係がうまくいかない」と言って来談された。人との交流の背景には、自分にとっての父親の影が関係しているのではないかとCさんは考えていた。姉には父親と映った写真があるが、自分にはない。父の死後、母は離婚、母の実家でCさんは育った。母はいつも暗い顔をしていたし、父の話をしない。親戚も父の話はしない。それでCさんにとって父は存在しない遠い人だった。大人になって、Cさんは父と同じ仕事を選んだ。あまり意識せずに仕事を選んだが、自分が父と似ているからかなと思ったと言う。心の中で父に話しかけてみることがあるが、出てくる顔は遺影でしかなく想像がつかない。Cさんにとって父親はそんな存在だった。

ある時、父の学生時代の友人と会った。明るく若い父の話が出てきた。父の友人が、懐かしそうにCさんを見て「似ている」と。ぴんとこなかったが、そんな父がいたのかと驚いた。自分の顔が似ているということにも驚き、鏡でじっと見た。そして父のことを考えるようになった。誕生日も知らないことに気づき、母に初めて父の誕生日を聞いた。母は「そんなことも知らないの」と驚いた。「Cは父の話が出ると嫌がったからね」と言われた。へえ、そうだったのか……。そして母に父とのなれそめを聞いた。父の顔は依然としてよく表情が見えないままだったが、自分のメールアドレスに父の誕生日を入れた。何度も何度も遺影から父が何を思っていたのか、表情を思い浮かべようとした。つながりたい、そんな気持ちなのかと自分でも不思議だ……と話された。

法事で父のいとこにあった。発病後、余命3か月といわれてた父が自分の生まれる直前まで半年間生きたことを聞いた。その夜「ああ、父は僕に会いたいと思って生きていたのだ」と思ったとたんに涙があふれた。「僕は、生きていていいんだなと初めて思った」と、Cさんは自分自身の生を肯定できたのだろう。

5．子どもと守り

5．1．映画『千と千尋の神隠し』(2001)

最後に有名な宮崎駿監督の映画作品『千と千尋の神隠し』を引用して考えてみたい。『禁じられた遊び』同様、移動から始まる映画だ。また同じ監督の『となりのトトロ』も引っ越しから始まるが、「トトロ」とは対照的な始まりである。

① 始まり：独りぼっちになる

「千と千尋」では、「トトロ」で活躍した塚森が荒廃し、荒れた鳥居、朽ちたクスノキ、転がった石の祠たちが映し出されることから始まる。そして、「巨大なテーマパーク？」が出現し迷い込む。両親は豚になり10歳の少女千尋は独りぼっちになるが、湯屋で働き生き延びる。名前を奪われ「千」と名付けられた少女と印象的個性派登場人物たちによって話は展開する。

② 自分でやるしかない

千は両親を助けるために、今度は自分から選んで独りになり出かける（写真6）。たどり着いた銭婆の家で銭婆は千に言葉をかけ励ます。「自分でやるしかない」「一度あったことは忘れないものさ、思い出せないだけで。」

写真6　一人で出かける千

③ 飛び立つ

その後、白（ハク）という竜の背中に乗って飛び立つ。竜の流れるような飛行に身を任せる千に、水の流れに流される身体記憶がよみがえる。過去の体験がよみがえり、過去の自分と出会う。白に以前助けられたこと、それは「思い出せないだけで忘れていなかった」ことを思い出したのだ。千の話を聞いた白の中でも記憶がよみがえり、本当の名前を思い出す。身体が逆立つような感覚を映画では全身の鱗がはがれる映像で再現している。そこで二人は自分自身の過去を取り戻し、「今、ここ」にいる自分と繋がったのだ。

④　ラスト：トンネルをぬける

千に甦った記憶は幼いころ川に落ち流された体験と自分が守られていたことであり、それを思い出して実感する。この後、湯婆との対決に勝ち、名前を取り戻し両親を救い出した千尋は、両親と元の世界に戻る。千尋の感覚には違いが生まれているのではないだろうか。

さまざまな映画や小説の中で、過去の記憶が現在の思いとつながっていくというシーンが象徴的に映像や言葉や比喩で描かれている。記憶が甦り、「今、ここ」と過去が繋がることが今の生の転機をもたらすからだろう。では、千尋は何を得て成長したのだろう。

5．2．自然の守り

千尋の両親は守りの薄い両親である。自分勝手に車を走らせ、夫婦で言い争い、千尋はおいてけぼりである。千尋の不安には気づかず感知しない。挙句の果て、食べることに夢中になり、豚に変身していることにも気づかず、千尋を独りぼっちにしてしまう。幼いころに川に落ちた時も、似たような状況があったのかもしれない。守りの薄い両親に育てられた千尋は、初め挨拶も十分にできず、おどおどしている。しかし、湯屋で自分の力で生き延びようと必死に働き、少年を助けたい一心で自ら旅立ち、やがて千尋は自分がかつて守られていた体験を思い出した。守っていたのは両親ではなく、ハク（川の神様）＝自然（大きな存在）であった。千尋が包み込んでくれた川の名前を思い出し、自分の生を実感するのと同時に、川の名前を知ったハクは、自分の本当の名前を思い出して変容する。

心理療法では、このように「機が熟して」重要な体験を思い出すことで、体験が再体験されることが人の変容を助けると考えている。装置や特別な刺激や状況を作り出すことで過去を誘発するのではなく、受け入れられる態勢が整った時に思い出す（再体験する）ことが重要と考えられているのである。

5.3．生きていること

『禁じられた遊び』の原作では、教会の屋根の十字架をミシェルが取り損ねて落ちて死んでしまい、ポレットは村から走って出ていくラストシーンである。なぜ監督は映画のラストをこのように変えたのだろうか。

原作では、ポレットは残酷で怖いもの知らずに描かれている。戦争で傷つき荒廃した心の象徴として、ポレットを描いているのだ。残酷な行動を、村の日常への反逆、復讐とさえ訳者（花輪莞爾）は述べている。無垢ゆえの恐るべき子どもを登場させ、子どもを残酷にしてしまった戦争の無慈悲さ、残酷さを描き、反戦をテーマとした作品ともされている。

しかし、作られた時代や監督の思いが投影されたこの映画は、戦争孤児の悲哀のみが詠われたものではない。戦後のフランスでは占領に抵抗したレジスタンスの人々と対独協力をしたと批判される人々、抵抗して亡くなった人たちと生き残った人たちの苦しみが人々の心を引き裂いていた。このラストに監督は、戦争によって傷ついた人々への敬意を現したのかもしれない。救えなかった命に対して罪悪感を抱いて苦しんでいる人々に対するまなざしが含まれていたのではないだろうか。

映画では、ポレットは弱く頼りなくあどけない存在として描かれる。そして素朴なドレ家の人々たちから世話をされたポレットはドレ家で一時的にせよ守られた生活を送った。大人たちはポレットのような子どもに何ができたのだろう。あるいは、傷ついた自分たち自身の心に何ができるのだろうか。

ポレットが生き延びようとしたときに、心からあふれ出た十字架への抗いがたい思い。その思いに触れてともに追い立てられるように行動するミシェル。原動力は弔いの心であり、人に寄り添う心であろう。一方子どもたちの行動を、自分たちの心や生活を脅かすものととらえた大人たち。大人たちは、子どもたちの心にとっての必然性を理解できず、秩序を乱す行為ととらえ禁止した。禁止せずに必然性を理解したなら、どのように行動するだろうか。「ああ、そうか、お墓を作りたいのか。両親のことを悲しんでいるのか。……では、犬のお墓をしっかりと作ってあげよう。」「これで大丈夫だよ。」そんなふうに抱きしめたり、言葉をかける。それで、ポレットの心は少し落ち着いたかもしれない。それは生き残った大人たち自身の苦しみを救うことにもつながるのでは、と思う。

もう一つの方法は、遊びを見守ることである。守られた中での遊びによって、感情や感覚が解放され、身体に刻まれていた記憶が「今、ここ」に甦り再体験する。重要なことは、思い出すときに恐怖の再体験を生み出さないことである。守る機能が必要なのだ。

鬼ごっこの鬼は鬼にはならないこと。それが遊びによる再体験が心を落ち着かせ、圧倒された体験を心理化するために必要なことである。しかし、この二人のように守りがなく、遊びが日常生活にはみ出してしまうと、周囲を脅かし新たな傷を生み出してしまうだろう。

おわりに――「ポレット・ドレ」が「ポレット」になること

駅の雑踏で迷子になった後、おそらく名札によって救い出され、ポレットは施設で成長しただろう。ミシェルのことも忘れてしまうかもしれない。たとえば良き大人たちに日常を守られ成長したとして、ある年齢になる頃にCさんのように両親を思い出すかもしれない。心の中で両親の死と出会い、両親と新しい関係を作りなおすのではないか。その時には千尋のように、一人で旅に出るのかもしれない。一人で旅に出る強さ、自分でやるしかない、と思えるまで成長を遂げた時に、自分自身の過去を取り戻す旅が始まる。

それは、「ポレット・ドレ」が本当の名前を取り戻す旅である。その時、ポレットはミシェルを思い出すかもしれない。ミシェルという少年が一緒にお墓を作ってくれたこと、守ろうとしてくれたことを思い出し、その思い出が助けになるかもしれない。すなわち、ポレット・ドレが本当の名前に戻るとき、両親の死と出会う苦しみとともにミシェルとの出会いを思い出すかもしれない。忘れていたミシェルとの思い出が守りとなって生きるかもしれない。心理療法家としての体験から筆者はそう考える。今を生きている多くのポレットたちにとって、その日が訪れるまで心が育つための守りの環境を作ることが私たちのできることではないかと考えている。

注

1）日本臨床心理士会では東日本大震災心理支援センターを立ち上げ、被災地で活動する際の指針を出し注意喚起している。また、2011 年 5 月には日本心理臨床学会主催で東日本大震災心理支援研修会が開催され、研修会参加が活動への最低条件とされた。この研修会に参加した筆者を初め数名の者を中心にして、活動前に日本臨床心理士会が公開している「『心のケア』による二次被害防止ガイドライン」や「子どもの心のケアの 20 の心得」などの文書を共有し、学び合いの場を持った。また毎回振り返りを行い、共有し次回の活動に活かすよう工夫をした。

＊日本臨床心理士会 http://www.jpsc.jp

＊東日本大震災心理支援センター http://www.jpsc.biz/

2）このメロディは展開部が長調に転調し、また最後には短調で終わる。

参考文献

1．アクスライン, V. M.『遊戯療法』小林治夫訳、岩崎学術出版社、(1947 年／ 1972 年)
2．警察庁統計『22 年中における自殺者の概要』(2011 年)
3．ルネ・クレマン監督、映画『禁じられた遊び』(1952 年)
4．フランソワ・ボワイエ『禁じられた遊び』花輪莞爾訳、角川文庫、(1947 年 /1987 年)
5．宮崎駿監督、映画『千と千尋の神隠し』(2001 年)

引用図版出典

写真 1 〜 5 は映画『禁じられた遊び（JEUX INTERDITS)』、ルネ・クレマン監督、(株) ファーストトレーディング ISBN4-86260-097-2 より引用。写真 6 は映画『千と千尋の神隠し』、宮崎駿監督、ブエナ ビスタ ホーム エンターテイメント（JAN コード 4959241980366）より引用した。

A Study of Psychological Care and Support for Children Suffering from Disasters:
Paulette and Chihiro

by Miyuki MAEKAWA

How can we support children suffering from the Great East-Japan Earthquake Disaster? In some cases, children have gone through intense experiences such as seeing their parents swallowed up by the huge tsunami waves. Although their sadness may never be fully healed, these children must continue to live and learn to survive on their own from now on. The author considered whether something could be done to help alleviate the trauma of all such child victims, and showed that "playing" has some possibility of doing this. In this article, the three primary functions of "playing" are described according to the research on play therapy. Naturally and necessarily some of the children continue to play even after such terrible experiences because playing has some capacity to calm them down and make them momentarily forget their hard reality.

However, it must be remembered that "playing" can have other secondary functions as well. For example, during children's play, they can be reminded of their traumatic experiences and be moved by anxiety. If they look obviously anxious, the author advises stopping them in their play and at the same time attempting to relieve the children's anxiety and share their feelings. In play, such children need a companion and a supporter. The author proposes playing with such children in specific ways when they begin to show strong feelings. They need to be provided with careful adult intervention. They should receive long-term care and support to help them manage to deal with their grief.

Finally, the author refers to two movies; *Jeux Interdits* (Clément, R.,

1952, English title: *Forbidden Games*) and *Sen to Chihiro no Kamikakushi* (Miyazaki, H., 2001, English title: *Spirited Away*), and emphasized the significance of getting back one's own subjectivity in overcoming traumatic experiences. For example, one's own name, identity, experiences, and memories are things that can be temporarily lost but cannot be destroyed by a disaster. Thus at an early stage, as it is difficult for such children to confront their grief directly, a supportive and caring environment where the children feel at ease can be provided by adults which can initialize the healing process. This can provide the foundation for further, deeper psychological recovery as children become grown up enough to confront their suffering in other ways.

〈シンポジウム「震災と子ども」発題〉

いと小さき者への奉仕

――子どもと地震・津波・原発被災――

朝岡　勝

はじめに[1)]

大切なシンポジウムにお招きいただき、心から感謝を申し上げます。私はプロテスタントのキリスト者で、東京の教会で牧師をしておりますが、昨年３月の震災以来、岩手、宮城、福島に足を運ぶことになり、その経緯の中から今年の夏より、福島の子どもたちの保養プロジェクトを立ち上げることになりました。この時間は私自身が、これらのささやかな活動を通して考えさせられている事柄について、特に子どもたちとの関わりから教えられていることをお分ちすることといたします。

1.「いと小さき者」とはだれか

キリスト教会で長年にわたって親しまれ、クリスマスの時期になるとよく取り上げられる童話に、ロシアの文豪トルストイ原作の「靴屋のマルチン」というお話があります[2)]。

妻子に先立たれて孤独に暮らす靴屋の老人マルチンが、冬のある晩に夢の中で「明日、あなたのところにいく」という主イエスのお告げを受けます。その翌日、マルチンは寒さの中で雪かきをしている老人を招き入れてお茶を振る舞います。しばらくすると赤ん坊を抱えた貧しい母親が目に留まり、暖かいスープと外套を与えます。またしばらくすると今度は、通りで老婆からリンゴを奪って逃げようとする少年を見つけ、少年をたしなめて、老婆には少年にかわってお詫びをし、彼のためにとりなしをするのでした。

そういうしているうちに日が暮れて夜を迎え、マルチンは主イエスが訪ねてこなかったことに落胆しながらうたた寝をはじめます。ところがそんなマルチンのもとに夢で主イエスが現れると、「今日、あなたのところに行ったのに気がついたか」と尋ねます。マルチンが「主よ、いつわたしのところにおいでになったのですか」と聞き返すと、主イエスのお姿があの雪かきの老人、赤ん坊を連れた母親、リンゴを盗んだ少年の姿に次々と変わり、「あれがわたしだったのだ」と言われた。こんなストーリーです。

この物語は、新約聖書マタイ福音書25章に出てくる「あなたがたが、これらのわたしの兄弟たち、しかも最も小さい者たちのひとりにしたのは、わたしにしたのです」との、主イエスの言葉をモチーフとしています。主イエスの時代における「小さい者」の中には、社会的な弱者、貧しい者、抑圧された者、病者や女性、そして子どもたちを指していました。

今のこの時代に私たちがこの聖書の言葉に出会うとき、そこでの「小さい者」とはいったいだれなのかと問われます。そこで気づかされるのは、聖書の時代から二千年を隔てた今日、社会の構造が複雑に入り組むようになり、人々の社会における位置関係も流動的になっているとはいえ、それでも基本的に「小さい者」の存在はかつての時代とさほど変わってはいないのではないか。むしろその姿が隠され、見えなくなっているだけで、その存在はますます小さなところに追いやられているのではないかとさえ思えるのです。

2．震災と子どもたち

文部科学省による昨年6月段階での統計ですが、今回の震災で犠牲となった子どもたち（幼稚園児から高校生）の数は岩手県で死者82名、行方不明者35名、宮城県で死者363名、行方不明者77名、福島県で71名、行方不明者19名で、死者・行方不明者をあわせると647名にのぼり、内訳を見ると幼稚園児が77名、小学生が199名、中学生が93名、高校生が147名となっています。これに幼児や保育園児、未就学児などを加えれば、その数はさらに増えることでしょう。

さらに、震災で両親を失った孤児は上記の三県で219名、片方の親が亡くなった遺児は1295名にのぼります[3)]。地震、津波そして原発事故によって実に多くのコミュニティが崩れ、傷つき、引き裂かれ、喪われていきました。しかも漁村や農村など、何世代にもわたって繋がりを保ってきた地域共同体のあちこちに亀裂が生じ、そうでなくても震災以前から「中央」を支えるための「周辺」として生きざるを得なかった東北の各地が、今ふたたび

「復興」、「再建」の名の下に、新たに中央から押し寄せる巨大資本の波に飲み込まれていくかのような姿を見せています。

そのような中で、本来ならば地域の希望であり、将来の担い手となるはずの子どもたちにも過酷な現実が押し寄せているのです。

私自身はこれまで被災三県を訪れる中で、親を亡くした子どもたちや子どもを失った親御さんと直接出会う機会はありませんでしたが、それでも過酷な体験をくぐり抜けてきた子どもたちの様々な姿に出会う場面があり、また被災地で働く仲間たちから、彼らが接する子どもたちの姿について聞かされることがたびたびありました。

大切な級友を亡くしたり、親しい近所の方がいまだ行方不明であることを淡々と語ってくれた子どもたち。家が津波で流されて避難生活を余儀なくされ、流されてしまった大切にしていた学用品や、毎日遊んでいたおもちゃやゲーム機、思い出の品々について悔しそうに話す子どもたち。

親や大人たちの苦労を知っての気遣いか、あまり無理も言わずに明るく振る舞いながらもふとした瞬間に何とも言えぬ寂しい表情を見せる子どもたち。

上級生になっていても、遊び相手になってくれる若者のボランティアたちの膝や背中にまとわりついて離れない子どもたち。

夜になっても明かりを消して寝ることができず、大人の布団の中に潜り込んでくる子どもたち。苛立ちを隠せずに言動が荒れてきて、ささいなことで友だち同士で衝突するようになった子どもたち。

多くのストレスを抱えて爪噛みやまばたきの症状が増えている子どもたち。

避難先を転々とする中で学校の勉強が遅れてしまい、少し諦めかけてしまっているような子どもたち。

津波によって爆撃を受けた後のような瓦礫の山となり、かつてとは様変わりしてしまった町の風景の中、道端で遊ぶ子どもたちの姿。

学校が再開して部活のランニングコースを走るジャージ姿の中学生や、地震と津波が襲った日の雪の降る夜、津波を逃れて高台の寺の境内に人々が集まってくる中で、夜遅くなってようやく届けられたおにぎりを三人で分け合って食べた経験を、「今まで食べたもののなかで一番うまかった」と話してくれた中学生。

このようにそれまでであれば、当たり前のように学び、遊び、暮らしていたはずの彼らの生活が３月 11 日という日を境界にして、文字通り一変してしまったのです。

３．福島の子どもたちに希望を

そのような中でも、特に深刻な現実の中に置かれているのが福島の子どもたちでしょう。いまだ収束には程遠い福島第一原発事故の影響下にある福島では、子どもたちもまた困難な状況の中に置かれています。

事故当初からの政府や東京電力の対応の拙速と混乱ぶり、情報開示の意図的な隠蔽ととられても致し方ないほどの不十分さ、確かにその中でも事故の被害を食い止めるための様々な犠牲が払われたとはいえ、これらの対応のまずさによって、後に計画的避難地域に指定された飯舘村に線量の低い地域から避難した人々や、情報が提供されないために、汚染の深刻な場所に住民が留まり続ける人々がありました。あるいは検査機器が揃わないといった事情によって、子どもたちのヨウ素の初期被爆量のデータが正確に記録されなかったり、事故後に降り注いだ雨や雪によって屋外で避難生活をし、給水のために並んでいた子どもたちに放射能が降り注ぎ、さらには東日本一帯にまでその汚染は広がっていったのです。

今年９月現在で福島県内での避難者数は約１万２千人、県外への避難者数は約六万人にのぼり、自治体によっては住民の所在確認がいまだに難航しており、正確な避難者数が把握できていない町村もあり、それはすなわち様々な支援の隙間に落ち込んでしまって姿が隠されてしまっている方々がおられることを意味しています。最近の中通りの各地区では、子どもたちの甲状腺検査の結果、四割近い子どもたちの甲状腺に何らかの異常が発見されていると言われます。

この先、子どもたちの健康にどのような影響が出てくるか分からない中で、低線量被曝による影響の有無については専門家の間でも意見が分かれ、親御さんたちは誰の言葉を信用すればよいのかと疑心暗鬼になり、親子ともども大きな不安とストレスを抱え込んでいるという現実があります。通常の外遊びや運動会、夏のプールなどは徐々に解禁になっていますが、それが安全だからという理由であるかは定かではありません。国や県の基準を信じるか、それとも県外避難を叫ぶ人々の声を信じるか。母子避難の問題は家族の分断、経済の疲弊、子どもたちのストレスを生み出し、人々をさらなる被災へと追い込んでいる現実があるのです。

本心では子どもたちを守るためにすぐにでも福島を離れたいと思う人、住み慣れた土地や親兄弟を置いてはいけないと踏みとどまる人、動きたくても仕事や経済の事情がそれを許さない人、夫婦や親子の間で放射能リスクに対する考えが一致できずに悩む人、それらの事情を十分に斟酌することなく寄せられる、「どうして避難しないのか」との一方的に責められているような声に心痛める人、周囲の目を逃れるようにして保養相談会に訪れ、涙ながらに現状を訴える母親たちがいる中で、いったい私たちに何ができるのか。そんな問いの中から生まれてきたのが、私たちの小さな働きでした。

4．「ふくしまＨＯＰＥプロジェクト」のはじまり

震災以来、キリスト教会でもさまざまな被災地支援の働きが始められて来ました。当初は津波被害の甚大な各地に緊急物資を運ぶことからスタートし、被災家屋の泥だし、片付けなどの物質的な支援の活動から、次には避難所の訪問、仮設住宅での傾聴プログラムや子どもたちの遊び場提供など人と人とを繋ぐコミュニティ支援の活動へ徐々にシフトしていきました。その一方で、なかなか手つかずであった領域が原発事故による被災者の方々への関わりです。

私自身のことでいえば、震災直後の３月14日にはじめて茨城県北部から福島県いわき市に援助物資を持って出かけたのを皮切りに、その後、相馬、仙台、石巻、宮古、気仙沼、大船渡といった各地の支援活動に従事して来ましたが、その間、郡山市、福島市といった福島県の「中通り」と呼ばれる地域は、東北自動車道で通過するだけの場所でした。福島市内にあるキリスト教会の牧師たちが震災支援のために立ち上げた、「ふくしま教会復興支援ネットワーク」の会合に最初に出席したのも、その年の９月に入ってからのことでした。

出席した会合において印象的だったのは、福島市に生活される方々が「自分たちは被災者なのだろうか」と語られた姿です。自分たちは津波の被害を受けた訳ではない、原発避難圏内にいる訳でもない。もちろん中通り地区で

も郡山のようにたくさんの家屋が倒壊し、死者やけが人が出た場所はあるが、それでもメディアが取り上げるいわゆる「被災地」と呼ばれる地域の中に、自分たちが含まれているのかどうかわからなくなる時がある。他の被災地に比べて目に見えた被害がないではないかと人々から見られているのではないか。そのように考えてしまって「被災地」という言葉に過剰に反応してしまう。しかし実際には原発事故以来、空間線量は高くなり、放射能汚染の被害といつも隣り合わせに生活しなければならず、神経をすり減らす毎日を送っている、というのです。

正直に申し上げて、私は震災前までは、いわゆる原発問題に対する認識はほとんど持ち合わせておらず、事故が起こってはじめて事の重大さに気づいた者です。それでも当初はいわき市や富岡町、大熊町など原発立地の場所の危険さばかりに目が向いており、中通り地区の現状には全く無知の状態でした。

けれども福島の牧師たちとの出会いを通して、この地域の人々の抱える問題の複雑さ、深刻さ、困難さ、苦悩の深さに少しずつ目が開かれて行くようになりました。やがて福島市内の教会ネットワークは仮設住宅の支援や新鮮な野菜の配布とともに、子どもたちのためのキャンプを開催するようになりました。その働きに、私は自分の所属する教団の被災地支援の一環として参加するようになりました。

やがて、この子どもたちの保養の働きは、福島市内にとどまらない全県的な課題であるという認識が互いの間に共有されるようになり、そのためには県全体の子どもたちを対象とした子ども保養が必要ではないかという声が上がるようになりました。

そのためには多くの協力者が必要ということになり、すでに震災後、各地で支援活動に従事していたいくつかの団体に協力を呼びかけ、短い準備期間ではありましたが、ともにこの働きに重荷を持ってくださる協力団体が与えられて、今年７月から、福島のキリスト教会の牧師たち、キリスト教系の支援団体、各地の教会が協力して「福島県キリスト教子ども保養プロジェクト」（ふくしまHOPEプロジェクト）を設立することができたのです[4)]。

この働きの代表であり、震災当時は福島市で、そして今年からは郡山市で働く木田恵嗣牧師は、設立趣意書において次のように述べています。

東日本大震災から、一年あまりが過ぎ、多くの人の記憶の中から、大震災の衝撃の記憶が薄れかけてきているこの頃です。しかし、原発の事故によって放出された大量の放射性物質に汚染された福島では、今なお、震災の被害が継続中です。

◆避難区域設定方法の矛盾

原発の事故に際して、政府は同心円状に10キロ、20キロと避難区域を設定しました。しかもSPEEDIの情報が伝えられなかったため、福島の人々はより高い放射能汚染地域に避難したり、 高汚染地域に安全だといわれて留まり続けたり、雨の降る中、子どもたちと給水車を待つ列にポリタンクを手に並んでいたりと、誰に訴えたらよいか分からない怒りや不安を経験しました。

◆中通りに広がる高汚染地域

「中通り」と呼ばれる地域には、政府が定めた避難区域の外側であるにもかかわらず空間線量が0.6マイクロシーベルトを超える、労働安全衛生法等が定める放射線管理区域に相当する地域がベルト状に広がっており、そこには60万人を超える人々が、震災以来、避難することもなく生活し続けているのです。また、そのような地域に原発周辺の町や村から多くの人々が避難してきて生活をしているのです。当初、大声で「除染」が叫ばれましたが、1年過ぎた今も、除染で出たゴミを仮置きする場所すら定まらず、一向に除染が進まないというのが現状です。

◆子どもたちへの影響

このような福島で、大人よりも放射能の影響を受けやすい子どもたちに、大きなしわ寄せが行っていることを声を大きくして訴えたいのです。屋外活動が制限されたり、遊び場を失った子どもたちは大きなストレスを抱えています。様々な理由で避難することもできず、福島の地に留まり続けている人々の必要に関心を寄せてください。

◆あなたのご支援が必要です

ふくしまＨＯＰＥプロジェクトは、このような福島に留まらざるを得ない子どもたちやその保護者たちに、一時的に放射能の影響の少ない地域で過ごす保養プログラムを提供するため、設立されました。保養は放射能で傷ついた身体をリフレッシュするのにとても有効であることが認められています。本プロジェクトの運営には、あなたのご支援が必要です。福島の子どもたちとその家族の心と体の健康を守り、魂をケアし、将来の希望を生み出すために、是非、ご協力ください。

私たちの働きは始まったばかりの小さなものですが、それでもその名のごとく、子どもたちの明日に希望を抱いて今できることを精一杯させていただきたいという祈りの結集による働きです。これまで７月には岩手の錦秋湖に７組 19 名の親子で、８月には猪苗代に９組 21 名の親子でそれぞれ二泊三日の保養キャンプを開催し、また７月末から９月上旬にかけては２ヵ月にわたって青森にてホームステイプログラムを開催し、九組 33 名のご家族が滞在されました。続いて 11 月には一泊二日の青森リンゴ狩りツアーや、静岡での二泊三日の保養キャンプ、年末の冬休みにも保養キャンプを準備しています。

また将来的には、週末に通えるような距離で、家族や子どもたちで気軽に過ごせる「子どもの家」を持ちたいという願いがあります。「子ども保養」と銘打っていますが、同時に親御さんたちにもゆっくりとリフレッシュできる場を提供したいという願いがあります。親たちの悩みや不安は本当に深刻です。それらに少しでも寄り添い、ともに悩み、考える存在でありたいと願っているのです。

保養キャンプの様子

私たちの働きには二人のコーディネーターがおられます。二人とも女性の牧師です。一人は青森で長年幼児教育に従事しておられるお母さん牧師、もう一人は福島で震災を経験した元看護師のお姉さん牧師です。彼女たちが実際に保養相談会で出会ったお母さんたちとコンタクトを持ち続け、話を聞き、子どもたちだけでなく、母親たちのためのよき伴走者になってくれているのです[5)]。

また小さな働きではあっても関心を寄せてくださる方々が増えつつあり、各地から支援が寄せられるようになってきて、人々が福島に思いを向けていてくださることに大きな励ましを受けています。

一方では、数ヵ月に一度の二泊三日程度のプログラムを持つことが子どもたちの健康にどれほど効果があるのかと訝る声もないわけではありません。むしろ低線量被曝の不安を煽っていると言われたり、福島への風評被害を助長しているという非難を受けることもあります。

それでも実際に、短い期間とはいえ、子どもたちが何の心配や不安もなく、青空のもとで駆け回り、空気を思い切り吸い込み、土に触れ、木や草花に触れ、水に触れ、虫に触れ、友達たちと歓声を上げながら無心になって遊ぶ姿を見るときに、これが子どもの本来の姿であることを実感しますし、何よりも、震災以前であれば当然のような子どもたちの遊ぶ姿に涙する母親たちを見るにつけ、ここにこそ「いと小さき者」たちがいるという事実を、厳かな思いで受けとめさせていただいています。

5．希望を持って希望を運ぶ

被災地の復興は遅々として進みませんが、それでも津波被災地は少しずつではあってもやがて町が再建していくでしょう。しかし原発被災の地域では先の見えない放射能汚染との闘いがこの先もずっと続いて行きます。子どもたちの中にも将来への不安は次第に積もりつつあるのです[6)]。

その一方で社会の中では被災地への関心は少しずつ薄れてきており、支援団体も徐々に撤収の準備に入っています。そのような中で私たちのプロジェクトはスタートし、少なくとも向こう五年間を目指して活動しようとしています。本当の支援はむしろこれから、というのが私たちの実感です。

今後の課題としては、子どもと親が気軽に利用することのできる近くて放射線量の低い地域に「子どもたちの家」を確保すること、医療者と協力して子どもの健康を記録し、フォローしていくこと、中通りの各地区に屋内遊び場や除染の行き届いた野外広場を確保すること、プロジェクトの安定的な運営をしていくためのＮＰＯ法人化や資金基盤の確立などがあります。

どれをとっても手に余る大事業ですが、それらを通して福島の子どもたちの成長を見守っていく責任を、家族とともに果たしたいという志しがあります。子どもたちにいつも寄り添う大人たちがいることを、身をもって示していきたいという願いがあります。子どもたちに未来に向かって生きていける確かな希望があることを、伝え続けていきたいという祈りがあります。

岩手県盛岡市の教会の牧師で、震災直後から宮古、山田、大槌、釜石、大船渡といった沿岸の被災地を支援し続けている友人牧師が記した著書の中に、「希望を持って希望を運ぶ」という言葉を見つけました[7)]。

まさに「いと小さき者」たちへの奉仕は、希望を運ぶ作業であり、この作業に従事する者たちが希望を失ってしまっては決して続けられない働きです。「希望は失望に終わることがない」(新約聖書ローマ人への手紙５章５節)。この聖書の言葉に絶えず励まされつつ、子どもたちに希望を指し示し、子どもたち自身が希望であることを伝えていきたいと願わされています。

※皆様のご支援をよろしくお願いいたします。
郵便振替口座　02270−0−127272「福島県キリスト教子ども保養プロジェクト」

注

1) 本稿は、2012 年 10 月 20 日のシンポジウム「震災と子ども」(東洋英和女学院大学死生学研究所・国際宗教研究所共催「生と死」研究会第 11 回例会)における発題原稿に若干の加筆をしたものです。当日お話しした雰囲気をそのままにお伝えすることにしました。貴重な機会を与えてくださったことに感謝いたします。
2) トルストイ原作、かすや昌弘、渡洋子『くつやのまるちん』至光社、1981 年。
3) 大橋雄介『3・11 被災地子ども白書』明石書店、2011 年、19−21 頁。
4) 「ふくしま HOPE プロジェクト」http://www.fukushimahopeproject.com/
5) 当プロジェクトのコーディネーターによる証言、記録が出版予定です。中島恭子『3.11 ブックレット 子どものいのちを守りたい』いのちのことば社、近刊予定。
6) 福島の子どもたちの切なる声があります。KidsVoice 編『福島の子どもたちからの手紙−ほうしゃのうっていつなくなるの？』朝日新聞出版、2012 年。
7) 近藤愛哉『3.11 ブックレット 被災地からの手紙 from 岩手』いのちのことば社、2012 年。

〈シンポジウム「震災と子ども」発題〉

子どもたちに救われた震災支援

木崎馨雄

福島県小名浜の冷泉寺様を通じてシンポジウム「震災と子ども」での発題を依頼されたのは、2012年の4月でした。その時はまだ、自分自身で震災の活動を振り返る余裕もなく一度お断りしました。また、宗教者としての立場で話をすることに難しさを感じていました。自らを「宗教者」と呼べる代物とはとても思えず、そのことについて私自身が悩み、自己矛盾をやり過ごすために、震災が起こる前から僧職から逃げ、福祉や国際ＮＧＯ活動に長い間没頭していたからです。

ガソリンを運ぶ

東日本大震災が起こる直前、私は個人的理由で人生最大の喪失感を味わい苦しんでいました。そして、そんな時にあの震災が起きたのです。自分の存在意義を見失っていた私は、自分を捧げることを望んでいました。最初の1週間は小松市で物資を集め、被災地に送り続けました。物流が破壊されたため、行政も支援物資を送ることが出来ませんでした。所属していた青年会議所が輸送ルートをすぐに確立したため、我々は小松にある運送会社の倉庫に詰めて、石川県加賀地方全域の行政の集めた支援物資を連日連夜、仕分け梱包し、配送し続けました。そして1週間が過ぎた頃、高速道路が東北までつながったとのニュースを見ました。

当時、東北は燃料不足でガソリンや灯油が全くない状態が続いていました。ガソリンを運ぶには資格がないので、小型のタンクローリーを地元の業者から無理矢理借り受け、灯油を積んで石巻に向かうことにしました。

情報が少なく、どこでどのように配ったらよいかもわかりませんでした。また、福島では原発が爆発してメルトダウンが疑われる報道も外国から入ってきていました。現地の友人からは、被災地は無政府状態で皆が油に血眼になっているので、タンクローリーなんかで乗り入れることは危険だとの指摘も受けていました。当時は、大きな余震が頻発しており、ボランティアの二次被害の心配や、食事やトイレ、宿泊の要求に被災地が応えられない状況が続いていました。そのため現地ではボランティアの受け入れをしていないので、ボランティアに行かないでくださいという報道がなされていました。

しかし、現地で困っている人が確実にいて、自分にできることがあるなら自分のリスクに責任を負って現地に行こうと思いました。自らが経営する自生園の職員・部下に、日頃から「困っている人がいたなら、必ず手を差し伸べなさい」と言っているにもかかわらず、自分が実践しなければ、自分にウソをつくことになる。自分が自分でなくなる、とも思いました。

ただ、自分一人で全てをこなすのは無理だったので、友人に手助けをお願いしました。このような状況で、もしものことがあったらと考え、家族を持たない友人に声をかけました。しかし、本人の命を危険にさらす可能性もあり、悩みながら危険を説明した上で話を持ちかけました。彼らは自分にできることがあるならと、進んで共を買って出てくれました。山岳会のメンバーである彼らに、冬の野宿等の装備をお願いし、行き帰りの燃料や食料すべてを自己完結できるように準備しました。

道中は道路や家々の破損が目に見えて大きくなって行き、背筋が寒くなったのを覚えています、実際はかなり不安を抱えながら東北に向かいました。情報が少なく、とりあえず現地に向かってから、各所で情報を収集して配給を行うことにしました。

石巻に着いてみると本当に愕然としました。あの惨状を目の当たりにして言葉を失いました。徹底的に町は破壊され、沿岸部はまさに焼け野原の様でした。あの惨状を目の当たりにして、とても東北という別の地域で起こった他人事とは思えず、僕たちの日本がこんなことになってしまったと感じました。必ず日本を立て直す。それまでは絶対に止めないと心に誓いました（写真 1 参照）。

我々は、まだ捜索も行われていない瓦礫の山を横目に見ながら配給を始めました。忠告されていたような危険なことは全くなく、人々は秩序を守り助け合っていました。体育館の様な避難所にはすでに自衛隊などが入っていましたが、半壊で流され残った集落などは陸の孤島と化し、物資に困窮していました。そのような集落の配給場所に到着すると、住民の皆さんは我先になどということもなく、各戸に配給が来たことを伝えて回ってくれました。そして自分たちで交通整理をして整然と行列を作りました。そして我々に口々にお礼を言ってくださいました。しかし我々のタンクローリーは小さくて、100世帯分程配ると燃料はすぐに底をつきました。まだまだ後ろには長蛇の列が続いています。我々は「本当に申し訳ない」と謝りました。しかし、配給を受けられなかった列の人たちにもお礼の言葉を頂きました。灯油が前の人で終わってしまい、あと一人で配給をもらえなかった人の顔を見た時、いてもたっても居られず「すぐに取りに帰るからしばらく待っていてね」と石川県まで灯油を取りにとんぼ返りしました。そこから、私の東北通いが始まったのです（写真２参照）。

写真１

写真２

被災地の惨状

マイナス６℃～７℃の中、道の駅の芝生でキャンプをしながら、避難所になっている福祉施設や、取り残されている半壊の住宅街などを中心に何度も灯油を運びました。同時に小学校の避難所にも物を運ぶようになりました。避難所はどこも酷い有様で、せっかく津波から助かったのに寒さによる低体温症で亡くなった方もいらっしゃいました。水・食料・物資不足はもちろん、極寒の中、ヘドロまみれで生活して非常に不衛生、不健康な状態が続きました。特にライフラインの寸断が環境を悪化させました。トイレの問題は深刻で仮設のトイレを外に設置しても手も洗えず、トイレの汚れを掃除することもできない。校舎の二階三階に生活するお年寄りが、校庭のトイレに用を足しに行くのは非常に困難な事でした。もちろんお風呂などには入れず、風邪、ノロウイルス、肺炎などが蔓延しました。

特に石巻は被災の規模が巨大で、行政自身も被災していたので避難所などの運営システムが構築できませんでした。避難所は260か所を越え、避難者は5万人といわれていました。避難所によっては、震災から二週間以上経っても避難者名簿すらなく誰がどこにいるかわからない状態でした。管理する市職員や他県からの応援者が日替わりで入れ替わり、すべての事がつながらない状態が続きました。私も社会福祉関係者として石川県健康福祉部からの依頼で避難所に出入りするようになりました。ポータブルトイレの設置や、パーテーションの手配など避難所の環境整備をしたり、石川県からの介護士派遣の段取りをしたり、ボランティアの受け入れ場所や、宿泊場所をコーディネートしたりということをするようになりましたが、何か巨大なものを目の前に毎日が積んでは崩しの繰り返しでした。

避難所には津波に我が子をさらわれた母親が子どもを探してさまよい、各避難所を巡って生き別れた尋ね人の張り紙をして回っていました。そこかしこで、遺体が見つかる。生活している避難所のすぐ脇のがれきの中からも。安置所になっている体育館には遺体があふれ、人々は毎日家族の遺体を探して回っている。その様相はすさまじく、本当に尋常ではない状況でした。あの世とこの世の狭間に落ち込んでしまったような錯覚を覚えました。私自身も少し心がおかしくなっていたような気がします。

毎日寒さとヘドロにまみれて、今日一日を生きぬいている世界から石川県に帰ってくると駅やショッピングセンターはピカピカで明るくて暖かくて、カップルがオシャレをして笑いあいながら歩いていました。被災地と他地域とのそのギャップに耐え切れず、また東北に向かう生活が続き、経営する施設にも迷惑をかけました。けれど会社も私のことを応援してくれました。

また、多くの人が身元不明のまま誰の祈りもなく埋められていく様を、僕たち僧侶は黙って見ているしかありませんでした。特に仙台周辺では行政の管轄である遺体安置所や、仮土葬場には宗教関係者は入れなかったのです。何百人も安置されている遺体安置所の外でひたすら祈るしかありませんでした。作業員にまぎれこませてもらい作業着の下に袈裟と数珠をつけて心の中で祈りをささげていた仲間もいました。僧侶としての無力感も味わいました。

出来ることは何でもしようと、あちこち走り回ったけれど、一体何ができたのだろうかと思います。今考えれば多くの事をしたけれど、その時は本当に無力感でいっぱいでした。支援をしに来たつもりの自分たちの心が傷つき折れて縮こまっていました。石川県に帰りたくて仕方がない時期もありました。しかし帰ってもそのギャップに苦しむだけで結局は居場所がないような気持でした。

一人ひとりに寄り添う

そんな時、石川県から避難所への介護職員派遣第一陣を務めた当法人自生園の２人の部下職員から教えられました。彼らは、第一陣ということもあり宿泊場所が確保されないまま、お寺のお堂の一角に私と一緒に宿泊し、業務の確立から始めました。トイレなど避難所の環境整備や、避難者名簿作成、ニーズ把握から始めました。被災者一人ひとりに話しかけ、向き合い、傷を負った方々に一生懸命寄り添っていました。避難所では、認知症の症状が出ているお年寄りがいて周りが困っているという訴えがありました。夜中に大声を出したり、排泄をうまく出来ず周りに迷惑をかけていたのです。しかし、その人は認知症でもなんでもなかったのです。目の前で伴侶を流され、毎日スコップをもって家の周辺に通って妻の姿を求めさまよい続けていました。夜にはうなされ、ショックで尿意や便意も感じられなくなっていたのです。彼らは毎日そのようなお年寄りに寄り添い、一緒に泥かきに行くこともありました（写真３参照）。

何か大きなことばかりやろうとしていた私は、いろんな所で頓挫していました。彼らの姿を見て、一人ひとりに寄り添っていけばいいんだと教えられ、思い直しました。それから真言宗の寺院関係のご縁で、福島のいわきや南三陸の小さな避難所で、顔の見えるつながりの中で活動するようになりま

写真３

した。

自らも被災しながら、ボランティアに自坊を提供してくれていたお寺さんに入り浸るようになっていました。当初はマイナス気温の中テントで野宿していましたが、どこからか私のことを聞きつけ、泊まりに来いと連絡がありました。灯油を運んだタンクローリーで弘法寺さんを訪ねましたが、道がよくわかりませんでした。住職さんは雪の中、大通りまで出て何十分も僕たちが通るのを待ってくれていました。優しさに涙があふれ、心で手を合わせ拝みました。そこでも、多くの仲間を得ました。

避難所では本当に辛い思いをしている方々がいらっしゃいました。南三陸町の小さな避難所では家族を流されてしまったお年寄りが身を寄せ合って暮らしていました。そんな皆さんは私たちへの配慮なのか、自分たちを鼓舞するためか、毎日明るく笑い合って過ごしていました。物資を持っていくたびに、おばあちゃんたちは「何にもないけど……」とインスタントラーメンを作ってくれました。「あったかいモン食べられておいしいよ」と言うと本当に嬉しそうでした。「モノを持ってこなくてもいいから、顔を見せてくれればそれで嬉しいんだよ」と言ってくれました。人は一方的に施され続ける存在では、あり続けられないのだと感じました。私たちもおばあちゃんたちとの交流を通じて、荒んだ心が癒されていったからです。本当は私たちのための物資ではないので、良くない事かもしれませんが、行く度にありがたく施しを受けました。

皆さん明るく気丈に振舞っていましたが、ある日小さな音楽会を開催しました。みんなで「ふるさと」という童謡を歌ったとき、堰を切ったように泣き出しました。みんなで泣いて歌って、歌って泣いて。「ずっと我慢してたけど、今日は泣けて良かった。」みんな精一杯我慢していたのです。お互いに少し心が解放できるようになってきたのかもしれません（写真４参照）。

写真４

私自身も震災当初からしばらくの間、新聞社などから現地の話をしてほしいという依頼に応えることが出来ませんでした。無力感でいっぱいでしたし、少し話そうとするとなぜか涙があふれて言葉に詰まってしまったからです。ようやく震災の事を言葉にすることが出来るようになっていきました。

そして次第に、避難所で子どもたちと遊ぶようになって、子どもたちとつながっていきました。南三陸だけでなく福島の子どもたちとつながって、普段の遊び相手、絵本の読み聞かせ、青空劇団などをやるようになっていきました。疲れていた我々は彼等に本当に癒されました。心のケアをうたいながら、どっちがケアしに行っているのかわからなくなっていきました。

そうした人と人とのつながりを求めて、東北に通い続けました。その原動力は、宗教的価値観に基づく社会的行動というよりは、個人的な感情に依存するところが大きかったと思っています。最初の灯油の配給で、あと一人で配給をもらえなかった人の顔を見てしまった時、「無くなっちゃった。ごめんね。すぐ持ってくるよ」ととんぼ返りした行動が、今でも続いているのだと思います。なぜ被災地に行くのかと問われれば、“見てしまった。会ってしまった”からとしか言いようがありません。そして子どもたちのつながりの中で、与えあう関係を通して、私自身も生命力を取り戻して行ったのです。

子どもたちの成長と将来

ただ、福島のいわき周辺の避難所の子どもたちは深刻な問題を抱えていました。避難先で「放射能がうつる」といじめられたり、生活が一変してしまって引きこもりになってしまったりしている子どもたちもいました。そんな子と遊んであげたり、時には遠足に連れて行ってあげたりしました。元気がない子どもたちに笑顔が見られるようになると、とてもうれしく感じました。その元凶は数十キロメートル先で爆発した福島第一原発でした。

放射能の被害は深刻で、たくさんの人たちが他県に避難しました。国が正確な情報を出さず、安全キャンペーンを張ったので、いっそう混乱し子どもたちは翻弄されました。引っ越した子も残った子も、家族や友達との突然の別れを余儀なくされました。バラまかれた放射性物質は目に見えない身体への影響と同時に、人のつながりを分断するものでした。教室から毎日一人減り二人減りする中で、危険な状態の中に残らざるを得ない子どもたちがたく

写真５

さんいました。その状況を何とかしてほしい、という親御さんたちの声が聞こえるようになってきました。そして夏休みに福島市を中心とした地域の子どもたちを約1か月、石川県にてお預かりしました。皆、様々な事情で逃げたくても逃げられない状況にある家庭の子どもたちです（写真５参照）。

子どもたちの健康被害は相当心配されます。少しでも安心な環境で過ごさせてあげたいと願う親たちの気持ちは切実でした。子どもたちも、家と学校の教室、体育館の中だけでしか遊ぶことは許されず、真夏でも長そでにマスクをして生活していました。もちろん自然の中で遊んだり、プールや海で遊んだりすることもできません。ストレスも相当蓄積していました。

安全な地域にいればセシウムを体外に排出する効果が見込まれ、蓄積も抑えることが可能なことから、少しでも放射性物質の心配のない安全安心な環境で過ごしてもらおうと考えました。と同時に、福島ではできなくなった「自然の中で思いっきり遊ぶ」ことで、子供たちの免疫力を引き出してあげようと考えたのです。

そんな子供たちと1か月、廃校になった保育所で共同生活を始めました。自然の中で思いっきり遊んで、青白かった彼らは、みるみる元気に、真っ黒になっていきました。彼等との共同生活を通じて子どもたちとの絆も生まれ、彼らの著しい成長を感じました。サマーキャンプでは、出来るだけ私たちが育った子どものころと同じ環境にさせてあげられたら、という思いも持っていました。「危ない」とすべてを管理するのではなく、適度にほったらかしてくれる大人であろうと考えました。子どもたちは限られた環境の中で遊びを生み出していきました。学校や自治会等では、やらせないような危ないこともたくさんやらせてしまいました。川への飛び込みも、最後には大人でも飛び込めないような恐ろしく高いところから飛び込めるようになりました。大きい子のやることに、小さい子も挑戦する。ちょっとあぶない事ってワクワクするし、子どもの頃は私たちもいっぱいしてきました。小さなケガもいっぱいさせてしまいました。出来ることをやるのでなく、できないことに挑戦する。そんなことが出来ていたら良いと思います（写真６参照）。

写真６

私たち大人も一緒に楽しんで、大人になるって楽しいことだと思ってほしいとも思いました。ほんとうにご家族の皆さんには、多大なるご心配をおかけしましたが、今ではキッズキャンプの子どもたちやご家族の中から、我々の活動のスタッフとして様々のボランティアに協力してくれる人も出てきています。

はたして、この子どもたちはつらい状況にはあるが、「不幸」なのかと思うときがあります。こういうことを、今の娑婆は子どもたちから取り上げてしまったのではないでしょうか。体育館のようなごった煮の避難所でも、このサマーキャンプでも、海外での難民キャンプや貧しい山岳地などでも感じることなのですが、子どもたちの順応力と前を向いて行こうとする力、成長力には驚きます。逆境の中にいる被災地の子どもたちのたくましさを知りました。幸い状況の中からでも成長を得ることが出来るのが、子どもの特権ではないでしょうか。現代では年の違う子ども同士がこんなに長い間、共同生活するというのは貴重な体験になってきています。子どもたちは親のいない環境で、年の違う子どもたちの中で、徐々に上下関係や序列も含めた子ども同士の関係性を構築し、社会性を身に着けていきました。避難所では、大人にとってのストレス状態である異常に密接した関係の中で、子ども社会を作っていきました。昔もガキ大将がいたようにリーダー的な存在が生まれ、リーダーの言うことをみんな聞くようになっていく。多少解決の仕方が上手くなくても、大人は口を出さない。ケンカもなるべく子どもたちで解決させました。結果がどうあれ、あとで大人が話を聞いてあげれば、ほとんど介入しなくても済みました。

でも怒るときは、めちゃくちゃに怒りつけたりもしました。どなりちらして申し訳なかったけれど、理不尽な大人たちとの付き合いにも慣れていきました。親や先生以外の大人との濃密な関係の中で大人との距離感をつかんで

写真７

いく。そして、大人とのやり取りを通じて、ちゃんと自分の言葉で意見を言うようになってくる。ほんとうに福島の現実はつらい状況が続いているけれど、彼らは今後日本を背負うような、素晴らしい大人になっていくと思っています。

一方、親たちの思いは複雑でした。一か月もの間、見ず知らずの私たちに子どもを託すということは、よほどの心配があったからに他なりません。福島を離れたい、離れたくない、離れられない。恐れや孤独や後悔などいろんな感情に打ちのめされていました。もしかしたら自分たちにとんでもないことが起こるのではないか、という不安に常に苛まれています。その後も、そんな親御さんたちのご要望に応える形で、春休みと今年の夏休みと合計三回の長期合宿を行いました。その間何度も福島に親御さんたちを訪ね、親交を重ねてきました。今では子どもたちはもちろん親御さんたちとの絆も生まれました。この信頼に応えられるよう、これからもずっと寄り添って行ければと思っています（写真７参照）。

子どもの放射能被害

ガラスバッジ線量計を身に付けられ、移動車両の中に入ってホールボディカウンターで内部被爆検査を受ける生徒たちは、自分たちが普通ではない状況にあることをわかっています。原発という大人の欲望の凶器に今でも苦しめられています。先日は何事も低く見積もる政府発表で、大気中に放出されたセシウムの量は広島原爆の168個分だということが報告されました。広島では今でも原爆後遺症に悩む人が沢山います。1990年以降、ベラルーシ、ウクライナ、ロシアのCIS３カ国において小児甲状腺ガンや白血病、染色体異常による障がいや奇形等の著しい増加が報告されました。そんなことがこの日本に起こらないと誰が断言できるのでしょうか。しかも、国も県も事故直後から情報を意図的に隠ぺいし、放射線からの有効な避難指示や、ヨウ素剤の配布をしなかった。このことは重大な犯罪行為に等しいと思っています。

被災地では半年がたち一年がたち、時間がたつにつれ、前に向かって進もうという明るい兆しが見えて来ました。我々は仲間を募って仮設住宅へ芋煮会に行ったりする中で、徐々に被災した方々が落ち着きを取り戻してゆくのを感じました。津波で全ての船が流され、生きる糧を失ってしまった漁師さんに中古漁船を送る活動も行ってきましたが、海の男、海の女の生命力と、自然と海の回復力に驚かされました。

しかし、福島を中心とした放射能被害の現実は、収束どころか今から始まると言っても過言ではありません。学校では転校先で「放射能がうつる」と、いじめが起こったこともありました。福島では様々の人の、様々な事情の、様々の立場の違いによって分断が起こってきています。その分断には恐れ、無関心、諦めなど負の反応でしか応じられなくなってきます。福島を離れることに「裏切り」的な圧力を感じ、黙ってこっそり転校をしていく家庭も多いと聞きます。ある日突然次々と教室から友達が消えていくのです。いろんなことに目をつむって「普通」に戻ろうとしている「普通」の人たちが、悪気なく弾圧をしていることもあります。

この夏に福島県立相馬高校の女子学生たちの演劇を招いて、金沢で公演を開催しました。彼女たちは言います。「私たちはこれから結婚でも差別される。将来結婚して、もし子どもに障がいがあったりしたなら、絶対私のせいにされる。」「どうして大人の世界はおかしなことばかりなの？」「どうして大人は将来の子どもの為と言いながら、私たちの言うことを聞いてくれないの？　私の目を見て話してよ！」成人式では着飾った新成人の女の子が、「もう私はこの福島で生きていくしかない。逃げる所なんてないのよ。福島で生きて、福島で結婚するしかない。誰が福島の娘を嫁にもらってくれると思う？」と言っていました。キッズキャンプの子どもたちは「どうして政治家や偉い人たちはみんな嘘ばっかり言うの？」「なんで電気を作るのに原発が必要なの？　電気は別のもので作ればいいじゃん？」と私たちに聞いてきます。その問いに、僕たち大人はどう応えて行くべきなのでしょう。大人の都合や、たて前などで彼らを裏切ってはいけない。子どもたちは大人のウソを見破っています。信頼に足る大人として真剣に彼らに向き合っていくことが、私たち大人の務めなのではないでしょうか。

そしてこのような一連の事態を引き起こしたのはいったい誰なのでしょうか。この事故を引き起こした連中は誰もその責任を取らず、その収束も終わらぬまま自分たちの利権のためにまた原発を再稼働させようとしています。電力会社や政府はこの夏の電力不足をあおり、大飯原発を再稼働させましたが大飯の発電量を差し引いても、この夏電気が足りなくなることはなかったのです。結局はお金の為に原発を動かしたのです。そして、あれだけの事故を起こしたにもかかわらず、安全キャンペーンを張って国民の健康を守ろうともしていない。安全な被爆など存在しないのです。

今まで、原発の恩恵を受け続けた私たちにも責任があると思っています。原発を容認してきたのは我々市民です。今こそ過ちを認め、社会を変えていくべきではないでしょうか。今までの経験から鑑みると、政治家は世界を変えられません。政治家が何かをしてくれるのではなく、政治家を動かすのは有権者の世論であり、変えていくのは私たち市民です。もっともっと政治や行政、電力会社に対して声を上げていくことが大切でしょう。

再生可能エネルギー

原発の問題は電気が足りないという問題ではありません。非常に危険な核のゴミを数十万年間の将来に残し、事故のリスクより現在の「お金」を優先させる、子どもたちに対しての背信行為です。子どもたちの命や将来と、今の自分たちの豊かな生活を天秤にかけているのです。どちらが重いかは誰が見ても明らかです。この天災を人災に変え、人をエゴと欲望に駆り立たせ、子どもたちの生命を犠牲にし、人と人とを分断し、海外から賞賛を浴びた日本人の秩序と礼節を帳消しにした原発という巨悪の根源を断っていかねばなりません。

ではいったいどうすれば、よいのでしょう。具体的な脱原発の為の出口施策とロードマップが必要です。私たちが出した答えは、「エネルギーをわが手に取り戻そう」ということでした。実際、年に数十時間程度のピーク時の電力不足分は、揚水や小水力、民間発電を活用し、また、ピーク時電力の高価買取を進めることで十分解消、効率化できます。発電と送電を分離し電力自由化で企業努力を引き出せば電力は足りなくはならないのです。さらに生産供給がピークアウトしてしまった高価な地下エネルギーを、自然再生可能エネルギーに転換していくことが将来を見据えた国策として必要です。

自生園はそのために再生可能なバイオマスエネルギーを推進しています。地域で発生する木くずや間伐材を原料に木質ペレット燃料を製造する工場を設立しました。その燃料は自生園のお風呂を沸かすボイラーや暖房に使われます。特に問題となっている杉林の間伐を推進することで、森を再生し健康な森を保つことが出来ます。石油や電気をどれだけ使っても地域にお金は残りません。お金は中央へ、産油国や石油メジャーへ、電力会社とそれを取り巻くムラへ流れるだけです。木質エネルギーを使えばお金は地域で循環し、地域にお金が残ります。わざわざ多大な労力をかけて遠い所からエネルギーを運んでこなくてもエネルギーは身近に溢れています。

今まで捨てられ、あるいは放置されていた地域の森林エネルギーを有効に活用することで、電気も石油も使わなくて済みます。木質エネルギーを燃やして出る二酸化炭素は、もともと空気中に有った二酸化炭素が木々の光合成により木の中に固定化されたものです。地下エネルギーはもともと大気中に無かったものを燃やすので、大気中の二酸化炭素を増やしてしまうのですが、森が健康に維持される限り木質エネルギーを使うことは二酸化炭素を増やしません（カーボンニュートラル）。かつて日本人が炭や薪を使ってきたように、森を健全に保ち、二酸化炭素を循環させることになり地球温暖化防止に役立つのです。また、木質ペレットは非常に扱いやすく熱効率にも優れています。電気は熱エネルギーでタービンを回すことで発電します、ところが、その発電でのロス、送電のロス、そして再び電気から熱エネルギーを取り出すロスが起こり、実際は30％程度しか熱効率がありません、熱は熱として使うのが一番効率が良いのです。

自生園では電気や地下エネルギーから自然エネルギーへの転換を実際にやって見せることで、地方からエネルギー革命を起こして

写真８

いきたいと考えています。自分たちの時代が良ければそれでいいという世の中ではなく、将来に負の遺産を残さない、持続可能な循環する社会をつくる。子どもたちが、前を向いて歩いて行けるような社会を作る。それをキッズキャンプの子どもたちに約束したので、諦めずやり続けるのが我々の使命なのではないかと感じています（写真８参照）。

助けられる活動

あれから２年近くがたっても東北の苦しみは続いています。先日、津波で自分だけ助かってしまった学校の先生とお会いしました。自責の念と、親御さんからの追求に完全に精神が壊されてしまい、未だ社会復帰が叶いません。福島では、子どもたちは命の根源である土や水、森の木々や草に触れられません。家を追われた人たちはどうして生活を再建すればいいかの将来が見えません。家族全員が流され、自分だけが生き残ってしまったおじいさんの仮設の部屋には位牌と遺影が４つ並んでいました。家族を全員亡くし、独りぼっちになってしまった女性は毎日泣いていました。

今でも、苦しみは続いています。東北も私の人生も。震災のこの時に自分の苦しみがオーバーラップしたのは、偶然ではなかったのではないかと勝手に思っています。私は、被災者に手を差し伸べていると思っていました。しかし、手を差し伸べられていたのは私の方だったのです。今では、多くの仲間たちと東北支援の活動を続けることもできています。

特に子どもたちとの出会いには感謝しています。大変な状況の中の、あの屈託のない笑顔には何度も助けられました。彼等にも「助けられている」という感覚は無く、もはや助ける助けられるという関係ではなくなります。

震災当時、障がい児の多い避難所などではなかなかボランティアが定着しませんでした。加減を知らない子どもたちは暴力や暴言でしか表現できず、苦労しました。しかし何度か通うにつれ遊び相手として認めてくれたようで、顔中舐めまわされました。あの笑顔、つるつるのほっぺ、抱っこした子どもの重みや肌触りになんど癒されたかわかりません。「モノを持ってこなくてもいいから、顔を見せてくれればそれで嬉しいんだよ」と言ってくれた避難所のおばあちゃんたちと一緒に泣いた音楽会も同様でした。辛くてつらくて何度東北から逃げて帰ろうと思ったことか。そのたびに誰かに助けられたような気がします。私の活動の背景にあったのは宗教教義に基づく信念や思想に基づいた行為ではなく、自己の生き方や苦しみの共有の中にある救いでした。私の活動は「助けられる活動」でした。宗教者としてこのシンポジウムにご招待いただきましたが、宗教的お話ができずとても恐縮しました。にもかかわらず寛容に受け入れて下さった関係者の皆様に深く感謝いたします。ありがとうございました。

〈活動報告〉

「かもめの一日」をめぐって
――被災地域での共創的な身体表現の試み――

西　洋子・永浦典子・三輪敬之

1．はじめに

東日本大震災以降、被災地域ではさまざまな活動が行われている。生命の救出や維持といった緊急な課題に対応する初期の段階がいくらか落ち着き、復興へと向けた日々の生活再建やコミュニティの再構築、次世代を担う子どもたちの未来へと向かう遊びの支援や教育活動も増えてきた。私自身は、人が生きることと身体で表現することとのかかわりを、研究や実践を通して模索する者として、さまざまなご縁のもと、ささやかではあるが被災地域の子どもたちやその家族と一緒に、身体での表現を通して出会いつながり合うことを目指した小さなワークショップを、主に宮城県内で継続している。この試みは、身体表現の共創や共創の場のデザインの研究で、この数年間、共同研究を進めている早稲田大学理工学術院の三輪敬之教授ならびに研究室メンバーとの協働である。

さて、被災地域での身体表現活動とはいっても、関東で暮らす私たちには、当初は、どこで何を行えばよいのか見当もつかず、現地とのわずかなつながりを頼りに、各地域を訪ね歩きながらの試行錯誤を続けていた。それでも、月に１度ほどの割合で宮城に通い続けてみると、１年ほど経過した現在では、現地と関東とを表現でつなぐ共創の新しい形が、少しずつみえはじめてきたようにも思える。本稿では、私たちに、宮城との最初の出会いをもたらしてくれた名取市の永浦茉奈ちゃんとの表現活動を、お母様の永浦典子さんとともに振り返りながら、この１年あまりの被災地域での活動を報告していきたい。

2．身体表現ワークショップを構想する前に

2.1．現場に身をおく

実際の表現ワークショップを構想する前に、まずは、被害の大きかった地域を訪ね、現場に身をおくことからはじめてみた。私たちが定期的な活動を開始した2012年4月は、震災から1年以上が経過した頃であったが、それでも、津波の痕跡が刻まれた海沿いの地に立つと、あの日以来、メディアから断続的に流れてくる情報を、現場とは離れた自分の日常の中で受け取る際とは全く異なる感覚が、身体に湧き上がってくることを実感した。

私たちは、現地での活動のコーディネーター役を担ってくださる知人のHさん（仙台市在住）の案内で、2012年の4月1日に名取市閖上地区（写真1）や亘理郡亘理町荒浜地区（写真2）といった、公的な交通が遮断された地域を訪ねることができた。閖上地区の一画には、奇跡的に残ったとされる神社跡の盛り土のような小高い場所があり、そこが訪れる人々の祈りの場となっていた。

写真1：名取市閖上地区（2012年4月1日）

写真2：亘理郡亘理町荒浜地区の瓦礫（2012年4月1日）

長年、仙台で暮らしているHさんは、車から降りる度ごとに「ここには賑やかな街があって、この場所に友だちの家があった……」「ここには海釣りのできる海浜公園があって、休日には一人でのんびりと釣糸を垂らした……」「ここには眺めの良い温泉があって、家族でよくでかけた……」とつぶやきながら、眼差しを彼方へと向けるのであった。この場所が、自分自身のそうした記憶とは結びつ

かない私は、見渡す限りの灰色の風景に圧倒され、言葉なくただ呆然と立ちつくすばかりであった。いくらか落ち着き、目を凝らすと、遠くにかすむ海と眼前に広がる光景とのあまりのちぐはぐさに、身体が大きく揺らぐような心地がした。なぎ倒された木々や電柱、あちこちが陥没し途切れている道路、積み上げられた瓦礫が放つ不可解な色、かたち、匂い、そこに響きわたる波や海風の音、カラスの鳴き声……。それらがまとまって私の身体に入り込んでくる感じと、同時に現れるさまざまなイメージを言葉に置き換えることは大変に難しい。そうした理性的な作業よりむしろ、この光景と身体が受けた感触とを、忘れることなく留め保つように努めたい考えている。

2.2. 仮設住宅を廻る

続く5月には、石巻市の仮設住宅を訪ねた。震災直後からボランティアとして石巻市に入り、そのまま在宅の高齢者への支援活動を継続している作業療法士のKさんと理学療法士のDさんが、普段巡回している仮設住宅に私たちを案内してくれた。仮設住宅にでかける前に、多くの児童が被害にあった石巻市立大川小学校に立ち寄った。北上川沿いの本当に美しい風景の中、豊かな流れを湛える川に向かって校舎は建っていた。裏山には、津波の高さを示す印が刻まれていて、あの日、この校舎全体がのみ込まれたことは明白であった。

その後私たちは、海岸線に迫るように連なる山の、中腹にある公園の敷地内に建てられた小規模な仮設住宅を訪ねた。この地域の方々の生活の場である海からはもとより、街からも遠く離れたこの場所に暮らすのは、通勤や通学に影響のない高齢の方々ばかりとのことであった。天気の良い春の日の午前の時間帯にもかかわらず、戸外に人影はなく、室内のテレビやラジオの音だけが静かに響いていた。そんな中、小さな女の子があるお宅からでてきて、私たちを見ると逃げるように別の家へと駆け込んでいった。それでも外部からの訪問者が気になるらしく、玄関先から顔をのぞかせたので、声をかけ少しお話をしてみた。両親と学校に通う兄弟たちのいる街中の仮設住宅はとても狭いため、この山に暮らす祖母に預けられているという5歳児であった。この地区の仮設住宅には、女の子以外に子どもはおらず、日々をともにする人は全て高齢の方々である。つまりこの1年余りは、同年齢の子どもとの交流が極端に制限される暮らしを余儀なくされてきたことになる。復興へと必死で向かう大人たちの背後に、子どもたちのこうした現実もあるのだと知らされる思いであった。立ち話程度ではあったが、お祖母様とお話をすることができた。「あそび相手もしてやれなくてね、この子のためには保育園に通わせなくては」と話されたので、「大変なことなのでしょうが、近いうちにそうされるとよいですね」とお伝えした。

女の子が駆け込んだ家の奥から「よかったら、どうぞ」と声をかけていただき、私たちは、震災前は浜で仕事をしていたという高齢の女性のお宅に招き入れていただいた。「飲みなさい、飲みなさい」と、数名で押しかけた私たちのために、つい先日、まとめ買いをしたのだという缶ジュースをだしてくださった。初めて入る１ＤＫの仮設住宅内は、まさに生活最低限のスペースのみの狭さではあったが、ベッドを兼ねた急ごしらえのソファーに、今日はじめて出会った数人が並んで腰かけ、だされた飲み物を恐縮しながらいただく時間は、とても温かで豊かであった。テレビのローカル局から流れる復興関連ニュースを眺めながら、「誰もが大変だ、がんばらなければ」とつぶやいた横顔には、これまでの人生を海と向き合って暮らしてきた女性の、芯のある力強さと大らかな優しさとが滲み出ていた。

次に訪ねたのは、小さな川を挟んで、二つに分かれた仮設住宅群である。一方は規模が大きく震災直後に建てられたため、コミュニティとしての結集力が強く支援物資も多く届くとのことであった。ほんの数メートルの橋を渡るだけではあっても、二か所間の交流はほとんどなく、小規模仮設に暮らす方たちは閉じこもりがちであり、生活の不活性化に伴う身体的あるいは精神的な二次的問題の発生が危惧されるとのことであった。住宅の配置や集会所の場所、駐車スペースの位置、各戸の玄関の向きや形状など、災害時という急場には、充分に検討される余裕なく決められていく外的環境が、そこに暮らす人々の流れや交流のあり方に影響を及ぼし、その後の生活の質を左右する大きな要因となることが実感された。

三か所目は、石巻市内では最大規模という仮設住宅群であった。幹線道路に面し通勤や通学のためのバスも敷地内に乗り入れている。利便性が高いため、近隣に暮らす家族や親戚の訪問も多いようで、この日も何組かの家族の訪問場面を目にした。私たちが訪れた午後の時間帯には、移動図書館の車もやってきていた。

被災され、今なお仮設住宅での生活を続けている方々は、同じ市内ではあっても、それぞれの家族や個々人の置かれた環境によって、その暮らし向きは大きく異なっていた。共通しているのは、必死で生活再建を目指し「一日もはやく仮設をでたい」との願いであると、案内してくれたKさんが話していた。離れたい仮設住宅での日々の暮らしとどのように向き合い、それぞれの未来へとつなげていくのか……不条理ともいえる矛盾を含んだ深い問いを抱えながら、懸命に生きる人々の姿がそこにあった。

3. 永浦茉奈ちゃんとの出会いと表現

3.1. ニュース映像を通じて

震災が起きる以前から、Hさんから「機会があれば、宮城で会って欲しいお子さんがいる、表現で何かが変わるかもしれないから」とのお話をいただいていた。それが永浦茉奈ちゃんである。先天性ミオパチーという筋疾患の女児で、呼吸器をつけ在宅で過ごしているとのことであった。訪問看護の仕事をされているHさんの奥様が受け持っているお子さんであることから、こうしたお誘いを受けたのであったが、雑事に紛れ、伺う機会をつくれないまま日々が流れていた。

震災からしばらく経過した頃、三輪を介してHさんからひとつのニュース映像が届けられた。甚大な被害を受けた仙台空港がアメリカ軍の援助を受けながら、物資輸送の要としての機能を取り戻すべく復旧へと向かうドキュメンタリー映像であった。現地では、昼夜を問わず懸命な復旧作業が行われており、それを担う一人として、航空管制運航情報官である茉奈ちゃんのお父様、永浦誠さんが取り上げられていた。ニュースは、こうした方々もまた被災者であり、家には安否を気づかう家族がいることを伝えていた。そして、茉奈ちゃんとお母様の典子さんの様子が紹介されたのである。地震直後には、近所の人の車に同乗して家を離れ津波の被害を免れたこと、電源が確保できない中、茉奈ちゃんの呼吸器を手動の蘇生バックに切り替えて、それを押し続けながら避難したことなどを、典子さんご自身が語られていた。その時、傍らのベッドに横たわる、小さく不安げな様子の茉奈ちゃん（当時5歳）が映し出されたのである。

3.2. 永浦さんのお宅に伺う

2011年9月15日、Hさん、三輪、西の3名は、夕方の時間帯に永浦さんのお宅に伺った。Hさんと待ち合わせた仙台駅周辺は、夕方のラッシュアワーの時間帯のためか、沢山の車で込み合っていて、車内から目にする限りにおいては、震災の影響は感じられないほどの賑わいを取り戻していた。しかし、有料道路で名取市に向かうと、周囲の風景は一変し、あちらこちらに津波の跡が生々しく残っているのであった。多くの家が流されたという一帯では、数件の民家が、露わとなった枠組みだけを残し風雨にさらされている光景や、海から流れついた漁船が、地面に突き刺さった状態で放置されたままの光景が目に入った。永浦さんのお宅のある新しい住宅地は、周囲のそうした状況とは異なり、家が流されたような形跡は見当たらなかった。永浦さん宅も一階部分は浸水したとのことであったが、本来の地形や、周囲を流れる小さな川の影響で、同じ地区ではあっても被害状況は大きく異なっているらしかった。

初めてお宅に伺う私たちを、茉奈ちゃんとご両親はとても温かく迎え入れてくださった。初対面の茉奈ちゃんは、映像よりもさらに一回り小さく感じられたが、突然の訪問者である私の顔を、珍しそうに眺める瞳が実に印象的であった。その後、Hさんの知人で仙台フィルハーモニー管弦楽団の打楽器奏者である竹内将也さんも加わった。

「私に、何かできることがあるだろうか」と不安に感じながらも、具体的な案を持てないままの訪問であったが、ご家族の温かな雰囲気と、茉奈ちゃん自身の好奇心いっぱいの眼差しに後押しされて、「きっと、何かできるだろう」とベッドサイドでお話をはじめてみた。以下は、茉奈ちゃんとの初めての表現について、直後に記した記録の一部である。

3.3. 「かもめの一日」第1回記録（2011年9月15日）（写真3、4）

茉奈ちゃん（5歳女児）は、筋疾患で人工呼吸器を装着し、寝たきりの状態にある。ご家族の話によれば、日常的な言葉は理解しているとのことであるが、自ら話すことは呼吸器の影響で困難なようで、ようやく聞き取れるほどの音量で単語を発話するのが精一杯である。茉奈ちゃんのご自宅のベッドサイドで、まずは挨拶を交わしながら、いろいろとお話をしてみた。言葉の

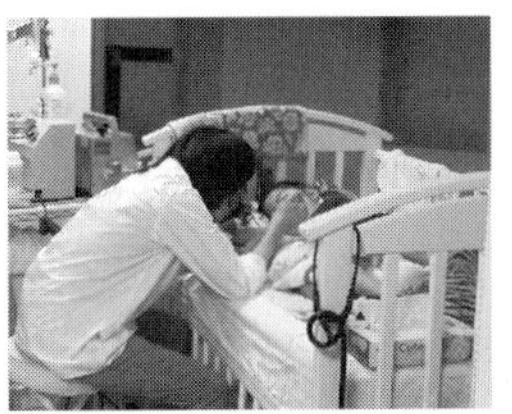

写真3，4：茉奈ちゃんとの出会い「かもめの一日」（2011年9月15日）

リズムにのせて、彼女の身体に触れながら、可動部位を探した。一緒に活動した30分程の時間の中で、私が探し得た彼女の動く部位は、瞼と手の親指と足の裏の真ん中あたりで、その動きは「かすかに」というほかは描写できない状況であった。その3つに、私はそれぞれの指で触れながら、まずは動きでやりとりを行った。軽くタッチしたり、少しゆっくりと押したり……茉奈ちゃんの反応はとてもよく、私の働きかけに応じて、最初はそれと同じリズムでその部位を動かすことが繰り返された。そのうち、会話のように、私の呼びかけに応じて彼女なりの表現が返ってくるようになり、そうなると、二人のあいだでストーリーが展開しはじめた。そこで、最も動かしやすそうな親指と私の人差し指を合わせ、「手合わせ表現」のようにいろいろな動きを試してみた。私たちの世界にスピード感がでてきたので、空を飛ぶよ……と促すと、私のはばたきに茉奈ちゃんが同調してきた。鳥の話をしていたら、「家の前のカラスは、鳴き声がうるさいから嫌いなんだよね」と後ろからお母様が教えてくださったので、「白い鳥もいるんだよ……かもめにしましょう」とかもめが主人公のお話になっていった。白いかもめが空を飛んで、海にざぶんととび込んで……と動きはじめると、とても生き生きとした表情になって、懸命に親指を動かしはじめた。「沢山あそんでお腹がすいたから、ごはんを食べましょう」と、今度は足の裏に移って、餌をついばむように彼女の足の裏の真ん中をつつくと、それに応じて、リズミカルに足の裏を動かした。「お腹もいっぱいになったから、おやすみなさい……だね」というと、今度は自ら瞼を閉じて表現した。二人のあいだに生まれる物語をからだで表現する力に溢れていると感じた。

茉奈ちゃんと私との表現の試みでは、身体や動きという行為的側面だけを取り出すと、彼女の側はほとんど反応していないようであっても、私は茉奈ちゃん自身とからだで出会い、私たちの世界を創り合ったと実感し得る時間をもつことができた。彼女の身体のかすかに動く三つの部位から編みあげた三つの場面を、二人で幾度となく繰り返しながら、私たちなりの「かもめの一日」という物語を創った。そのときの私たちの出会いと創り合った表現世界は、茉奈ちゃんと私だけに閉じたものではなく、表現の場に居合わせた彼女のご家族や介護に携わる人々にも伝わり得るものであったと思う。

3.4. 震災後の茉奈ちゃん

次に、本稿をまとめるにあたり、茉奈ちゃんの母親である永浦典子さんが記してくださった文章の中から、震災後の茉奈ちゃんの様子に関するものをご紹介する。

震災後のこと（永浦典子）

震災直後は電源確保ができなかったのと、自宅の浸水のため、病院に２週間程入院しました。その後、３ヶ月のアパート生活を経て自宅に戻りました。娘は自宅に戻ると発熱、嘔吐を定期的に繰り返すようになりました。嘔吐物は出血した後の赤黒いものでした。これは、胃で出血しているためで、原因はストレスが考えられるとの話でした。この症状は半年くらい続き、この嘔吐で体重も少し減り、弱々しく感じられるときもありました。

津波で私の実家が流され、夏からは祖父母との同居が始まりました。これは茉奈にとってよい影響だったと思います。毎日話しかけてもらえるのと、私達とは違う別の刺激を与えてもらえたのではないかと思います。

今思えば、私が茉奈ちゃんと最初に出会った 2011 年９月は、上記のような震災直後の状況を経て、ご家族がいくらか落ち着いた日常を取り戻された頃ではなかったかと思う。茉奈ちゃんが、実際のからだよりもさらに小さく感じられたのは、被災地の多くの子どもがそうであるように、被災時の大きなストレスを内に抱え、それを解き放つ術を見出すことが難しかったからなのかもしれない。一方で、茉奈ちゃん自身の発達や、ご親族との同居という環境の変化もあって、新しく出会う世界に主体的に向き合う準備ができていた頃のようにも思われる。私たちの「かもめの一日」は、そうした時機だからこそ生まれた、大切な表現である。

3.5. 「かもめの一日」をめぐって

「かもめの一日」（永浦典子）

西先生が茉奈と一緒につくってくださった「かもめの一日」のお話。かもめが空を大きく羽ばたいて、またお家に帰って休む。茉奈は一生懸命かもめになろうとしていました。両手で大きく羽ばたくことはできないけれど、自分の動かせる精一杯の力、かすかだけど自分の親指を動かし、かもめの羽になって空を翔ぼうとしていました。動かせる部位はほんの限られた一部であっても、そこを精一杯動かすことで自分の表現にできる。先生に動かせない体の一部になってもらって、大きな表現ができる。そんな新しい楽しさを発見できた「かもめの一日」のお話です。そしてこれが先生と娘との出会いでした。

それぞれの身体を介して表現を創り合う際に生成する生き生きとした感覚や、私たちの新しい物語がからだから生まれでるときの自己と他者との一体感は、私自身の内側の柔らかな部分にしっかりと刻まれていくのだと思える。それは表現を終えた後も、目の前にいない相手を思い、その無事や成長を願う気持ちへと連なっていくかのようである。茉奈ちゃんとの「かもめの一日」をひとつの契機として、私は、茉奈ちゃんやまだ出会っていない被災地域の子どもたちと一緒に、新しい表現を築いていきたいという思いを強く抱くようになっていったのである。

そのようにして、2012年4月からは、定期的な活動をはじめる意志を固めたものの、本稿の冒頭で記したように、どこで何を行ったらよいのか、皆目見当がつかない状況であることに違いはなかった。そこで私たちは、Hさんとも相談をしながら、まずは、現場に身をおくことからはじめてみようということになり、4月1日に被災地を訪ねたのである。そして翌日の4月2日には、再び茉奈ちゃんのお宅に伺った。

今回は、竹内さんとバイオリニストの奥様、そして茉奈ちゃんと同じ年頃の二人のお子さんたちを交えての賑やかな訪問となった。以下、前回と同様の当時の記録である。

3.6.「かもめの一日」第2回記録（2012年4月2日）（写真5）

前回同様、Hさん、三輪、西で永浦さんのお宅を訪ねる。竹内さんご夫妻と二人のお子さんも合流する。

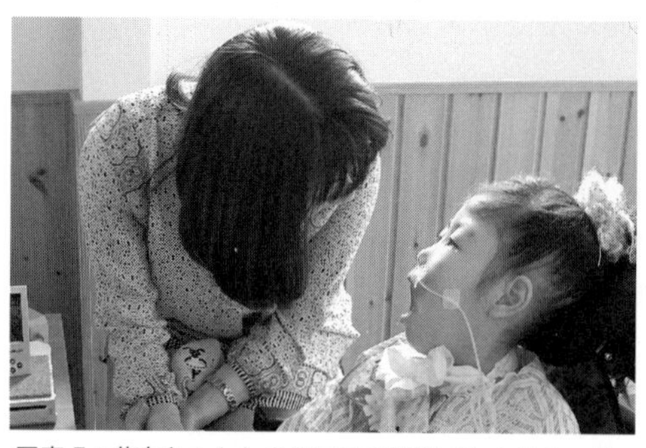

写真5：茉奈ちゃんとの2回目の表現「かもめの一日」（2012年4月2日）

前回から半年が経過していることもあって、茉奈ちゃんのからだは随分と大きくなり、表情もしっかりとしてきたという印象があった。お母様のお話では、4月から入学した支援学校は、訪問で学ぶことは選ばずに、通学にしたとのことである。その方が、外出の度ごとにいろいろな刺激があるだろうし、お友達との出会いもあるからと説明してくださったので、「よい選択ですね」とお話した。それでも、現状では、週に3回程度学校にでかけることが精一杯のようである。

竹内さんがいろんな楽器を準備されていたことや、竹内さんのお子さん二人もご一緒であったことから、音遊びの時間や新しい友だちと一緒に遊ぶ時間を優先したほうがよいと考え、しばらくは後ろで見ていることにした。印象的だったのは、竹内さんのお子さんが持参した、人とつながると音がでるという遊具での遊びであった。茉奈ちゃんはその意味をすぐに理解したようで、また、わずかな手の動きに音が反応するのが面白いようで、何度も繰り返してあそんでいた。竹内さんが手持ちの小さな鉄琴のような音のでる楽器を使って、茉奈ちゃんとの音遊びをはじめた。その楽器を使って、そのまま私と茉奈ちゃんが遊んでいたとき、偶然にも小さいけれど思わぬ動きがでて、音が鳴った。その瞬間、茉奈ちゃんの表情がとても生き生きと輝いた。私の瞳を覗き込み、「ねえ、今の音、聞いた！」と言わんばかりであった。「わー、おもしろかったねえ」と感動を共有したら、とてもうれしそうな表情を見せていた。次いでお母さんに代わったが、お母さんはあらかじめここで音がでるという瞬間を決めて、ご自身が茉奈ちゃんの手をもって動かしていた。「こんな風にするから、私、嫌われるんですよね」と苦笑していらしたから、親としての思いが先行してしまうことを充分に自覚されているのだと思った。

竹内さんの準備された音遊びも一段落したので、今度は身体表現を試みることとした。最初に遊んでいるときには、私のことは思いだせないようであったが、からだで「かもめの一日」の表現をはじめたら、すぐに思いだし、次の場面で動かす部位を自ら積極的に動かしていた。小学校に入って、外出の機会が増えた茉奈ちゃんの日常に思いを馳せ、かもめが公園のすべり台で遊ぶダイナミックな場面をつけ加えた。しっかりと眼差しを交わし、生命感あふれる内なる自己が表現されているように感じられ、前回からの大きな成長を感じた。

4．宮城県内での小規模ワークショップの試み

茉奈ちゃんとの「かもめの一日」の表現を大きな契機に、私たちは現地で出会った人々の人的なネットワークに支えられながら、新しい共創のあり方の模索を実際にはじめることとなった。

5月の仮設住宅訪問を経て、7月初旬からはHさんや、Kさん、Dさんにコーディネートをお願いして、石巻市や東松島市といった津波の被害の大きかった地域で、子どもたちやその家族、児童デイサービスに通う障害のある子どもたちなどを対象とする共創的な身体表現のワークショップを試みていった。加えて、現地の病院や、地域を巡回しながら高齢者支援を行う作業療法士等の医療関係の方々や、海外や他県から現地に入り、ボランティアとして支援を続けている方々との小規模なワークショップを継続した。

こうした地域での滞在期間中、ふと目にする景色は、本当に心痛むものであった。石巻市の日和山公園から臨む街と海、焼け焦げた市立門脇小学校の校舎（写真6)、未だ街中に残る沢山の瓦礫……。そうした中で、人々の日常は当たり前のように営まれてい

写真6：石巻市立門脇小学校（2012年8月10日）

るのである。大人たちは、そして子どもたちもまた、誰もが大変な状況であり、震災時の経験や現在も続く困難な生活の様子を、黙って聴かせていただくことが私たちにできる精一杯であった。しかし同時に、茉奈ちゃんやご両親とのように、ワークショップに参加してくださる一人一人と、身体での表現を通じた印象深い、多くの心弾む出会いにも恵まれたのである。

こうした試みを継続する中で、特に子どもたちとの身体表現を通じて、私自身の中に気がかりに思えることが生じた。それは、言語表現が未成熟な子どもたちや障害のある人々は、身近な大人たちが生活再建へと奔走する中、被災時やそれ以降に抱え込んだ感情や日常の情動の表現を、自然に抑制する傾向にあるのではないかということである。このような傾向は、被災地域において生活上の困難を抱える人々に携わる医療関係者や支援者においても同様であった。ワークショップに参加してくださった方々は、自分の身心をみつめる経験や、身体で他者と表現を創り合う原初的な経験を通じて「本来の自分を表現し他者から受容されて楽になった」「あせっている自分がからだに表れていることに気づいた」「変なしがらみや不安が減り、様々な可能性に思いを巡らせた」といった感想を多く寄せてくださったのである。

5． 仙台でのワークショップとパフォーマンス

このように、被災地域での共創的な身体表現ワークショップの試みを重ねることと並行して、私たちは仙台フィルの竹内将也さんとの共同プロデュースとして、仙台市でのワークショップの計画を進めていった。当初は、竹内さんのパーカッションのコンサートに、三輪研究室が研究開発したシャドウメディアを用いるという企画であったが、竹内さんとお会いする中で、三輪からコンサートと併せて宮城と関東の人々が一緒に表現を創り合う、身体表現のワークショップやパフォーマンスを行ってみてはどうかというアイディアが提案されたのである。竹内さんは「地元の役にたつことであれば」と、この企画を快く受け入れ、実現に向けて地元仙台を東奔西走された。また、ご自身の演奏活動の合間を縫って、何度も東京に足を運ばれ、詳細な打ち合わせを重ねたのである。

『“ひびき”げんきッシモ！！』と題されたイベントには、私自身がディレクターを務め、東京で活動している「みんなのダンスフィールド」（Inclusive Field for Dance）のメンバーが、非常に大きな役割を果たしてくれた。1998年に活動を開始した「みんなのダンスフィールド」では、コミュニティを基盤にインクルーシブな新しい身体表現のあり方を模索しており、幼児から高齢者までの約40名のメンバーは、年齢や性別、障害の有無や経験の差異のあるさまざまな個性で構成されている。共創的な身体表現活動による出会いやつながりの創出を希求する「みんなのダンスフィールド」は、震災直後から被災地域と一緒に表現を行う機会をと願っていたが、力不足のためなかなか実現できずにいた。宮城と関東とをつなぐ多くの方々のご尽力によって、このような機会を得たことで、車いすの子どもたちを含む25名あまりのメンバーは、仙台に出かける意志を自ら明確にし、東京での作品づくりやワークショップの準備に積極的に取り組んだのである。

写真7：仙台市での身体表現ワークショップ（2012年10月14日）

そして、2012年の10月14日、仙台の定禅寺通りに面した「せんだいメディアテーク」を会場に、竹内将也氏主催の『“ひびき”げんきッシモ！』の一部として、早稲田大学三輪敬之研究室および「みんなのダンスフィールド」の協力の下、宮城と関東のさまざまな人々が、表現で出会い、表現でつながるワークショップとパフォーマンスが行われた。当日は、三輪研究室の学生12名と東洋英和女学院大学の西ゼミの学生11名も運営スタッフとして、またワークショップ参加者・パフォーマンス出演者として、会場のあちこちで地元の方々との交流を築くことができたのである（写真7）。

6．生命の時間

せんだいメディアテークでのパフォーマンスでは、「みんなのダンスフィールド」の作品上演（写真8、9）と併せて、「かもめの一日」を多くの観客の方々に観ていただいた。茉奈ちゃんのひとつひとつの動きに込められた、精

写真 8，9：みんなのダンスフィールドメンバーによる仙台市でのパフォーマンス（2012 年 10 月 14 日）

写真 10：ワークショップでの茉奈ちゃんと永浦典子さん（2012 年 10 月 14 日）

一杯の表現と思いが伝わるように、三輪研究室のスタッフが、茉奈ちゃんの指や瞼の動きをカメラで捉え、その映像を舞台後方のスクリーンに映し出していった。会場に集った方々は、誰もが息を呑んで私たちの表現を見守り、温かい大きな拍手をおくってくださった。また、この日茉奈ちゃんとご両親は、宮城と関東の 100 名あまりの人々がともに表現するワークショップにも参加した（写真 10）。子どもも大人も、障害のある人もない人も、初めて出会う様々な人たちが一緒になって、それぞれのからだや動きで新しい表現を創り合う時間と空間は、"響きあう未来"へとつながる人々の生きる姿そのものであると感じられた。表現が即興的に紡がれていくワークショップの中盤では、茉奈ちゃんを囲んだ 20 名ほどのグループによって、大きな朝顔の花が咲く様子が表現された。その朝顔の瑞々しい生命感に、その場に居合わせた人々は自然な笑みを交わし、花開くまさにその瞬間には「わー」という感嘆の声とともに大きな拍手が会場全体を包んだのである。ワークショップを客席で見学されていた方々も含め、この場に集う多くの身心が、表現でひとつにつながり合っていく“生命の時間”が、被災地に生まれでたような光景であった。

からだの表現（永浦典子）

「みんなのダンスフィールド」のパフォーマンスのフィナーレで、みんなが舞台で自由に踊って楽しく動いていると、客席にいた茉奈は、目をキラキラさせ、私の目と舞台とをすごい勢いで往復させています。自ら、客席ではなく舞台に行くと訴えたのです。これには本当に驚きました。「楽しいあの人の輪の中に入りたいと思ったんだ！」と嬉しくなりました。父親と一緒に舞台に出て行った茉奈を、客席から見守りながら「みんなの輪の中に一緒にいることで、自由に体を動かせなくても茉奈は踊れているんだ」と思いました。

たくさんの方々に囲まれ一緒に楽しそうに踊る娘をみて、大空を自由に翔ぶかもめのように、私自身の心が解き放たれてふっと軽くなったかのように感じられました。狭まりがちだった日常が、茉奈の笑顔でまた一歩前へ踏み出せそうに思えたのです。茉奈と一緒に、私達も翔ぶことができたのです。

7. おわりに

茉奈ちゃんに誘われて宮城に通い、10月の仙台でのワークショップで生まれた“生命の時間”を確かな足跡として、私たちの活動は次なる段階へと向かっている。石巻市では、8月に行った児童デイサービスの子どもたちとのワークショップを引き継ぐかたちで、作業療法士のKさんが、施設の先生方の理解と協力の下、子どもたちとの定期的な身体表現活動を継続している。Kさんと私とは、メールでのやり取りや直接会う機会を設け、活動の様子や身体表現の援助のあり方に関する意見交換を続けている。一方、東松島市では、地域の方々の熱意と連携によって、障害のある子どもたちを含むさまざまな人々が集う身体表現のグループが生まれつつある。私たちは、こうしたグループと関東とを表現でつなぐ共創のデザインを構想し、共に表現を創り合う仲間として、関東での緩やかな組織づくりに取り掛かった。12月から月に1度、東松島市の赤井地区で行うこととなったワークショップには、私たちのほかにも、さまざまな領域の専門家や学生たちが一緒にでかけるようになってきた。ゆっくりとした歩みではあるが、その輪は少しずつ、確実に広がっていると感じられる。一方で、こうした共創を実現するためには、種々の問題と粘り強く向き合う力も必要となる。人と人との出会いの場では、さまざまな戸惑いや思いがけないズレも発現する。現地での宿泊や移動の問題、活動資金といった現実的な課題も徐々に解決していかなければならない。しかしながら、これらもまた、私たちみんなの大切な表現の一部である。「かもめの一日」で、茉奈ちゃんが自らの身体と表現で示してくれたように、つながっている大空で、吹く風と戯れながら、未来へと共に"翔ぶこと"を叶えていきたいと思っている。

謝　辞

この１年間、宮城県での身体表現活動に携わってくださった多くの方々に深く感謝いたします。とりわけ、私たちを温かく迎え入れ、本稿執筆にご協力くださった永浦誠さん、典子さん、茉奈ちゃんのご家族、そして、県内でのワークショップのコーディネートをしてくださったＨさん、Ｋさん、Ｄさんにお礼を申し上げます。また、本稿をまとめる機会をいただき、多くの励ましと貴重なご示唆をいただいた、東洋英和女学院大学・死生学研究所所長の渡辺和子先生にお礼を申し上げます。なお、掲載した写真は、三輪敬之および三輪研究室スタッフが撮影したものです。また、実践活動の一部は、文部科学省科学研究費補助金（基盤（C））「"表現の多様性"を育む感性的メディアのデザインと活動モデルの開発」(平成 22-24 年度)（課題番号 22500553）の助成によるものです。記して感謝いたします。

〈研究ノート〉

脳死・臓器移植論議における「日本人」と「欧米人」の死生観

渡辺和子

はじめに――臓器移植に関する情報と死生観

欧米に比べて日本では脳死者からの臓器移植がなかなか進まないが、それは日本人の死生観のためであるのか。それは大多数の日本人に共通する死生観といえるのか。そのような死生観は強力な臓器移植推進キャンペーンなどによって変更され得るのか、それとも死生観は伝統的な文化や宗教に根差しているので、簡単には変更され得ないのか。大規模な調査をする度にたとえば、日本人の何パーセントが脳死を死と認めているか、臓器提供の意思があるかなどについては答が出る。しかし臓器移植に限らず、20世紀以降に導入された新しい医療技術に関する場合は、どのような情報が、どのような意図で人々に与えられるかによっても、賛否の割合は変化すると考えられる。同時に臓器移植推進者たちがもつ死生観も探る必要がある。それも何かの影響を受けて形成されたと思われるからである。

死後に、あるいは脳死後にどの臓器を提供するかについての意思表示は、自分の死後にしてほしいことを指示する遺書を書く行為に近い。人間はいつ死ぬかわからないのであるから、早いうちから死生観を練って遺書をしたためることは推奨されるべきかもしれない。しかしこれほど広く、本人あるいは家族の「死後」についての意思を問い、表示させようとすることは、臓器移植が必要とされなければ起こらなかったことである。

他方、重篤な患者に対して、臓器移植しか助かる見込みはないという情報を与えるのは医療者であるが、移植希望者数に対して提供者数ははるかに小さいために、その情報は死の宣告に近くなる。患者側が、臓器さえ提供されれば生き続けられると考えてしまうことは避けがたい。そのような状況下での患者の死生観は、そうでない場合の死生観とは異なるのではないか。

日本では脳死と臓器移植について長く、広い範囲で論議をしてきた経緯があり、様々な言説が出されてきた。本稿では「日本人」を「欧米人」と対比させる言説を含めていくつかの論議を追いながら、移植に対する慎重派と推進派の言説の一端とその背後にあるものを考えてみたい。

1.「和田移植」とその後

日本には「和田移植」という「負の遺産」があるとされる。[1] 1968年8月8日に札幌医大病院で、和田寿郎（1922-2011年）によって日本初の心臓移植手術が行われた。南アフリカで行われた世界発の心臓移植からわずか9か月後に、世界で30例目となる手術を行ったことで当初はマスコミも快挙として称賛した。ところが移植を受けた青年が手術から83日目に拒絶反応で死亡すると、様々な疑惑が持ち上がった。青年の様態は移植を必要とするほど重篤であったのか、21歳であった心臓の提供者は本当に脳死状態に陥っていたのか、などの最重要事項が検証不可能であることがわかった。和田は殺人罪で告訴されたが、札幌地検による1年2か月の捜査の結果にもかかわらず不起訴となった。この密室で行われた「和田移植」に対する深い不信感は根強く残り、その後31年間、日本での臓器移植は事実上凍結されるという結果になったとされる。[2]

実際には完全に凍結されたわけではなかったが、1980年から1993年にかけて行われた脳死者からの臓器移植の試みのうち、8件が反対派による告訴を受けたため、それ以上の臓器移植が困難になったとみられる。もっともそれらは脳死臓器移植法制定後に不起訴になった。[3]

2.「竹内基準」から臓器移植法（旧法）成立まで

1980年代から臓器移植推進のための整備が進められていた。1983年には厚生科学研究費による脳死判定基準の作成作業班が竹内班[4] として発足し、1985年に竹内基準とされる脳死判定基準が発表された。[5]

さらに1988年には、日本医師会生命倫理懇談会が、心臓死のほかに脳死も死と認めるという見解を出した。[6] それについて大阪大学病院の医師であった松田は言う。「欧米では、その国の医師会の発表は医学会のコンセンサスともいえるが、わが国では社会や行政を強く動かすほどの影響力ではなかった。」[7] このような欧米と日本を対比させる論じ方は便利であるため、医学界によらず日本ではしばしば見られるが、この文脈では、後述するように「進んでいる欧米」と「遅れている日本」の対比として分類できるであろう。しかし、欧米では「医師会の発表は医学会のコンセンサスとして社会や行政を強く動かす」とすれば、そこにも十分に問題があり得る。なぜそのようになったのかが問われるべきである。

1990年には脳死臨調（臨時脳死及び臓器移植調査会）が総理大臣の諮問機関として総理府に設置され、2年間にわたって13回の会合のほか、海外視察、公聴会などが行われた。1992年1月に出された脳死臨調の最終答申[8] では、脳死は多数意見では死であり、少数意見では死でないとされた。この不一致が記載されたことには大きな意味があった。どちらの立場に対しても批判はあり得るが、マスコミを含む一般人の間での論議をいっそう活発にし、大量の関連書が出版されることになった。

1994年には衆議院議員森井忠良を中心とする15名の議員によって、脳死を死と認めて臓器移植を行えるようにする臓器移植法案が出された。提供者の意思については、確認できない場合は家族が忖度できるというものが原案であった。しかし衆議院での論議は進まず、1996年の国会解散とともに廃案となった。1996年12月に国会が再開されると、臓器提供は本人の書面による意思を必要とするという臓器移植法案が中山案として再提案された[9] 1997年4月にこの法案は衆議院を通過したが、参議院では大いに問題とされた。結局、脳死は臓器移植が実施されるときだけに死と認めることとした。そして、本人の意思が明確である時だけ提供を認め、また脳死判定についても生前の同意が必要とされた。この修正案が参議院を通り、さらに衆議院も通って臓器移植法が成立した。[10]

この成立についても松田は次のように言う。「医学会や医療への不信がなければ、社会が医学界に万全の信頼をおいていれば、このような折衷案は必要ではなかったであろう。」[11] この言葉は一見、社会に信頼してもらえない自分たちに落ち度があり、信頼回復に努めるべきであるという自戒とも取れる。しかし実際は、素人によって議論の方向性が定められたことは医学への冒涜、妨害であるといった憤りを表現しているのであろう。

現時点で振り返っても、臓器移植法（旧法）の成立（1997年）までの開かれた論議は重要であり、おそらく世界的にみても稀有な状況であったといえる。医療関係者だけでなく、人文系の学者、ジャーナリスト、ノンフィクション作家たちも意見を述べ、書物を著した。NHKが1990-1997年に放送した一連の臓器移植関連番組も重要な役割を果たした。[12] また、医療問題をテーマとする文芸作品もよく読まれた。

3. 臓器移植法（旧法）の成立後

1997年10月に施行された臓器移植法では、提供者本人の意思が重視されたため、15歳未満の子どもの臓器は提供されないことになった。また臓器提供には家族の同意が必要とされたため、事実上の「臓器移植禁止法」であるともされた。[13] 法成立と同時に、臓器移植に疑問を呈するような内容の番組を放送することをNHKは公共放送として「自粛」したと思われる。そして1999年2月に法制定以後初めての臓器移植手術が高知赤十字病院で行われたが、今度はそれについての過剰報道があったとしてNHKほかの報道機関も批判されることになった。

この高知での臓器移植の実態についても多くの批判が出された。小松は、法の制定後であるにも関わらず、提供者に対する治療が不十分であったこと、脳死判定が杜撰であったことなどの点で「和田移植」と似ていると論じている。[14] なお高知の同じ提供者からの移植のうち、心臓移植は大阪大学病院で行われた。その後、第2例（1999年5月）、第3例（1999年6月）が別の病院で行われ、さらに2000年に行われた3例のうちの2例はまた大阪大学病院で行われた。松田は、このような臓器移植がマスコミで報道されることによって、意思表示カード（ドナーカード）の普及も3パーセントから8パーセントに伸びたとする報道も見られたいう。[15] しかし法制定後の4例の移植報道を検証した浅野は「救急医療とメディアの現状をよく知ってから、ドナーカードに署名するかどうか考えてほしい」と述べている。[16]

4. 「和田移植」への批判と和田の弁明

臓器移植論議と法成立後の臓器移植開始にともなって「和田移植」の再検討も広く行われた。[17] そして和田寿郎自身も弁明の声を上げげた。彼は2000

年に『ふたつの死からひとつの生命を』を著して、「わたしは正しい手術をした」と主張した。主な論拠は、手術の時点での患者の存命時間が世界で2番目であったというものである。[18] わかりにくい論拠であるが、和田移植以前の29例の術後存命期間は次のようであったという。

1日以下……………　6例
1日～1か月………　12例
1か月～100日　…　2例
100日以上　………　9例

このうち、100日以上の9例は、593日を筆頭に532日、266日、204日があり、あとは100日台である。そしてこれら9例の患者は和田の手術時には存命中であったという。和田は29例の内の100日以上の9例、すなわち3分の1は成功とみなせるとし、[19] 自分の患者の83日という存命は、ほぼ100日に近いので成功であり、したがって正しいといっているようである。

和田は脳死判定について次のように言う。「〈脳死〉とは、臓器（心臓）移植が全世界でおこなわれるようになって導入された新しい概念である。〈死の判定基準〉としての脳死という概念は当時はなかった。信頼性の高い脳波計もなかった。したがって通常の死の判定に脳波を測定するなどということがあるわけもなかった。Yさん（提供者）の心臓は人口心肺によって、ご家族の理解と同意が得られるまでの間拍動を続けたのである。〈脳死〉とは、一般に心臓死に続く全身の臓器や組織の死の一部である。他の臓器の死と違うところは、脳死によって意識・無意識、全身をコントロールする脳の機能が失われ、人格が不可逆的に消失することである。他の臓器・組織は「生きた」状態であっても、これは個人としての死の状態そのものだ。脳死が死であることは、今日、世界共通の医学的認識である。」[20]

和田自身は正しい手術をしたのに告訴されて辛い取り調べを受けたこと、医療不信を招いたといわれることを嘆き、その現象を「白い巨塔」[21]「医療不信」に対するスケープ・ゴートとされて集中的な避難を受けたと分析している。またそれを「日本の風土」のせいと説明する人々に同意しているようである。[22] しかし和田の弁明の論拠は、術後の生存期間が比較的長ければ成功とされる医学界の「常識」に基づいているのであり、その意味で和田は依然として「白い巨塔」の住人であり続けていたことになる。

5.「日本人」と「欧米人」の比較とその論拠

2008年に臓器売買と移植ツーリズムを防止する目的で「イスタンブール宣言」が出されると、日本ではかつてのような広い範囲での論議がなされることなく、2009年に臓器移植法が改正され、脳死を死とし、また家族の意思によって子どもの臓器提供が可能になるようになった。[23] しかし子どもの臓器提供は依然として少ない。

香川によると、「脳死臨調が設置された頃が、日本で脳死臓器移植をめぐる論議が最も激烈な時期だった。その際に、日本が諸外国に比べ、遅れているということがさかんにいわれていた。たとえば、ある高名な心理学者は、脳死が人の死として認められないのは、日本人が、欧米人とは違って、死の問題を科学的に考えられない後進性をもつからだと公言していた。また、脳死臓器移植が進まないのは、日本人に、キリスト教に見られるようなチャリティの精神、隣人愛が欠けているからだといった指摘もされていた。」[24] 日本人は非科学的で後進性をもつという意見と、日本人はキリスト教的隣人愛に欠けるという意見は本来別種のものであるが、臓器移植推進派はそれらをしばしば結び合わせた。

1992年に放送された臓器移植に関する番組のなかである医師は、番組案内役の小説家、久間十義に問われて次のように言う。「死体はモノです。魂は天国へ召されてしまってなくなっている。死体を人類の一つの財産と考えるのか、個人の家族の所有物と考えるのか。日本人はどうしても身内のもの、身内のものと考える。心情的にはわかります。アメリカ人もヨーロッパ人も、死んだ人のために命日もやってお墓にお参りにも行きますが、死体というモノに対する考え方が違う。神様が創ってくれた人間という体を病気の人に役立てれば、それは神様の愛と考えていいわけで、別に自分たちがあげるわけではない。生ある限りは死ぬわけで、(死体を) 人類共同の財産と考えれば貸し借りの問題はなくなる。皆が一緒にそれで生きるんだという考えをもてれば。」[25] ここではおそらくキリスト教的隣人愛よりもキリスト教的(?) 霊肉二元論と創造論に基づく臓器の授受が語られている。後述するように、臓器移植を根拠づける言説はしばしば「神話」の様相を呈する。[26]

香川がいうように、「死の問題が科学的にのみ決定できるという主張は、(中略）科学的とはいえない。」[27] しかし移植推進派の医師たちは、しばしば自分たちのイメージとしてのキリスト教、欧米人、そしてキリスト教的欧米人について語る。しかし異文化について勝手なイメージをもつことは珍しい現象ではない。香川は、何度も日本にいったことがあるアメリカ人が、日本で移植が進まない理由は簡単であるとし、「日本がまだキリスト教社会ではないからだ」と述べたという話を伝えている。[28]

6. 推進派の「性善説」

既成宗教との関係は不明であるが、日本の移植推進派の中にはある種の「性善説」を声高に唱える者がいる。「脳死臨調」での議論が続いていた頃、そのメンバーでもあった刑法学者の平野龍一（1920-2004年）は1992年2月に放送された番組のなかでインタヴューに答えて次のように語った。「多数意見では脳死は死んでいるのですから、親族の人が死体をどうするかを決める権限はある程度あるのではないか。……まあだいたい人間というのは、いいことはしたいと思っているのが普通だと。臓器提供は非常にいいことですから。特に本人がいやだといわない限り、いいことは当人もやりたいと思っているだろうという考え方だってあり得る。……(提供の意思の確認は）事前でなくても事後でもいい。後になって確認するということになれば、当然医者としても慎重にやるわけですからね。……場合によってはあとの祭りということになるかもしれないが、事後に（意思が）そうでなかったとして医師が非難されることになるわけです。」[29]

また後の臓器移植法改正の論議のなかで「町野案」を提出した同じく刑法学者の町野朔は、小松によると次のような「すさまじい論理」を2000年に展開した。「およそ人間は見も知らない他人に対しても善意を示す資質を持っている存在であることを前提にするなら、(中略）たとえ死後に臓器を提供する意思を現実に表示していなくとも、我々はそのように行動する本性を有している存在である。もちろん、反対の意思を表示することによって、自分はそのようなものとは考えないとしていたときには、その意思は尊重されなければならない。しかしそのような反対の意思が表示されていない以上、臓器を摘出することは本人の自己決定に沿うものである。いいかえるならば、我々は、死後の臓器提供へと自己決定している存在なのである。」[30] これは町野の師でもある平野龍一の論を踏襲したものといえる。

7. 医療の批判的検討の素地

カナダ人のマーガレット・ロックは日本の臓器移植事情について重要な医療人類学的考察を行ったが、次のように述べている。

> 私は、脳死に対する日本人の反応について北米各地で話をしたが、その結果分かったのは、多くの人々がその反応の仕方を宗教や伝統文化の影響による時代錯誤的なものと考えていることであった。その偏見を取り除くことは、なかなかできなかった。そして、重要な問題が浮かび上がってきた。なぜ日本では、最近になるまで脳死が人の死として認められなかったのか。それに一応認められた後でも、問題は最終的に解決したわけではないのである。また臓器移植はなぜ、明らかな善とはされないのだろうか。それには日本古来の価値観が関わっているのは確かであるが、それだけで説明することはできない。それ以外にも複雑な要因がからみあっているのである。日本人の脳死の受けとめ方を調べていると、別の重大な問題が出てくる。なぜ欧米では、医学による死の再定義が、広く議論されることもなく受け入れられたのか。欧米人がいまでは当然のように用いる「生命の贈り物」という魅惑的な言葉は、これまで臓器の提供を促すのに役立ってきた。しかし私たちはこの言葉を用いることによって、臓器がどこから得られるのかという問題には、目を向けないようにしてきた。そして欧米では、専門家たちを除けば、この新しい死についての議論をこれまで行ってこなかったのである。[31]

「欧米」で盛んな臓器移植を死生観や宗教的背景にだけ結び付けて論じる立場は、視野狭窄のそしりをまぬがれない。「欧米」の臓器移植が盛んな理由は、必ずしもキリスト教（とそれに包括される諸宗派）信仰にあるのではなく、市民レベルの自由な討議が行われる機会が与えられることがなく、医療とその制度に対して外側から多角的に検討する伝統が育たなかったという歴史的経緯にあるように思われる。臓器移植に限られたことではないが、「欧米」は十分に反面教師であり得る。さらに、ここでは詳述しないが、当然ながら「欧」と「米」も分けて論じるべきである。[32)]

日本においてある程度の医療批判の素地を作ったものとして、山崎豊子の『白い巨塔』(1963-1965年) と『続・白い巨塔』(1967-1968年)[33)] の大ヒットがあったといえるであろう。その後もこの作品の映画化、ドラマ化が続けられている。この作品が広く読まれた時期とほぼ同じころに東大医学部闘争(1960年代後半) が起こっている。そして日本では新しい医療技術に関する論議を理解しようという人々が増えていった。1968年の「和田移植」の批判的検討が行われ、臓器移植にきわめて慎重になり、そして「脳死臨調」(1990-1992年) の頃には「激烈な」脳死・臓器移植論議が可能になった。

8. ベルギーの現状と「宗教」・「科学」・「倫理」

栗田の現状報告によると、欧州のなかでも臓器移植が盛んなベルギーでは、公衆健康省の医療倫理担当官が、もはや臓器提供は社会的責任であると発言したという。その背後には、たとえば人工透析よりも腎臓移植のほうが医療費軽減につながるというもくろみがある。そしてＮＰＯ団体なども加わって、献血を呼びかけるかのような相互扶助啓蒙キャンペーンが盛んになっているという。ベルギーでは、提供拒否の登録をすることができるが、それをするのは約２パーセントであり、「宗教上の理由」がほとんどであるという。[34)] この場合の「宗教上の理由」については何も注釈はないが、おそらく「エホバの証人」の信者である場合などであろう。それ以外の人々が正統的キリスト教の熱心な信者ということではないが、拒否の登録がない限り同意とみなす「推定同意」の原則が認められている。

そもそも欧州で受け入れられる自己決定、推定同意、(医療費削減のための) 相互扶助などが伝統的遺産としてのキリスト教と、そして市民レベルの関心、批判的検証の素地などとどれほど関係するかについての検討は今後の課題として残されている。欧州でも最も臓器移植が盛んなオーストリアでは、臓器提供拒否カードを携帯していない限り、外国人や幼児からも臓器を摘出する。しかし臓器が摘出された事実を後から知らされた遺族が憤っていることからも、十分な周知も合意もなされていないことがわかる。[35)]

筆者は以前、臓器移植は①人間の臓器は部品のように交換できる、②死体のリサイクルは善行であるという２つ前提によってなされると書いた。[36] ①は、医療技術と免疫抑制剤の進歩という科学的側面、②は、遺体をモノとし、遺体部分を無駄にせずに生きたい人にわたす愛や相互扶助という道徳的あるいは倫理的側面に対応させることができる。臓器移植に消極的な日本人は、したがって非科学的であり、非倫理的であるという言説も、前述したように医療者側に少なからずみられた。さらに筆者は、臓器移植には建前と本音の大きな乖離があることも指摘した。脳死者から臓器を取り出せると法で定めても、臓器授受の当事者は「死体の部分」の授受とは考えていない。臓器をもらった人は臓器をくれた人の分まで生きたいといい、子どもの臓器提供に同意した人は誰かのなかで子どもが生き続けると考える。なかには子どもを養子に出したと考える人もあった。[37] 紙幅の都合上、詳論しないが、子どもの臓器提供に同意してから何年もたって深く後悔する親もある。

おわりに――「善行」か「愚行」か

臓器移植に関しては推進派、慎重派、ドナー、レシピエントのそれぞれがつむぐ「神話」がある。神話的な語りは現世の人間が、現世を超える事柄である生と死をなんとかとらえようとするときに起こる現象ともいえる。しかし勇気ある医療関係者が告発するように、[38] ドナーの脳死を死とするだけでなく、レシピエントの免疫機能を抑え、神経をつながない移植手術が十全な治療法であるわけはない。生物学者の池田清彦は、臓器提供は「愚行の場合も多い」と論じる。[39] 臓器提供と移植を「善行」として広めるにはある種のレトリックが使われる。移植法改正後の現在の日本では、ますます「欧米化」が促進される気配がある。誰もが「善行」をしたいと願うという主張が臓器移植を牽引するならば、臓器を提供しない者は悪者とされてゆく。前述したベルギーの場合でいえば、「社会的責任」を果たさない者となる。

最近では日本でも臓器移植と提供の意思表示が増加する傾向にある。[40]（社）日本臓器移植ネットワークによって小中学生向きキャンペーン「命をつなぐ・臓器移植」が2012年で11年目を迎えたという。そして10月は普及推進月間とされ、2012年10月には「全国約16,000校（小学校：11,000校、中学校：5,000校）に「サンケイカラー百科〈命をつなぐキャンペーン〉」を掲出し500万人の子ども達に臓器移植の意義やいのちの大切さを伝え」たという。[41] しかしそれが結果的に小中学生に一方的な情報を与え、医療技術に疑いをもたない態度を育成するならば危険である。

臓器移植に限らず、新しい医療技術の導入はすべての人間の問題となり得るものでありながら、多くの論者がそれぞれの立場から、おそらく利害関係も影響して、一面的に論じる場合が多い。国内だけでも見解の違いは大きいのであり、「欧米」も国や地域によって、また人によっても異なる意見がある。さらにそれぞれが宗教、文化、教育などとからんでいるとすれば、きわめて複雑なことになる。しかしこのような事情はすべての歴史、文化、宗教などの研究においては当たり前のことである。それぞれの言説の背景にあるものを検討し、その結果を世界に向けて発信し、討論できる環境をつくりたいものである。何であれ「生と死とその後」に関する問題については、さまざまな側面から考え続けなければならない。

注

1) 「和田移植」の経緯については、たとえば小松 2004a、221-225 頁参照。
2) 平野 2000、2-5 頁参照。香川によれば、心臓移植は 1967 年 12 月の南アフリカでの第 1 例後、翌年には「和田移植」を含めて 100 件以上も実施された。この一大ブームはすぐに下火になり、1969 年には 30 件に減り、1970 年には心臓移植を実施するチームは全米で一つとなる。その理由は、多額の費用がかかるわりに、術後の成績が悪すぎたことにある。そして 1980 年代末以降に、新しい免疫抑制剤が普及したことによって再び心臓移植が定着したという。香川 2009、181 頁参照。
3) 松田 2001、3 頁参照。
4) メンバーは竹内一夫（杏林大学脳神経外科教授）、武下浩、高倉公則、島薗安雄、半田肇、後藤文雄の 6 名。松田 2001、3 頁参照。竹内班が挙げた基準は①深昏睡、②自発呼吸の消失、③瞳孔の拡大、④脳幹反射の消失、⑤平坦脳波、⑥時間経過（6 時間後の再確認）。その他、様々な脳死判定基準については澤田 1999、37-41 頁参照。
5) ①全脳死をもって脳死とする。②ひとたび脳死に陥れば、いかに他臓器への保護手段をとろうとしても心停止に至り、決して回復しない。③判定の対象となるもの。a: 器質的脳障害により深昏睡および無呼吸を来している、b: 原疾患が確実に診断されており、それに対して現在行いうるすべての適切な治療手段をもってしても回復の可能性が全くないと判断される症例。松田 2001、3 頁参照。
6) 立花 1991、331-363 頁（参考資料 1）参照。
7) 松田 2001、3 頁。

8) 「脳死臨調最終答申」は立花 1994、279-325 頁参照。佐々木 2004 も参照。脳死臨調の委員は井形昭弘、宇野収、梅原猛、金平輝子、木村榮作、齋藤明、永井道雄（会長）、萩原太郎、早石修、原秀明、平野龍一、三浦知壽子（曾野綾子）、森亘（会長代理）、山岸章、山下眞臣の 15 名、参与は、伊藤幸郎、小坂二度見、水野肇、光石忠敬、光本昌平の 5 名。
9) さらに中山案は、脳死体を死体として明言せず、また脳死判定について生前の書面による承諾を不要とした。松田 2001、11 頁参照。
10) 松田 2001、11 頁参照。
11) 松田 2001，11 頁。
12) 渡辺 2013 参照。
13) 松田 2001，12 頁参照。
14) 小松 2004a、256-325 頁参照。
15) 松田 2001、17-32 頁参照。
16) 浅野 2001、10 頁。さらに高知新聞社会部「脳死移植」取材班 2000 も参照。
17) たとえば共同通信社社会部移植取材版編著 1998；小松 2004a、220-255 頁参照。
18) 和田 2000、3 頁参照。
19) 和田 2000、99-100 頁参照。
20) 和田 2000、116-117 頁参照。
21) 大学医学部を「白い巨塔」とする山崎豊子の話題作による。山崎 1965 と山崎 1969 参照。
22) 和田 2000、120-121 頁参照。
23) この事態に対して小松は「生権力の跳梁」として鋭く批判している。小松 2012、特に 136-138 頁参照。
24) 香川 2009、193 頁。
25) ＮＨＫ番組 1992b。
26) 渡辺和子 2003 参照。
27) 香川 2009、193 頁。
28) 香川 2009、194 頁参照。この発言は日本中世仏教を研究するあるアメリカ人宗教学者から聞いたものであるという。
29) ＮＨＫ 1992a。
30) 『免疫・アレルギー等研究事業（臓器移植部門）平成 11 年度総括・分担研究報告書：厚生科学研究費補助金』2000 年、361-362 頁。小松 2004a、338 頁から引用。
31) ロック 2004、3 頁。傍点は原著者が強調した部分を示す。
32) 小松のまとめによると、アメリカでは 1968 年、脳死者からの臓器摘出を正当化するために、世界初とされる脳死判定基準「ハーバード大学基準」によって、「無感覚と無反応、無呼吸、無反射、平坦脳波」の 4 項目すべてを満たした場合、患者は脳死状態に陥ったと判定することが提唱された。通常、この公表によって脳死が人の死（の基準）と確定したと評価されがちであるが、ハーバード大学基準はあくまでも脳死か否かを判定するための基準にすぎず、患者の脳死が確定しても患者が死亡したといえるわけではない。実際にハーバード大学基準公表以降の米国では脳死と死をめぐって混乱をきたした。そこで 1981 年に『米国大統領委員会報告―死を定義する』が出されて「身体（機能）の有機的統合」という生理学概念が論軸として導入され、はじめて「脳死＝人の死（の基準)」という論理が構築された。これが現在に至る世界で唯一の公式論理であり、日本の旧臓器移植法もそれを前提としている。しかし小松はこれに対して、「死の定義を有機的統合性の消失としたなら、脳死もおのずと人の死（の基準）となる。脳死の議論をめぐって、議論の出発点と結論があらかじめ同一になっている」と批判している。小松 2012、107-111頁参照。ちなみに渡辺淳一はアメリカの医学ジャーナリスト、マーク・ダウィ（マーク・ダウィ 1990 参照）から聞いた心臓移植の経緯を伝えている。――アメリカでも 1968 年に一つの心臓移植が大きな社会問題となった。バージニア州リッチモンドで黒人の建設労働者が足場から転落し、頭を強打して脳死と判定された。地元の病院に心臓外科医がいて、重い心筋梗塞の患者に対する心臓移植の機会を狙っていた。そして 1968 年 5 月に世界で 17 番目となる心臓移植が行われた。しかし術後に提供者の兄が手術をした 2 名の医者に対して損害賠償請求訴訟を起こし、「弟の心臓はまだ動いている間に取り出された」と主張した。この事件はバージニア州の高裁で審理され、裁判長は陪審員たちに対し、脳死は人の死とする脳死判定の準用を許したため、被告勝訴の評決が下った。そしてこの判決はアメリカの移植医療史上で一つの節目になった。――これに対して渡辺淳一は「日本の場合、最初の心臓移植は大きな疑惑を残したままうやむやに処理されてしまった。でもアメリカの場合はそうした訴訟沙汰が公に明らかにされ、討論を繰り返しながら脳死が認められていったということですね」と答えている。渡辺淳一 1994、156-157 頁参照。

33) 山崎 1965；山崎 1969 参照。上記の注 21）も参照。

34) 栗田路子 2012：「ベルギー、臓器移植大国の素顔　献血感覚の啓蒙でドナーは 1 歳～ 89 歳」http://webronza.asahi.com/global/2012062300001.html。渡辺和子 2013、32 頁も参照。

35) 渡辺和子 2013、33 頁参照。

36) 渡辺和子 2003、168 頁参照。

37) 渡辺和子 2003、178 頁参照。

38) 渡部／阿部 1994；脳死・臓器移植を考える委員会・編 1999；山口／桑山 2000；五島編著 2000；山口編著 2010 ほか参照。

39) 池田 2006，特に 132-135 頁参照。

40) 福嶌 2011 参照。

41）（社）日本臓器移植ネットワーク http://www.jotnw.or.jp/news/2012/detail5322.htm 日本臓器移植ネットワークの子供向け HP も参照。http://www.jotnw.or.jp/studying/kids/index.html

参考文献

浅野健一 2000：『脳死移植報道の迷走』創出版。

伊坂青司 2001：『市民のための生命倫理―生命操作の現在』御茶の水書房。

池田清彦 2006：『臓器移植は正しいか』角川書店（原著：『臓器移植　我、せず　されず―反・脳死臓器移植の思想』小学館 2004)。

梅原猛編 1992：『脳死は、死でない。』思文閣出版。

梅原猛 2000：『脳死は本当に人の死か』PHP 研究所。

―　編 2000:『「脳死」と臓器移植』（文庫版）朝日新聞社（原著:朝日新聞社 1992 年)。

ＮＨＫ「脳死」プロジェクト 1992:『ＮＨＫスペシャル　脳死移植』日本放送出版協会。

ＮＨＫ林勝彦＆「人体」プロジェクト 1997：『これが脳低体温療法だ―脳死を防ぐ新医療』日本放送出版協会。

ＮＨＫ番組 1990：「NHK スペシャル 『脳死』第 1 部　新しい死がもたらすもの」NHK 総合、1990 年 12 月 15 日放送。

ＮＨＫ番組 1992a：「NHK スペシャル　脳死移植は始まるのか」ＮＨＫ総合、1992 年 2 月 1 日放送。

ＮＨＫ番組 1992b：「プライム 10　シリーズ・心の旅人　臓器移植　手術の後で」ＮＨＫ総合、1992 年 10 月 26 日放送。

香川知晶 2000：『生命倫理の成立―人体実験・臓器移植・治療停止』勁草書房。

―　2009：『命は誰のものか』ディスカヴァー・トゥエンティワン。

片岡喜由 2000：『脳低温療法』岩波書店。

共同通信社社会部移植取材版編著 1998：『凍れる心臓』共同通信社。

栗田路子 2012：「ベルギー、臓器移植大国の素顔　献血感覚の啓蒙でドナーは 1 歳～89 歳」http://webronza.asahi.com/global/2012062300001.html。

高知新聞社会部「脳死移植」取材班 2000：『脳死移植―いまこそ考えるべきこと』河出書房新社。

五島幸明編著 2000：『持ってはいけない！ドナーカード』風媒社。

小松美彦 1996：『死は共鳴する－脳死・臓器移植の深みへ』勁草書房。

―　2004a：『脳死・臓器移植の本当の話』ＰＨＰ研究所。

―　2004b：『自己決定権は幻想である』洋泉社。

―　／市野川容孝／田中智彦編 2010：『いのちの選択―今、考えたい脳死・臓器移植』岩波書店。

— 2012：『生権力の歴史—脳死・尊厳死・人間の尊厳をめぐって』青土社。
近藤均編著 2005：『医療人間学のトリニティー—哲学・史学・文学』太陽出版。
近藤誠ほか 2000：『私は臓器を提供しない』洋泉社。
佐々木廸郎 1999：『日本人の死生観・医療と生命倫理』丸ノ内出版。
— 2004：『日本人の脳死観—臨調答申を読む』中央公論事業出版。
澤井敦 2005：『死と死別の社会学—社会理論からの接近』青弓社。
澤田愛子 1999：『今問い直す脳死と臓器移植』第２版、東信堂。
篠原睦治 2001：『脳死・臓器移植、何が問題か—「死ぬ権利と生命の価値」論を軸に』現代書館。
杉本健郎 1986：『着たかもしれない制服』波書房。
— 2003：『子どもの脳死・移植』クリエイツかもがわ。
須藤正親／池田良彦／高月義照 1999：『なぜ日本では臓器移植がむずかしいのか—経済・法律・倫理の側面から』東海大学出版会。
臓器移植法改正を考える国会議員勉強会 2005：『脳死論議ふたたび—改正案が投げかけるもの』社会評論社。
マーク・ダウィ 1990：『ドキュメント臓器移植』（平沢正夫訳）平凡社（原著：Mark Dawie, *“We have a Donor” The Bold New World of Organ Transplanting*, 1988）。
竹内一夫 2004：『改訂新版　脳死とは何か』講談社。
多田富雄 1998：『免疫・「自己」と「非自己」の科学』日本放送出版協会。
立花隆 1986：『脳死』中央公論社。
— ／ＮＨＫ取材班 1991：『ＮＨＫスペシャル　脳死』日本放送出版協会。
— 1991：『脳死再論』（文庫版）中央公論社（原著：1988 年）。
— 1994：『脳死臨調批判』（文庫版）中央公論社（原著：1992 年）。
出口顯 2001：『臓器は「商品」か—移植される心』講談社。
中島みち 2000：『脳死と臓器移植法』文藝春秋。
中山研一 2001：『臓器移植と脳死—日本法の特色と背景』成文堂。
日本臓器移植ネットワーク http://www.jotnw.or.jp/news/2012/detail5322.htm
棚島次郎 1991：『脳死・臓器移植と日本社会—死と死後を決める作法』弘文堂。
— 2001：『先端医療のルール—人体利用はどこまで許されるか』講談社。
脳死・臓器移植を考える委員会・編 1999：『増補改訂版　愛ですか？臓器移植』社会評論社。
阪大病院「脳死」と臓器移植の問題を考える会／大阪大学附属病院看護婦労働組合編 1991：『臓器摘出は正しかったか—「脳死」と臓器移植をめぐって』あずさ書房。
平野恭子 2000：『検証　脳死・臓器移植—透明な医療をどう確保するか』岩波書店。
福嶌教偉 2011：「移植法改正後の臓器提供の現状」『日本移植学会ファクトブック

2011』、http://www.asas.or.jp/jst/pdf/factbook/factbook2011.pdf。
藤尾均 2011：「医系文学でたどる死生観の変貌―昭和から平成へ」東洋英和女学院大学死生学研究所編『死生学年報 2011　作品にみる生と死』リトン、53-74 頁。
町野朔／秋葉悦子 1999：『資料・生命倫理と法Ⅰ　脳死と臓器移植』（第三版）信山社出版（初版 1993 年）。
松田暉 2001：『命をつなぐ―臓器移植』大阪大学出版会。
水野肇 1991：『脳死と臓器移植』紀伊國屋書店。
向井承子編 1995：『脳死と臓器移植―医療界の合意は成立したか』岩波書店。
―　2001：『脳死移植はどこへ行く？』晶文社。
村田翠 2010：『まだ、間に合うのなら。―改正臓器移植法について考える』文芸社。
森岡正博 2001：『生命学に何ができるか―脳死・フェミニズム・優生思想』勁草書房。
柳田邦男 2002：『脳治療革命の朝』（文庫版）文藝春秋（原著：2000 年）。
山口研一郎／桑山雄次 2000：『脳死・臓器移植　拒否宣言―臓器提供の美名のもとに捨てられる命』主婦の友社。
―　2004：『脳受難の時代―現代医学・技術により蹂躙される私たちの脳』御茶の水書房。
―　編著 2010：『生命（いのち）―人体リサイクル時代を迎えて』緑風出版。
山崎豊子 1965：『白い巨塔』新潮社（1963-1965 年に『サンデー毎日』に連載）。
―　1969：『続・白い巨塔』新潮社（1967-1968 年に『サンデー毎日』に連載）。
吉村昭 1984：『神々の沈黙―心臓移植を追って』（文庫版）文芸春秋（原著：朝日新聞社 1969 年）。
―　1986：『消えた鼓動』（新装版、文庫版）筑摩書房（原著：1971 年）。
マーガレット・ロック 2004：『脳死と臓器移植の医療人類学』（坂川雅子訳）みすず書房（原著：Margaret Lock, *Twice Dead: Organ Transplants and the Reinvention of Death*, 2001）。
渡辺和子 2003：「臓器移植と現代の神話」国際宗教研究所編『現代宗教 2003［特集］宗教・いのち・医療』東京堂出版、168-182 頁。
―　2009：「総合学としての死生学の可能性」『死生学年報 2009　死生学の可能性』リトン、5-32 頁
―　2013：「死生学と生命倫理―脳死・臓器移植問題を例として」『福音と世界』2013 年 1 月号（特集　生命倫理―生命はだれのものか）、新教出版社、30-36 頁。
渡辺淳一 1976：『白い宴』（文庫版）角川書店（原著：「小説・心臓移植」『オール読物』1969 年 1・2 月号、文藝春秋）。
―　1994：『いま脳死をどう考えるか』（文庫版）講談社（原著：1994 年）。
渡部良夫／阿部知子編 1994：『「脳死」からの臓器移植はなぜ問題か―臓器移植法案に反対する医師達からのメッセージ』ゆるみ書房。
和田寿郎 2000：『ふたつの死からひとつの生命を』道出版。

〈エッセイ〉

死後の世界

村上　陽一郎

「死後の世界」と言っても、ここで取り上げるのは、霊界の話ではない。現在の日本社会で、人が死んだ後、どのように扱われるか、という社会的な問題ということで、御読み戴きたい。

自分のことから始めよう。私は、十八歳のとき五十三歳だった父親を亡くした。父親は医師、十二月三十日の夜、自宅での急死であった。枕元のラジオから、年末恒例の「第九」が流れていた。父の親友の医師、吉田先生（私も折に触れて可愛がってもらっていた）に急遽後始末をお願いした。その間私は動顛していて、涙もでなかったが、吉田先生が「倫ちゃんも、とうとうこうなっちゃたね」（父親は「倫吉」といった）とつぶやいて、はらりと涙を落されたのを見た瞬間、突発的に嗚咽が止らなくなった。

文字通り「後始末」が大変だった。というのも、死亡診断書は、吉田先生に書いていただくことにしたが、死亡時刻が二十時半では、荼毘に付すまでに法的に必要な二十四時間を考えると、正月にかかってしまう。火葬場は松の内は休みという。もう時効だから書けるが、吉田先生にお願いして、死亡時刻を十二時間ほど繰り上げて戴いた。結局大晦日の最後の窯で、荼毘に付すことはできた。遺体であっても生前の面影通りの父親が、骨揚げで、骨だけになって出てきたときの衝撃は、今も心の隅に残っている。骨壷には、埋葬許可書が付される、ということを、その時初めて知った。

時期が時期だったので、奇妙なことが幾つか生まれた。父は当然年賀状をすでに出していた。したがって、関係者は、新年早々、この世にいない人間から、新年を寿ぐ書を受け取ったことになる。父親は、カトリックの洗礼を受けていたので、松が明けてから、葬儀のミサを行ったが、賀状を追っかける形になった葬儀の通知は、出す側としても、いささか躊躇があった。

府中にあるカトリックの共同墓地に、小さな区画を求めて、骨壷はそこに埋葬した。墓というものが、どういう仕組みのものなのか、全く無知だった私は、高等学校三年生のときに、隅から隅まで知ったことになる。

直接の肉親の死は、それからかなり時間が経った平成十一年、これも正月明けの九日に、三歳年上の姉を見送るという形で訪れた。彼女の場合は、消化器系の悪性腫瘍で、余命半年と言われた後、一年半ほど生き延びたので、それなりの準備はできた。最初の手術の間、私は手術室の廊下で待っていたが、一時間ほど経ったころ、ドアが開いてナースが私を呼びにきた。ドクターが見届けて欲しいと言っていると言う。何事かと、白衣をはおり、手をよく洗った上で、手術台まで急行した。術部位は開かれたままで、執刀医の説明によると、骨盤内の大動脈を取り囲むように腫瘍が広がっていて、剥がせと言われれば、やらないことはありませんが、しかし、大出血を起こす可能性が大きく、その際には、現在の生命も保証できません、で、どうしましょうか、という話であった。どうしましょうか、と言われても、これがインフォームド・コンセントというものだな、とは思うものの、おいそれと返事ができるものではない。剥離、切除を試みなければ、と問えば、このまま適当にできることだけやって、余命は半年ほどであろう、とのこと、と言われれば、素人の答えは、ではリスクの少ない方で、と言うのが精いっぱいのところであった。この手術の立ち会いの経験は、もう一度繰り返されるが、それは後に譲る。

思いがけず医師の宣告より一年ほど長く一緒に暮らすことができたが、正月明け、医師から、輸血をすると言われて、その処置を見届けて帰宅して数時間後、急変したという報せに駆けつけたときには、最早生命の灯は消えていた。輸血が急変の引き金になった疑いは消えなかったが、そこで争う意志は自分にはなかった。荼毘に付した後、やはり葬儀ミサを終わって、最も心配したのはその時九十四歳であった母への、逆縁のダメージの大きさであった。

そのこともあり、墓をいじると、次の死の誘い水になるという言い伝えを信じる気はなかったけれど、父の遺骨の眠る墓への姉の納骨を躊躇っている間に時間が過ぎた。別段違法ではないはずだが、未だに納骨を済ませていない。心の片隅には、早晩訪れるであろう母のそれと一緒に、という思いもあったことを告白しておく。

しかし、嬉しい驚きではあったが、母はそれから十年以上、息災に暮らした。というのは、少し潤色がある。八十歳代で、一度大腿骨頭骨折で手術を行い、その時はリハビリも順調（というより、入院中は、麻酔薬、精神安定剤などの影響で、精神的には非常に不安定で、朝四時ごろ、ナースでは手に負えないので、ご家族の方どうか来て下さい、と頼まれたり、そのような事態のなかで、母から殴られることも度重なったけれど）で、自力で歩けたが、九十三歳でもう一度転倒したのちは、家の中を車いすで移動するようになっていた。しかし、精神は概ねクリアで、時に、自分の子ども時代に帰っているとおぼしき時間帯があるくらいであった。その時は、私を、子供のころ、自分を最も可愛がってくれた直ぐ上の兄（「ちいにいちゃん」と呼んでいた）だと思い込むのが常であった。そういうときは、逆らわずに「ちいにいちゃん」になりすますことにしていたが、私の知らない母の子ども時代の話が出てくると、まともに対応できないのがもどかしかった。

母が百二歳のとき、私は出張で広島にいたが、電話で呼び戻された。母の具合が悪く、緊急入院した、手術が必要では、という報せだった。病名はイレウス（腸閉塞）。腫瘍などであったら、もう手術は受けさせないつもりだったが、イレウスとなると、放っておけば苦しみ死にするだけである。取りあえず電話で手術を承諾して、飛行機を使って帰京し、急ぎ入院先へ駆けつけると、ちょうど手術が始まった時であった。ここでも、医師の指示というか懇願で、私は白衣に着替えさせられ、三時間かかった手術の最初から最後まで、手術台の傍らで、チームの邪魔にならないように注意しながら、見学する羽目になった。執刀医は十センチほど切り取られた腸を、標本板の上に開いてピンで止めて示してくれたが、確かに内部は壊死の様相を呈し、緊急手術が適切な処置であったことをうかがわせた。このときは、術後どうなることかと、前例もあることなので、ひどく心配だったが、驚くほど順調に心身ともに回復して、十日ほどで退院の運びとなった。こうして、私は二度、身内の開腹手術に立ち会う経験をしたことになる。

母はそれから四年間さらに自宅で生き延びた。平成二十三年二月初め、私は大学にいたが、電話で呼び返された。昼食を機嫌よく終え、しばらく昼寝をするからとベッドに入って、半時間ほど経って、お願いしているヘルパーの方が見に行ったときには、もう息がなかったという。私は間に合わなかった。

歳も歳だったし、極寒の時期でもあったので、出席者は最も近い親戚数名だけの、ごく内輪のミサのみで済ませ、勤務先にも公式には届けなかったが、骨揚げをした後、当然父の眠る墓に埋葬すべきところだが、まだその気になれないのと、父の墓が六十年触っていないので、改修が必要では、という思いもあって、自宅には、今二つの肉親の骨壷がある。

＊＊

今の日本社会では、死後は火葬、そして「お骨」になって骨壷に収まり、それを墓に納める、という習慣が完全に定着している。これほど火葬が普及している国は、世界でも稀だと言われる。もっとも、関東と関西では「骨揚げ」の習慣に差があるという（島田裕巳「日本のしきたり」24、『本の時間』毎日新聞社、平成24年12月号、55頁以下）。島田氏によると、関西では、「骨揚げ」の際に、頭骨、顎骨など主要なものだけを拾い納めるので、大腿骨などすべてを拾い納める関東に比べて、骨壷は遙かに小さいのだそうである。

それはともかく、家に「お骨」を置いておくことは、違法ではないにしても、社会常識として憚られるので、特に都会では無理をしながら、墓地を買って納骨する習慣も定着したことになる。私自身、今の状態には多少の後ろめたさを感じ続けている。ただ、仏教のお寺でもそうかもしれないが、土地の余裕のない都会では、キリスト教の教会は、教会のなかに骨壷のアパートのような場所を造っているところが多くなった。これも一つの方法として、今後広がりそうである。

いずれにしても、一つには「家」という概念が希薄化し、さらに、少子化・核家族化が進展し、ということになると、先祖代々の墓を守る、という意識も陰るだろうし、意識はあっても、実際上それができない、という場合も増えるだろう。

そうした色々な事情から、死後の世界が墓地という場所で平安を得る、という、これまで確立されてきた社会習慣が、少しずつ揺らいでいることも確かである。散骨を望む人も確かに増えていると言われるし、そうであれば、「お骨」の保存には拘らないという考え方が、将来主流になるのかもしれない。

＊＊

ここまでは、完全に世俗の領域での「死後の世界」であった。そういう変化や、さらに言えば、これまで定着してきた日本の社会習慣としての「墓」あるいは「お骨」という概念が、果たして宗教の領域に踏み込んだとき、どこまで整合性があり、どこまで整合性が無いか、という問題は、これまで、あまり徹底した議論がなされてこなかったように思われる．もとより仏教は、そうした社会習慣の醸成に深く関わってきたという歴史的な事実はあるが、特にキリスト教において、「お骨」と結びついた「墓」を、どのように考えるべきか、寡聞にして私は、そうした議論をほとんど知らない。

おそらく私は近いうちに、父の墓を改修して、母と姉の骨壺を納骨することになると思うが、どこかで、少し一般的な議論をしてみたい思いもある。

放射能汚染を逃れて

『原発難民の詩(うた)』(朝日新聞出版 2012 年 7 月)は、原発事故のために福島県富岡町を追われ、現在はいわき市の仮設住宅に住む 84 歳の佐藤紫華子さん（1928 年−）が、「自然に浮かんでくる」という詩を集めたものです。その中から「原発難民」と題された詩を紹介します。　　　　（渡辺和子）

原発難民

仕事が　ありますよ
お金を　澤山あげますよ

甘い言葉にのせられて
自分の墓穴を掘るために
夢中になって働いてきて
原発景気をつくった
あの頃……

人間が年を取ると同じように
機械も年を取るということを
考えもしなかった
技術者たち！
ましてや
大地震、大津波に
襲われるとは……

地震国であり
火山国であるという
基本的なことを
忘れてしまった国の末路か……

私たちは
どこまで逃げれば
いゝのだろうか
追いかけてくる放射能
行く手を阻む線量

見えない恐怖！
匂わないもどかしさ！
聞こえない焦立たしさ！

私たちは安住の地を求めて
どこまで
いつまでさすらうのだろう

東洋英和女学院大学　死生学研究所報告（2012年度）

§役員

所長：渡辺和子　　人間科学部人間科学科教授
幹事：島　創平　　国際社会学部国際コミュニケーション学科教授
幹事：西　洋子　　人間科学部保育子ども学科教授
幹事：福田　周　　人間科学部人間科学科教授
幹事：ミリアム・T. ブラック　　人間科学部保育子ども学科准教授
幹事：前川美行　　人間科学部人間科学科准教授

§〈公開〉連続講座「生と死とその後」（本学大学院201教室で開催）

第1回　2012年4月21日（土）14:40～16:10
村上陽一郎（本学学長）「死の二つの側面」

第2回　2012年4月21日（土）16:20～17:50
西　洋子（本学人間科学部教授）「からだ・モノ・モノ語り—表現するミュージアム」

第3回　2012年6月2日（土）14:40～16:10 渡辺和子（本学人間科学部教授）「『ギルガメシュ叙事詩』と洪水神話」

第4回　2012年6月2日（土）16:20～17:50
佐藤弘夫（東北大学大学院文学研究科教授）「江戸時代の幽霊にみる死生観」

第5回　2012年6月30日（土）14:40～16:10
前川美行（本学人間科学部准教授）「子どもと守り—映画『禁じられた遊び』から」

第6回　2012年6月30日（土）16:20～17:50
島薗　進（東京大学大学院人文社会系研究科教授）「日本人の死生観をふり返る」

第7回　2012年12月8日（土）14:40～16:10
山本真実　（本学人間科学部准教授）「被虐待児と環境—養護原理の視点から」

第8回　2012年12月8日（土）16:20～17:50
石渡和実（本学人間科学部教授）「障害がある命と優生思想」

第9回　2013年1月19日（土）14:40～16:10
古川のり子（本学国際社会学部教授）「姥皮の少女とタニシ息子の物語—『ハウルの動く城』」

第10回　2013年1月19日（土）16:20～17:50
奥山礼子（本学国際社会学部教授）「ヴァージニア・ウルフの死生観—人生

と作品から」

第11回　2013年2月16日（土）14:40～16:10
棚次正和（京都府立医科大学大学院医学研究科教授）「現界と他界のあわい」

第12回　2013年2月16日（土）16:20～17:50
福田　周（本学人間科学部教授）「鯰絵にみる震災体験のイメージ化過程」

§〈公開〉シンポジウム　（本学大学院201教室）

2012年7月28日（土）14：40～17：50
テーマ：「スピリチュアルケアを考える」

発題⑴　奥野滋子（順天堂大学医学部先任准教授）「〈緩和医療から〉　強要しないスピリチュアルケア」

発題⑵　佐藤啓介（聖学院大学人文学部准教授）「〈宗教哲学から〉　スピリチュアルケアにおける幸福な記憶、幸福な忘却」

発題⑶　鶴岡賀雄（東京大学大学院人文社会系研究科教授）「〈宗教史から〉　スピリチュアルケアとしてのターミナルケア」

§〈公開〉シンポジウム　「生と死」研究会　第11回例会

（財団法人国際宗教研究所との共催、本学大学院201教室）

2012年10月20日（土）14：40～17：50
テーマ：「震災と子ども」

発題⑴　前川美行（本学人間科学部准教授）「こころを守り、育てること―安心とは」

発題⑵　朝岡　勝（日本同盟基督教団徳丸町キリスト教会牧師）「いと小さき者への奉仕―子どもと地震・津波・原発被災」

発題⑶　木崎馨雄（老人ホーム自生園総施設長・高野山真言宗那谷寺副住職）「子ども達に救われた震災支援」

§会議

幹事会（メール会議）6回

§刊行物

『死生学年報2013　生と死とその後』リトン、2013年3月31日発行

§役員の業績

2012年度の役員の業績を上記のものを除いて種類別に列記する（名前のあとの（　）内は学位と専門領域）。

＊渡辺和子（Dr. phil. in Assyriologie; 宗教学／死生学／アッシリア学）

[著書]

・分担執筆「ポニョの海の中と外―『初源神話』の創出」国際宗教研究所編『現代宗教2012 特集　大災害と文明の転換』秋山書店、2012年7月、29–48頁。

・分担執筆「アッシリア王センナケリブの宗教改革（前8世紀末―前7世紀初期）」「アッシリア帝国における王権観（前7世紀半ば）」「アッシリアとフリュギアの和平（前709年）」の3項目、歴史学研究会編『世界史史料1　古代のオリエントと地中海世界』岩波書店、2012年7月、51–52、54–55、57–59頁。

[論文]

・「洪水神話の文脈―『ギルガメシュ叙事詩』を中心に」『宗教研究』86–2（特集　災禍と宗教）日本宗教学会、2012年9月、257–282頁。

・「死生学と生命倫理―脳死・臓器移植問題を例として」『福音と世界』2013年1月号（特集　生命倫理―生命はだれのものか）新教出版社、2012年12月、44–50頁。

[研究ノート・事典項目・学会発表要旨]

・「〈研究ノート〉　絵本と詩歌にみる人間の災禍と自然」『死生学年報2012　生者と死者の交流』リトン、2012年3月、217–228頁。

・「古代オリエント宗教」『世界宗教百科事典』丸善、2012年12月。

・「ギルガメシュ」『神の文化史事典』白水社、2013年2月。

・「発表要旨：エサルハドンの「宗教改革」」『宗教研究』86–4、2013年3月。

・「発表要旨：エサルハドンの王位継承誓約文書について」『オリエント』55–2、日本オリエント学会、2013年3月。

[教科書]

・「人生を考える―死生観を含む人生観のために」『生と死をめぐる人間学（2012年度版）』教科書編集委員会編、2012年9月、5–25頁。

[学会発表など]

・「『ギルガメシュ叙事詩』における夢とその類―古代を問い直す」第4回アッシリア学研究会、東洋英和女学院大学大学院（六本木校舎）、2012年3月31日。

・“The Oath Documents of Esarhaddon and His Religious Reformation,” Workshop: Assyrian Scribal Art: Inscriptions and Library Texts, Tsukuba University, May 10, 2012.

・「エサルハドン誓約文書研究の新展開」第5回アッシリア学研究会、東洋英和女学院大学（横浜校舎）、2012年8月2日。

・「エサルハドンの「宗教改革」」日本宗教学会第71回学術大会、皇學館大学、2012年9月8日。

・「エサルハドンの王位継承誓約文書について」日本オリエント学会第54回大会、東海大学、2012年11月25日。

[講座・講演]

・大学公開講座「アッカド語入門」2012 年度前期 13 回。東洋英和女学院大学生涯学習センター（横浜校舎）。
・渡辺和子、古川のり子、三上章　大学学部公開講座「神話と物語」2012 年度前期 14 回。東洋英和女学院大学生涯学習センター（横浜校舎）。
・ミニ授業「神話と物語を考える—『千と千尋の神隠し』をてがかりに」オープンキャンパス（横浜校舎）2012 年 8 月 19 日。
・大学公開講座「『ギルガメシュ叙事詩』を読む」2012 年度秋学期（7 回）東洋英和女学院大学生涯学習センター（横浜校舎）。
・ミニ授業「ポニョ授業—あなたはポニョを理解したか」オープンキャンパス（横浜校舎）2013 年 3 月 17 日。

＊島　創平（文学修士、キリスト教学／古代ローマ史）

[著書]

・分担執筆「イエスの裁判と処刑（30 年頃）」「ローマ市の大火とキリスト教徒弾圧（64 年）」「エルサレムの陥落（70 年）」「ローマ帝政期前期のローマ政府のキリスト教政策（111 年）」の 4 項目、歴史学研究会編『世界史史料 1　古代のオリエントと地中海世界』岩波書店、2012 年 7 月、273–275、278–279、281–282、292–293 頁。

[講座]

・大学公開講座「ギリシア語で聖書を読む」春学期 10 回、秋学期 10 回。東洋英和女学院大学生涯学習センター（横浜校舎）。
・大学公開講座「西欧言語のルーツ　ラテン語を学ぶ（入門編）」春学期 10 回、秋学期 10 回、冬学期 5 回。東洋英和女学院大学生涯学習センター（六本木校舎）。
・大学公開講座「西欧言語のルーツ　ラテン語を学ぶ（講読編）」春学期 10 回、秋学期 10 回。東洋英和女学院大学生涯学習センター（六本木校舎）。
・聖書講座「金持ちとラザロ」「シリア・フェニキアの女」、大分県竹田市・あ祖母学舎、九重聖書集会 2012「キリスト教は平等か？」2012 年 8 月 18–19 日。
・大学学部公開講座「ギリシア悲劇における神と人」2012 年度後期 15 回。東洋英和女学院大学生涯学習センター（横浜校舎）。

＊西　洋子（博士（学術）、身体表現の授業法／身体表現論）

[論文]

・「出会いと共振—「共振する身体」から「共振する生命」へ」『死生学年報 2012　生者と死者の交流』リトン、2012 年 3 月、87–108 頁。
・「創造的な身体表現活動とリハビリテーション」『リハビリテーションネットワーク研究』10（1）リハビリテーションネットワーク研究会、2012 年 7 月、1–8 頁。

・「表現するからだ：共創の原初、未来への跳躍」『計測と制御』51（11）計測自動制御学会、2012年11月、1072–1075頁。

［報告書］

・西洋子編著デザイン、国立民族学博物館共同研究および文化資源プロジェクト報告書『からだ×ミュージアム×ひょうげん　デザインブック』、2012年3月19日。

・「身体での共創表現」国際シンポジウム報告書Ⅲ『“カラダ”が語る人類文化―形質から文化まで―』国際常民文化研究機構・神奈川大学日本常民文化研究所、2012年7月24日、35–41頁。

［教科書］

・「表現する身体―いのちの営みとして」『生と死をめぐる人間学（2012年度版）』教科書編集委員会編、2012年9月、103–112頁。

・「保育者の身体的感性と保育カンファレンス」『保育子ども学（2012年度版）』教科書編集委員会編、2012年4月、42–48頁。

［学会発表］

・西洋子、三輪敬之「身体表現の共創に関する研究 その1：手合わせ表現における共振と出会いについて」日本体育学会第63回大会、東海大学、2012年8月、109頁。

・渡辺貴文、三輪敬之、西洋子「身体表現の共創に関する研究 その2：身体の二重性に着目した共振創出プロセスの計測」日本体育学会第63回大会、東海大学、2012年8月、109頁。

・三輪敬之、渡辺貴文、西洋子「身体表現の共創に関する研究 その3：表現の持続的創出とカオス性について」日本体育学会第63回大会、東海大学、2012年8月、109頁。

・村中亜弥、西洋子「インクルーシブな場における身体表現創出へと向かうきっかけ（その2）」日本体育学会第63回大会、東海大学、2012年8月。

・林成紘、三輪敬之、内藤剛、板井志郎、西洋子「影の二領域設計による生命的な身体表現メディア」ヒューマンインタフェースシンポジウム2012、九州大学、2012年9月、741–746頁。

・原知也、三輪敬之、宮本旅人、渡辺貴文、西洋子「共創表現の遠隔支援―身体表現の共創における潜在的情報の計測と伝達」ヒューマンインタフェースシンポジウム2012、九州大学、2012年9月、751–754頁。

・西洋子、柳澤裕樹、辻吉竜、渡辺貴文、三輪敬之「身体表現の共創―手合せ表現における身体動作創出過程の検討」第13回計測自動制御学会システムインテグレーション部門講演会（SI2012）、福岡国際会議場、2012年12月、111–112頁。

［講座・講演］

・「からだ・響き合い，創り合う」国立民族学博物館共同研究「民族学博物館における表現創出を活用した異文化理解プログラムの開発～多元的な場での気づきの深化のデザイン化～」シンポジウム、早稲田大学、2012年3月19日。
・「からだで表現～つながり合い、創り合う喜び～」平成24年度愛知県市立幼稚園連盟岡崎支部教員研修会、岡崎市甲山会館、2012年7月14日。
・「身体表現」国立音楽大学夏期音楽講習会音楽療法講座、国立音楽大学、2013年8月5日。
・「ひびき合ってつながろう」『ひびき、げんきッシモ！！』共同プロデュースおよび身体表現ワークショップ講師、せんだいメディアテーク、2012年10月13-14日。
・模擬授業「遊びは学び～子どもの世界と保育者の役割～」津久井浜高等学校、2012年11月14日。
・「身体表現ワークショップのデザイン」『身体表現からはじまる未来のデザイン―宮城県東松島市でのワークショップ報告会―』表現未来の会、早稲田大学、2012年12月26日。
・「からだ・感じる、表す、創り合う」日本音楽療法学会関東支部県別講習会、とちぎ青少年センター、2013年1月27日。
・「ソーシャルインクルージョン」ホスピタルプレイスペシャリスト養成講座、静岡県立大学短期大学部、2013年2月15日。

[その他の活動]
・東日本大震災の被災地域（石巻市、東松島市等）での身体表現活動（月に1回実施）。

＊福田　周（教育学修士、臨床心理ケース研究／臨床心理学）

[著書]
・分担執筆「精神病圏患者への塗り絵を用いた心理療法」河合俊雄編著『ユング派心理療法』ミネルヴァ書房、2013年3月、237-248頁。

[論文]
・「統合失調症者の描画技法の治療的条件―Aloïse Corbazの描画表現を例として―」『東洋英和女学院大学心理相談室紀要』第15号、2012年3月、51-63頁。

[教科書]
・「夢における生と死―心理療法の視点から」『生と死をめぐる人間学（2012年度版）』教科書編集委員会編、2012年9月、93-102頁。

[学会活動]
・日本箱庭療法学会第26回大会、指定討論者、2012年10月28日。

＊ミリアム・T.　ブラック（M. A. in TESOL, 英語／英語教育）

[教科書]
・"Language, Mental Development, and the Study of Life and Death"「言葉の使用と精神発達」（笠谷美穂訳）『生と死をめぐる人間学（2012年度版）』教科書編集

委員会編、2012年9月、40–65頁。

[その他]

・『死生学年報』の英文編集。

＊前川美行（博士（教育学）、臨床心理学／臨床心理面接学）

[著書]

・分担執筆「アトピー性皮膚炎に苦しむ青年期女性の夢と言葉」河合俊雄編著『ユング派心理療法』ミネルヴァ書房、2013年3月、201-218頁。

[論文]

・「生き物としての箱庭や言葉」『箱庭療法学研究』第24巻第3号、日本箱庭療法学会、2012年3月、123–139頁。

・「“自分の実感”と身体性―自我体験と身体的自己感―」『東洋英和女学院大学心理相談室紀要』第15号、2012年3月、64-73頁。

[教科書]

・「自分が生まれること―臨床心理学の視点から」『生と死をめぐる人間学（2012年度版）』教科書編集委員会編、2012年9月、79–91頁。

[エッセイ・ケースコメント]

・「〈エッセイ〉　震災によせて―悲しみとともに」『死生学年報2012　生者と死者の交流』リトン、2012年3月、229–231頁。

・〈紀要コメント〉「市原論文へのコメント」『臨床心理事例研究：京都大学教育学研究科心理教育相談室紀要』2012年3月、第38号。

[学会活動]

・日本箱庭療法学会2012年度第1回日本箱庭療法学会研修会、分科会講師、2012年7月15日。

・日本臨床心理士認定協会第69回臨床心理士研修会、事例提供（協力講師）「イメージと査定」、2012年7月29日。

・日本箱庭療法学会第27回大会、指定討論者、2012年10月28日。

[講演・研修会講師等]

・世田谷区教育相談室烏山分室研修会講師、2012年12月19日。

・みんなのダンスフィールド主催「身体表現からはじまる未来のデザイン～宮城県東松島市でのワークショップ報告会～」早稲田大学、コメンテーター参加、2012年12月26日。

[その他の活動]

・震災支援活動（心理個別相談・コンサルテーション活動）、2012年3月～8月。

・生涯学習センター「『こころの相談室』から」コーディネーター、2012年9月～12月全10回。

［受賞］

・日本箱庭療法学会河合隼雄賞（奨励賞）受賞、2012年10月28日。受賞対象：事例研究論文「術後せん妄時の幻覚に苦しむ癌患者にみられた身体性の回復に関する考察」『箱庭療法学研究』第24巻第2号（2011年）に掲載。受賞理由：外科手術による身体性の喪失がもたらす重大な精神的侵襲・自己感の混乱に苦しむクライエントに対する心理治療過程を扱い、こころと身体の根底的な繋がり・相互関係とそれをめぐる心理療法の在り方に関する本質的な問題に鋭くアプローチした独創的な研究論文である。夢、幻覚、主観的・身体感覚的レベルで語られる言葉を媒体として行うコミュニケーションによって、クライエントが身体性に向き合い、身体性の回復を通じて自己感そのものを回復することの心理治療的意義が明らかにされており、このことは、イメージを重視した心理療法の治療機序の問題に繋がる、きわめて斬新で貴重な知見と考えることができる。

執筆者紹介

鈴木桂子	（すずき　けいこ）	玉川大学非常勤講師 本学生涯学習センター講師
大澤千恵子	（おおさわ　ちえこ）	立教大学兼任講師
佐藤弘夫	（さとう　ひろお）	東北大学大学院文学研究科教授
古川のり子	（ふるかわ　のりこ）	本学国際社会学部教授
島薗　進	（しまぞの　すすむ）	東京大学大学院人文社会系研究科教授
深澤英隆	（ふかさわ　ひでたか）	一橋大学大学院社会学研究科教授
佐藤啓介	（さとう　けいすけ）	聖学院大学人文学部准教授
鶴岡賀雄	（つるおか　よしお）	東京大学大学院人文社会系研究科教授
前川美行	（まえかわ　みゆき）	本学人間科学部准教授
朝岡　勝	（あさおか　まさる）	日本同盟基督教団　徳丸町キリスト教会牧師
木崎馨雄	（きざき　けいゆう）	社会福祉法人自生園総施設長　那谷寺副住職
西　洋子	（にし　ひろこ）	本学人間科学部教授
永浦典子	（ながうら　のりこ）	宮城県名取市民
三輪敬之	（みわ　よしゆき）	早稲田大学理工学術院教授
渡辺和子	（わたなべ　かずこ）	本学人間科学部教授
村上陽一郎	（むらかみ　よういちろう）	本学学長

編集後記

2003年に開設された死生学研究所が10周年を迎えようとするこの時期に、充実した『死生学年報2013　生と死とその後』を上梓できますことを、これまで応援していただいた皆さんと共に喜びたいと思います。

新しい分野である死生学の内容をどのようなものにするかという問いには、即座に答えることはできません。当研究所は無限の可能性をもつ「総合学としての死生学」を目指して歩んでいます。そして2011年3月の東日本大震災は、新たに重大な課題を死生学に与えました。突然の大規模災害、原発事故、多くの犠牲者、そして長期の避難生活など、どれも生と死に深くかかわる問題であり、当研究所の中心的課題のひとつとして取り組み続ける決意を固めました。

2010年の秋にはシンポジウム「生と死とその後」（(財) 国際宗教研究所と共催）が開催され、2011年度と2012年度の連続講座は「生と死とその後」という共通テーマのもとに行われましたので、これらの成果が多く盛り込まれた本書の特集題として「生と死とその後」がふさわしいと考えました。また2012年夏には「スピリチュアルケアを考える」、秋には「震災と子ども」（(財) 国際宗教研究所と共催）のテーマで行われたシンポジウムの成果も本書に反映されています。

2009年度から2012年度まで、当研究所の活動を助成対象としていただきました日本財団に篤くお礼申し上げます。

10周年記念出版ともいうべき本書に寄稿してくださった皆様、出版作業をしてくださったリトンの大石昌孝さんに心より感謝いたします。幹事のミリアム・ブラック先生はいつもながら丁寧な英文編集をしてくださいました。事務担当の大澤千恵子さんをはじめ、公開講座などの活動をお手伝いくださっている方々にも感謝いたします。

死生学は研究、教育、実践活動等のあらゆる場においてますます問われているという実感をもちながら、多様な試みに挑戦し続けます。今後ともご指導、ご協力を切にお願いいたします。

渡 辺 和 子

Annual of
the Institute of Thanatology,
Toyo Eiwa University

Vol. IX, 2013
Life and Death, and After

CONTENTS

死生学年報　2013　生と死とその後

発行日　2013年3月31日

編　者　東洋英和女学院大学 死生学研究所

発行者　大石昌孝

発行所　有限会社リトン
　　101-0061　東京都千代田区三崎町2-9-5-402
　　FAX 03-3238-7638

印刷所　互恵印刷株式会社

ISBN978-4-86376-028-8